KNAUR

Über die Autorin:
Laura Jane Williams wurde 1986 in Derbyshire, England, geboren. Ihre Texte sind in fünfzehn Ländern erschienen und wurden in Magazinen und Zeitschriften publiziert. Zuletzt hat sie bei der *Grazia* und bei *Red* als Kolumnistin gearbeitet. Mit einem Grinsen im Gesicht sagt sie von sich selbst, dass sie Liebesromane für Zyniker schreibt.

LAURA JANE WILLIAMS

VIER WOCHEN IM DEZEMBER

Roman

Aus dem Englischen
von Nadine Lipp

Die englische Originalausgabe erschien 2022 unter dem Titel
»Just for December« bei Avon, a divison of HarperCollins Publishers Ltd.

Besuchen Sie uns im Internet:
www.droemer-knaur.de

Deutsche Erstausgabe September 2024
© 2022 Just Show Up
© 2024 der deutschsprachigen Ausgabe Knaur Verlag
Ein Imprint der Verlagsgruppe
Droemer Knaur GmbH & Co. KG, München
Redaktion: Birgit Förster
Covergestaltung: zero-media.net, München
Coverabbildung: Collage von zero-media.net
unter Verwendung von Motiven von Shutterstock.com
Satz und Layout: Daniela Schulz, Gilching
Druck und Bindung: GGP Media GmbH, Pößneck
ISBN 978-3-426-52955-3

2 4 5 3 1

Für Molly Walker-Sharp
Danke, dass du so wundervoll mit einem
Albtraum umgegangen bist

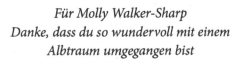

1

EVIE

E in Filmset ist ein ganz besonderer Ort.
Licht! Kamera! Action!

Ich bin bereit für mein Close-up, Mr DeMille.

Die Kameraleute bereiten ihre Ausrüstung vor und denken über die besten Aufnahmewinkel nach. Die Grip- und Elektro-Crew richtet die Beleuchtung, den Ton und das Video-Playback ein, verlegt Kabel und bereitet die Wagen vor. Haarstylisten und Maskenbildnerinnen machen sich an die Arbeit und tauschen dabei mit den Schauspielenden den neuesten Klatsch und Tratsch aus oder hören zu, während diese den Text wiederholen. Und dann sind da die Kulissen! Ein Gang über das Gelände ist wie ein Gang durch die Geschichte. Wen kümmert es schon, dass Hollywood ein Ort ist, an dem man tausend Dollar für einen Kuss und fünfzig Cent für die ganze Seele bekommt, wenn dort drüben auf Bühne 24 *Friends* gedreht wurde und gleich um die Ecke *Jurassic Park*. Voller Bewunderung sieht man zu, wie die Regisseurin das Drehbuch durchgeht und gemeinsam mit dem Kameramann entscheidet, was wie gedreht werden soll. Und von überall erklingt das Geschnatter der Tontechniker und Assistentinnen, der Caterer, der Produzentinnen und Produzenten. Wie viele Menschen träumen davon, für Film und Fernsehen zu arbeiten? Und wie viele tun es? Die hier Anwesenden haben es trotz aller Widrigkeiten geschafft, und das wissen sie. Das ist der Grund, warum ein Hauch von Magie in der Luft liegt.

Ruhm, ich werde ewig leben!

Die Verheißung der Lichter, Kameras und der Action hat Duke Carlisle wahrscheinlich zu dem werden lassen, der er ist, denkt

Evie. Als feststand, dass Duke an der Verfilmung ihres Buches mitwirkt, hat ihre Agentin ihr seine ausführliche Biografie geschickt. Darin stand, dass der kleine Junge aus Sunderland, Großbritannien, bereits früh wusste, dass er nur diesen einen Traum hatte: in Hollywood, vor den Augen der ganzen Welt, zu schauspielern. Mittlerweile wird er international gefeiert, ist überall anerkannt und hat zweifellos so viel Geld wie … na ja, vielleicht nicht wie Krösus, aber auf jeden Fall so viel wie ein Mitglied der britischen Königsfamilie. Er ist ein Junge aus der Arbeiterklasse, der es zu etwas gebracht hat – und dabei hat er anscheinend nur versucht, seine Mutter stolz zu machen. Um aus seiner Biografie zu zitieren: »Besser wird's nicht.«

Aber …

Evie Bird will mit dem *realen* Hollywood nichts zu tun haben und würde das Filmbusiness gerne für den Rest ihres Lebens meiden. Sie ist am Set aufgewachsen und hat miterlebt, wie ihr Vater den Schauspielenden Anweisungen gegeben hat, wie sie die Worte sprechen sollten, die er geschrieben hatte – und sie weiß, dass nicht alles so ist, wie es scheint. Der Machtmissbrauch ist real, und jeder arbeitet in dem Wissen, dass er bei dem kleinsten Fehler oder Fehltritt sofort ersetzt wird, weil es eine Million andere Schauspielende, Regisseure und Drehbuchautorinnen gibt, die darauf warten, diesen Platz einzunehmen. Also sind die Arbeitszeiten lang und die Moral zweifelhaft.

Streit, Intrigen und leidenschaftliche Affären sind an der Tagesordnung … Und es versteht sich von selbst, dass Evies Vater während ihrer Kindheit beweisen musste, dass er diese drei Regeln der Kunst beherrschte.

Wenn man Eltern hat, die in Hollywood berühmt sind, will man entweder genau so sein wie sie oder das absolute Gegenteil.

Evie kann den Gedanken nicht ertragen, wie ihr Vater zu werden, also will sie nichts damit zu tun haben, niemals.

Das Geschichtenerzählen liegt ihr im Blut, aber nur über ihre Leiche wird sie beim Film arbeiten.

Sie spricht nicht über ihren Vater oder ihre Vergangenheit. Niemand weiß, dass sie die Tochter von Donald Gilbert ist, und sie will, dass das auch so bleibt. Stattdessen schreibt sie Bücher unter dem Mädchennamen ihrer Mutter, ist weit, weit weg von allem und führt ein ruhiges Leben, mit dem sie zufriedener nicht sein könnte.

Es ist bedauerlich, dass sie vertraglich verpflichtet ist, zu Duke Carlisles Set zu fliegen, wenn sie den Scheck für die Verfilmungsrechte kassieren will, den sie so dringend braucht. Wenn man nicht gerade Dan Brown heißt und *Sakrileg* geschrieben hat, wird man vom Bücherschreiben selten reich, und auch wenn Geld nicht glücklich macht, so kann es doch das Pflegeheim der Mutter für die nächsten zehn Jahre finanzieren. Welche Wahl hatte Evie also, als sie das Angebot erhalten hatte, die Filmrechte zu verkaufen? Auch wenn damit verbunden war, dass sie nun ans Set fahren und zusehen muss, wie der Film entsteht.

An ein Filmset zu fahren, klingt für die meisten Menschen wie ein wahr gewordener Traum. Aber für Evie? Puuhhh. Für Evie ist es ein Albtraum.

Aber trotzdem fährt sie hin.

»Niemand hat so ein Gesicht *und* einen guten Charakter«, meint Evie.

Sie steht vor dem Spiegel und hat nur einen zu kleinen, fleischfarbenen BH und ausgeblichene High-Rise-Jeans an. Ihr Kleiderschrank quillt über vor Klamotten, aber sie hat immer nur diese eine vier Jahre alte Levi's an, die sich so gut an ihre Körperform angepasst hat, dass sie ihr zu einer zweiten Haut geworden ist.

»Und Duke Carlisle …?«, fährt sie fort, während sie feststellt, dass ein Stückchen Grünkohl vom Mittagessen zwischen ihren beiden Vorderzähnen feststeckt. Sie zieht eine Grimasse und versucht, es mit dem Finger herauszupulen. »Das ist der albernste Künstlername aller Zeiten. Er klingt wie ein gescheiterter General, der einen Cocktail nach sich benannt hat.«

Magda, ihre beste Freundin, schüttelt neckisch den Kopf, was durchaus angemessen ist. Seit dem Sommer, seit sie erfahren hat, dass sie ans Set fahren muss, um bei »zusätzlichen Backstage-Inhalten« zu helfen, wiederholt Evie diesen verbitterten Monolog. Sie sucht ihre Zahnbürste und bekommt endlich ein halbes Salatblatt aus ihren Zähnen. Na toll. Wie lange ist das Mittagessen her, vier Stunden? Und niemand hat ihr gesagt, dass sie aussieht wie das Krümelmonster in *Austin Powers im Biosupermarkt.*

»Ich wette, er ist ein Arsch«, schlussfolgert Evie, schnappt sich einen grauen Rollkragenpullover und hält ihn an sich. Sie betrachtet ihr Spiegelbild gedankenversunken und greift dann nach dem gerippten cremefarbenen Pulli, der auf dem Bett liegt. Vielleicht packt sie beide ein, sagt sie sich, um sie zumindest mal getragen zu haben. Sie hat sie vor sechs Wochen im Ausverkauf gekauft, aber die Preisschilder hängen immer noch dran. Vielleicht nimmt sie neben der Jeans auch noch eine weitere Hose mit. Wann hat sie die überhaupt das letzte Mal gewaschen?

Sie wirft die Pullis zu Magda rüber, auf den »Einpacken«-Stapel. Sie ist ihr sehr dankbar für die Hilfe – und sei es nur, dass sie das ganze Gejammer loswerden kann.

»Ich weiß, ich nerve, wenn ich immer wieder davon anfange«, fährt Evie fort. »Aber, jetzt mal ehrlich … Meine ganze Kindheit hat daraus bestanden zu beobachten, wie Promis am Filmset nur zu den Leuten nett sind, die ihnen was nutzen. Das ist alles so verkorkst. Obwohl ich zugeben muss, dass die aufstrebenden Schauspieler nicht so sind. Die sind zu allen nett, um sicherzugehen.«

»Ich würde Duke Carlisle allerdings nicht als aufstrebenden Schauspieler bezeichnen«, bemerkt Magda und faltet hilfsbereit die Sachen zusammen, die Evie ihr hingeworfen hat. »Selbst du wusstest, wer er ist, und normalerweise sagen dir all die Namen überhaupt nichts. Du widersetzt dich im Grunde den Gesetzen der Popkultur. Wie kann man nur so wenig davon mitbekommen, was in der Welt der Promis passiert?«

»Du sagst das so, als wäre es ein Skandal«, schießt Evie zurück und sucht auf dem Nachttisch nach einer Spange für ihre lange blonde Mähne. »Und trotzdem fasse ich es als Kompliment auf.«

»Wie untypisch für dich«, schmunzelt Magda und schürzt die Lippen, »das Drehbuch während des Drehs zu überarbeiten.«

»Kohärenz ist das A und O, meine Liebe.«

Evie steckt ihr Haar hoch und wendet sich wieder dem Kleiderschrank zu. Sie beschließt, dass sie ein paar dünne Rollkragenshirts zum Unterziehen braucht. Wie kalt wird es in Deutschland wohl sein? Sie ist sich ziemlich sicher, dass die Winter auf dem Kontinent nicht mit denen in Utah zu vergleichen sind, aber sie sollte auf Nummer sicher gehen. Es gibt kein schlechtes Wetter, nur unpassende Kleidung, hat ihre Mutter immer gesagt. Sie fährt mit der Hand die Kleiderbügel entlang, überlegt, was sie noch brauchen könnte, und fügt hinzu: »Gib deinen Leserinnen und Lesern, was sie wollen, und füge ein paar überraschende Wendungen hinzu. Das nennt sich Plot, Baby.«

»Die überraschende Wendung in dieser Geschichte ist, dass du tatsächlich hinfährst«, sagt Magda schlicht. Sie zuckt mit den Schultern, als ob sie hinzufügen würde: *Ich hätte nie gedacht, dass ich diesen Tag erleben würde.*

Evie hält eine Hand hoch. »Nicht doch. Ich verdränge es noch. Ich würde lieber nackt einen Fächertanz in einem Altersheim aufführen, als ein Filmset zu betreten. Nicht, dass das jemand verstehen würde, natürlich nicht. Na ja, niemand außer dir.« Sie schenkt Magda ein Lächeln, mit dem sie ihr aufrichtig dankt. »Aber ich habe einen Plan, wie ich es durchstehen kann. Ohne Vorbereitung ist Scheitern vorprogrammiert – und ich bin fest entschlossen, keinen Blödsinn zu machen und mit einem fertigen Buch für nächstes Jahr zurückzukehren, sonst bringt mich meine Verlegerin um.«

»Ich bin ganz Ohr.« Magda faltet den letzten Pullover zusammen und geht zu Evies Verblüffung zu Schuhen und Unterwäsche gleichzeitig über. »Vertrau mir«, sagt Magda, als Evie ihr einen besorgten Blick zuwirft. Magda winkt mit einer Hand ab und stopft mit der anderen Evies Sneaker mit Spitzentangas voll. »Und weise mich in den Plan ein. Ich möchte das alles durch dich miterleben. Ach, wenn doch schon Schulferien wären, dann würde ich mitkommen! Ich gehöre nämlich zu dem naiven Teil der Bevölkerung, der glaubt, dass am Set alles wahnsinnig glamourös ist.«

»Hmpf«, pafft Evie und fügt dann ein »Na ja« hinzu, ohne Details zu verraten. »Es ist jetzt nicht mehr lange hin. Und ich werde rechtzeitig zu Weihnachten zurück sein, und dann sind wir nur zu zweit. Wenn du willst, können wir völlig ignorieren, dass diese Reise überhaupt stattgefunden hat, oder wir machen, wie Kinder, eine große Sache daraus, oder wir betrinken uns oder was auch immer. Ganz wie du willst.«

Magda unterbricht ihr methodisches Schuhebefüllen – eine Packmethode, von der Evie bereits weiß, dass sie effizient ist, und das wiederum beweist, dass es völlig richtig war, Magda um Hilfe zu bitten. »Lass dich nur nicht scheiden, das ist mein einziger Rat.« Magda seufzt traurig. »Das ist scheiße. Scheiße, scheiße, scheiße.«

Sie verzieht das Gesicht und schiebt ihre Unterlippe auf dramatische, aber für Evie völlig berechtigte Weise vor, und Evie geht auf die andere Seite des Bettes und legt einen Arm um ihre beste Freundin. So war es immer. Es gab ein Evie und Magda, bevor es ein Magda und Jamie gab, und es wird ein Evie und Magda geben, lange nachdem die Scheidungspapiere unterschrieben sind.

»Guck mal«, sagt Evie leise, »vor sechs Monaten hättest du das unter gutturalem Schluchzen und mit einer Packung Ben and Jerry's in der Hand gesagt. Du hast einen langen Weg hinter dir, Baby. Ich weiß, es tut weh, aber vergiss nicht, dass die Zeit alle Wunden heilt. Du machst das so gut.«

Magda sieht sie von der Seite an. »Eine Geschiedene …«, sagt sie. »Und weswegen? Ich komme mir vor wie Miranda in der neuen Staffel von *Sex and the City*.« Sie zieht eine Schnute. »*And just like that* hat Magda ihr Leben zerstört, weil es ihr nicht aufregend genug war, und ist in ihren Dreißigern wieder Single.«

»Hey«, sagt Evie und tut so, als wäre sie verletzt. »So schlimm ist es nicht.«

»Du hast Carl.«

»Hmmm. Wirklich?« Evie verzieht das Gesicht. »Das mit ihm ist nicht … *das*. Wenn du weißt, was ich meine.«

»Du meinst, es ist bewusst temporär«, sagt Magda.

»Alles in diesem Leben ist temporär«, antwortet Evie, und die Bemerkung klingt härter, als sie es beabsichtigt hat. Sie denkt an ihre Mom.

Evie drückt ihrer Freundin noch einmal die Schulter und küsst sie auf die Wange, und dann arbeiten sie eine Weile in kameradschaftlichem Schweigen weiter, jede in ihren eigenen Gedanken versunken. Schließlich verkündet Magda: »Ich habe in letzter Zeit nur gedacht, dass ich mir wünsche, dass einer von uns etwas wirklich Falsches getan hätte, weißt du? So was wie betrügen oder ein Familiengeheimnis verschweigen oder auch nur eine einfache, unkomplizierte Affäre mit einer Sekretärin haben.«

»Du hast keine Sekretärin«, erinnert sie Evie.

»Jamie hat eine.«

»Dann schnüffle doch ein bisschen herum. Vielleicht hast du ja Glück, und er schläft doch mit ihr.«

»Sie ist lesbisch«, sagt Magda. »Aber danke für das Brainstorming.«

»Gerne, jederzeit.« Evie zwinkert ihr zu.

Stolz streichelt Magda über die fachmännisch gefaltete Kleidung – süße Pullis und dazu passende Wollmützen und edle Schals – und erklärt: »Wenigstens darin bin ich gut, wenn ich sonst schon nichts kann.«

»Du bist meine Heldin, weil du das durchgestanden hast«, sagt Evie und sieht sie an. »Und ich meine nicht das Packen, obwohl das ziemlich spektakulär ist. Ich finde, die Tatsache, dass du nach allem, was du durchgemacht hast, noch aufrecht stehst, bedeutet, dass wir dir zu Ehren eine Statue errichten sollten. Im Ernst. Du und Jamie, ihr seid beide so vernünftig und nett zueinander gewesen. Das lässt mich beinahe wünschen, es auch zu versuchen.«

»Dafür müsstest du erst heiraten«, sagt Magda.

Evie verzieht das Gesicht. »Das ist der Knackpunkt.«

Magda blickt zum Himmel – nicht einmal Gott kann Evie dabei helfen, sich im wirklichen Leben auf eine ernsthafte Liebesbeziehung einzulassen –, bevor sie eine Pause einlegt und aufs Bett steigt. Als sie die Beine übereinanderschlägt, sieht Evies Hund Dr. Dolittle darin eine Einladung zum Kuscheln und springt auf Magdas Schoß. Evie muss ihn bald ins Hundehotel bringen. Sie fügt es als weiteren Punkt auf ihrer wachsenden To-do-Liste im Kopf hinzu.

»Ich würde es wieder tun … heiraten«, sagt Magda und krault Doc zwischen den Ohren. »Eines Tages. Glaube ich. Jemanden, der mehr … Du weißt schon. Wenn mehr Leidenschaft im Spiel ist, nicht nur ein gemeinsames Interesse an Netflix-Serien.«

»Oh, na dann, zwei Hochzeiten für dich, keine für mich. Du kannst meine Hochzeit haben.«

»Ich glaube nicht, dass sie rationiert sind«, witzelt Magda.

»Vielleicht sollten sie es sein.«

»Aber Carl ist so nett. Denkst du denn nie …?«

Evie wehrt dramatisch ab. »Carl und ich haben eine Abmachung, und die beinhaltet: Wir führen zwei Leben und sehen uns an zwei

Abenden pro Woche für zwei Stunden. Verurteile nicht, was du nicht verstehst, vielen Dank dafür.«

»Ja, Madam«, sagt Magda und zieht dabei verdutzt die Augenbrauen hoch, was ihr Urteil ohne ein weiteres Wort ausdrückt. Magda sagt immer, sie wolle nur, dass Evie glücklich ist, worauf Evie oft antwortet: *Dann hör auf, mich damit zu belästigen.* Selbst in einer Scheidungssituation glaubt ihre beste Freundin immer noch an ein Happy End, und um das Ganze noch absurder zu machen, ist Evie doch diejenige, die Liebesromane schreibt.

Evie prüft, ob im Koffer noch Platz ist für die letzten Kleinigkeiten, die am Morgen noch reinmüssen – Kulturbeutel, Ladegeräte, Krimskrams –, indem sie testet, ob er sich schließen lässt. Das tut er, aber nur gerade so.

»Wir sind vom Thema abgekommen«, erinnert Magda Evie und kommt auf den ursprünglichen Punkt zurück. »Dein Überlebensplan am Set lautet ...?«

»Oh ja.« Evie nickt. »Also, im Grunde genommen habe ich einen Abgabetermin für das Weihnachtsbuch im nächsten Jahr – wenn ich mit weniger als hunderttausend Wörtern zurückkomme, musst du mich im Keller einsperren und darfst mich nur für Pinkelpausen und dreißig Minuten an der frischen Luft rauslassen – also denke ich, ich tue, was immer sie von mir am Set verlangen, und dann habe ich meine Ruhe. Soweit meine Agentin informiert ist, wollen sie mich nur für zusätzliche Inhalte. Für Social Media oder Bonusmaterial oder was auch immer. Vielleicht machen sie eine Hinter-den-Kulissen-Doku für YouTube. Ich weiß es nicht. Und wenn ich zu viel darüber nachdenke, werde ich verrückt, weil ich nicht verstehe, warum es eine vertragliche Verpflichtung sein muss und nicht ein Angebot, das ich hätte ablehnen können.« Evie hält inne, schließt die Augen und atmet theatralisch auf. Als sie die Augen wieder öffnet, fährt sie fort: »Also, sobald ich das erledigt habe, was auch immer sie von mir verlangen, werde ich schreiben. Und schließlich muss ich mir immer wieder ins Gedächtnis rufen, dass ich einen dicken fetten Scheck bekomme, und das ist eine riesige Erleichterung für mich, was die Pflege meiner Mutter angeht. Solange ich meine Wörterzahl fürs neue Buch erreiche, werde ich wohl überleben …«

»Auf der Romantischen Straße gibt es all diese Weihnachtsmärkte und magischen Schlösser, und man kann Schlittschuh laufen …«, sagt Magda und bezieht sich dabei auf die Gegend in Deutschland, in der die Dreharbeiten stattfinden werden. »Wenn du an dem Weihnachtsbuch fürs nächste Jahr schreibst, kannst du doch sicher all das genießen und dich perfekt auf das Thema einstimmen, an dem du gerade arbeitest.«

»Genau«, stimmt Evie zu. »Und ich bin nicht zu stolz, um zuzugeben, dass es an der Zeit ist, an einem anderen Ort als im örtlichen Café zu schreiben. Der Soja-Latte im Freddie's ist kaum zu übertreffen, aber ich bin mir sicher, dass es auch ein idyllisches bayerisches Café gibt, in dem ich mich wohlfühle.«

»Du wirst also nur das Nötigste für den Film tun, denn Filmsets sind ätzend und alle, die dort arbeiten, auch …«

Evie wirft ihrer Freundin einen anerkennenden Blick zu. Gott sei Dank versteht sie, was die meisten Menschen nicht verstehen würden: Für Evie ist das nicht aufregend. Es ist lästig.

»Und in der Zwischenzeit schreibst du deine letzten vierzigtausend Wörter, trinkst heiße Schokolade, isst Plätzchen und rufst mich täglich an, um mich auf dem Laufenden zu halten und mich daran zu erinnern, dass die letzte Schulwoche vor den Ferien immer die härteste ist.«

»Ganz genau! Und …«, fügt Evie hinzu, »vor allem …«

»Ja?«

»Vor allem werde ich alle Promis meiden. Den Regisseur, die Schauspieler, sogar die Drehbuchautorin … Sie bleiben bei ihren Leisten und ich bei meinen.«

»Natürlich.« Magda lacht.

»Egoistisches, arrogantes, falsches Hollywood«, sagt Evie nickend. »Ich werde die Tage genießen, so gut ich kann – aber das heißt nicht, dass ich sie nicht auch runterzählen werde.«

»Verstanden«, schießt Magda zurück. Dann überlegt sie kurz, und ihr Gesicht hellt sich auf, als ihr eine Idee kommt. »Aber was soll's?«, fügt sie schelmisch hinzu. »Wenn es stimmt, dass Duke Carlisle jetzt wieder Single ist, dann gib ihm bitte meine Nummer. Du hältst ihn vielleicht für ein Arschloch, das nur darauf wartet, entdeckt zu werden, aber ich finde ihn verdammt heiß.«

2
DUKE

Duke Carlisle hat noch nie von einem Mann gehört, der an einem gebrochenen Herzen gestorben ist, aber das heißt nicht, dass es noch nie vorgekommen ist.

Das Ziehen in seiner Brust stellt ihn auf die Probe, es verhöhnt ihn sogar, weil er so ein Narr war.

Wie konnte er es nicht sehen?

Wie konnte er Daphne jemals glauben, als sie *Ich liebe dich* gesagt hat? Er denkt zum trillionsten Mal darüber nach, während er durch den Frankfurter Flughafen geht, zu dem Auto, das auf ihn wartet. Er tritt mit seinen Nikes hart auf, und seine Designer-Trainingshose sitzt ihm tief in den Hüften. Das Klick-Klick-Klick der Paparazzi-Kameras und das dazugehörige Blitzlichtgewitter dienen als Grundlage für die Schreie der Fans, die durch irgendeinen Blog oder Social-Media-Account über seine Ankunftszeit informiert worden sind. Es ist verrückt, an welche Informationen hartnäckige Fans herankommen können. Bei fast jeder Produktion oder Medientournee gibt es ein Leck. Er stählt sich. Es heißt immer, das sei der Preis des Ruhms. Seit Jahren ist er bereit, ihn zu zahlen. Er richtet seine blauen, mandelförmigen Augen nach unten, die Designer-Sonnenbrille schirmt ihn zusätzlich ab, und er hält sich eine Hand vors Gesicht. Er tut sein Bestes, um nicht mürrisch zu wirken.

Daphne Diamond, blöderweise Dukes Co-Star und seit Kurzem seine Ex-Freundin, also die Frau, die für besagte lähmende Brustschmerzen verantwortlich ist, zahlt heute nicht den gleichen Preis für ihren Ruhm. Sie hatten denselben Flug aus London, aber sie wurde durch den Hinterausgang geleitet, den privaten Ausgang für vermögende Fluggäste und Filmstars, und befindet sich wahrscheinlich schon auf halbem Weg zum Hotel. Bei den Produzenten ist sie im Moment eine Persona non grata, nachdem sie mit ihrem Betrug für Negativschlagzeilen gesorgt hat. Duke seufzt. Daphne wurde bei einem Stelldichein mit dem verheirateten Regisseur erwischt, drei Tage, nachdem die Innenaufnahmen für *Auf der Romantischen Straße* in den Pinewood Studios abgeschlossen worden waren. Auf allen Titelseiten waren die Fotos zu sehen: Sie steht gegen eine Hinterhofwand gepresst da, steckt ihre Zunge in Brads Mund, und Brads Hände liegen auf ihrem Hintern. Sie haben noch drei Wochen gemeinsame Arbeit in Deutschland vor sich. Das wird hart.

Aber auch wenn Daphne alle in den Wahnsinn getrieben hat, indem sie den Ruf des Films gefährdet hat – sie hat die Geldgeber nervös gemacht und das gesamte Produktionsteam in Aufruhr versetzt –, wird sie trotzdem von allen beschützt und in Watte gepackt. Es soll jetzt ein Weg gefunden werden, wie man ihren Ruf als Vorzeigefrau von nebenan wiederherstellen kann, damit sie wieder ein zuverlässiger Kassenmagnet wird … und die Geldgeber an Bord bleiben. Jeder denkt, dass es beim Film darum geht, der Welt große Geschichten zu erzählen. Darum geht es aber nicht. Es geht darum, Geld zu verdienen.

Obwohl Duke nun also vor der ganzen Welt wie ein Idiot dasteht, weil er sich hat betrügen lassen und weil er keinen Verdacht geschöpft hat, muss er den normalen Weg über das Flughafengebäude nehmen, damit er der Öffentlichkeit zeigen kann, dass er gar nicht verzweifelt und untröstlich ist – und dabei Daphnes betrügerischen Arsch retten.

Mein Lieber, es ist gut, Single und glücklich zu sein. Die Mütter werden total darauf abfahren. Vertrau mir, Baby, vertrau mir. Das bringt die Leute dazu, davon zu fantasieren, dass sie eine Chance bei dir haben. Das hat ihm Carter gesagt, der schillernde Amerikaner, der damit beauftragt ist, ihn zu »hollywoodisieren«.

Duke ist sich nicht einmal mehr sicher, wer er als Mann ist, so groß ist die Aufmerksamkeit, die ihm als Marke zuteilwird, die gefördert und zu Geld gemacht werden soll. *Sei vorsichtig mit dem, was du dir wünschst,* ist Dukes Haltung zu alldem. Er will sich nicht selbst bemitleiden. Er führt ein privilegiertes Leben. Es ist nur so, dass er gedacht hat, die *weltweite* Bewunderung und ein nagelneuer Porsche in der Einfahrt eines seiner vielen Häuser seien *der* Traum, bis das alles begann, wahr zu werden. Aber wenn dann so etwas passiert und die Presse so aufdringlich ist, fühlt es sich überhaupt nicht mehr lohnenswert an. Er wird wie eine Story behandelt, nicht wie ein Mensch, und das zermürbt ihn, auch wenn er vor der Kamera weiterhin den charmanten und sanften Duke gibt. Der Ruhm kann ihn nicht davon abhalten, ein Mensch mit Gefühlen zu sein.

Buhuuu, sagt sein Gehirn. *Sind deine Diamantschuhe zu eng, Schönling?*

»Duuk! Duuuuk!«, skandieren die deutschen Frauen mit einem leichten Akzent. Sie sind älter, als man meinen würde, aber Duke weiß aus der von seinem Management in Auftrag gegebenen Studie, dass die Generation Z sich zwar seine Filme anschaut, dass aber weltweit ihre Eltern seine treuesten Fans sind. Daher der Fokus auf die Mütter. Breites Lächeln, zerzaustes, gewelltes braunes Haar, blaue Augen, denen eine folkloristische Mystik zugeschrieben wird, wie man sie zuletzt bei Sinatra bemüht hat – Duke Carlisle ist ein internationaler Filmstar, der mit freundlichen Worten und einem heimlichen, frechen Augenzwinkern der charmante Universitätsfreund deines Sohnes sein könnte, der in den Ferien nach Hause kommt. Deshalb wurde er für *Auf der Romantischen Straße* gecastet, eine Verfilmung von Evie Birds in Deutschland angesiedelter, internationaler Bestseller-Liebeskomödie. Die Rolle geht mit vielen gestreiften maritimen Shirts, vielen schüchternen Blicken, gestammelten Sätzen und guten Manieren einher. Duke ist die perfekte Besetzung.

»Hallo, hi, danke für den herzlichen Empfang«, sagt Duke, hebt eine Hand und reckt den Hals, damit die Frauen ihr Selfie machen können. »Ihr wisst wirklich, wie man einem Mann das Gefühl gibt, etwas Besonderes zu sein.«

Seine Vokale, die danach klingen, als sei er aufs elitäre Eton-College gegangen, sind genau so, wie sein Stimmbildner sie ihm beigebracht hat. Duke ist in Sunderland geboren und aufgewachsen, aber das amerikanische Publikum kann mit dem nördlichen Akzent nichts anfangen, hat sein Agent gesagt und ihm weitere fünf Prozent vom ersten Gehalt abgezogen, um das Stimmtraining zu finanzieren. Jetzt spricht er wie Hugh Grant, was gar nicht mal so schlecht ist, denn Hugh hat mittlerweile fünf Kinder und ist in seinen Sechzigern, Zeit also, dass jemand in seine Britische-Liebes-komödien-Schuhe schlüpft. Trotzdem ist er ein netter Typ, findet Duke. Hugh hat ihm immer sehr großzügig Zeit eingeräumt.

Ein Paparazzo, den Duke schon vor seinem Haus in Hampstead im Norden Londons gesehen hat, kommt nahe genug heran, um ihm den Weg zu versperren.

»Vorsicht, Clive.« Duke lächelt und schaut über seine Sonnenbrille, um sich zu vergewissern, dass es dem Mann gut geht. Gerade hasst er die Presse, weil er peinlich berührt und in seinem Ego verletzt ist, aber am Ende des Tages braucht er sie auch. Das sagt Carter auch immer. Und um ehrlich zu sein, ist Clive normalerweise einer der Besseren. Er bekommt seinen Schuss und haut dann ab, was man von einigen der anderen nicht behaupten kann – sie haben seine Autos geknackt, seine Mülltonnen durchwühlt und sogar sein Telefon angezapft.

»Tut mir leid, dass ich dich frage, Kumpel, aber was ist mit Daphne? Was ist passiert?«, fragt Clive, die Kamera an sein Gesicht haltend, den Sucher auf Dukes Reaktion gerichtet. Duke kann sehen, dass er keine Fotos mehr macht, sondern auf Video umgeschaltet hat, genau wie Carter es vorhergesagt hat. Es ist fast so, als hätte er die Presse gebrieft und die ganze Sache organisiert.

»Kein Kommentar«, sagt Duke, wie von der Pressesprecherin des Films angewiesen.

»Komm schon, hast du wirklich nichts zu sagen?«, drängt ihn Clive, und Duke spielt das Spiel mit. Er hat seinen einstudierten »Kein Kommentar«-Kommentar für das Produktionsteam abgegeben, jetzt soll er seinen einstudierten »Jedermanns Herzensbrecher«-Kommentar für sein persönliches Management abgeben, um sein – Gott bewahre ihn davor, ihr Wort zu benutzen, das Wort, das er so sehr hasst – *Profil* zu schärfen.

Duke seufzt, klemmt sich das Buch, das er auf dem Flug gelesen hat, unter den Arm und nimmt seine Sonnenbrille ab, um sich den Nasenrücken zu reiben. Er tut so, als ob er überlegen würde, was er sagen soll, etwas, das zum Ausdruck bringt, dass er ein anständiger Kerl ist, kein Schwächling, und dass er immer noch an das Gute in der Welt glaubt. Das ist doch seine Rolle, nicht wahr? Die romantische Hoffnung am Leben zu erhalten. Er muss das sagen, als wäre er nicht drei bis fünf Millionen pro Film wert, denn Geld kann die Sehnsucht nach Liebe nicht stillen. Es kann sie nicht einmal abfedern. Er mag zwar Duke Carlisle sein, aber seine Aufgabe ist es, mit dem, was er als Nächstes sagt, jede Frau, die den Film sieht, glauben zu lassen, dass sie vielleicht die nächste Mrs Duke Carlisle werden könnte.

Wenn sie es nur könnte.

Er jedenfalls würde für die wahre Liebe töten.

»Daphne und Brad?«, beginnt Duke, wobei er darauf achtet, nicht direkt in die Linse, sondern in Clives anderes Auge zu schauen. »Ich freue mich für sie. Die Wahrheit ist, dass wir uns schon vor einer Weile getrennt hatten. Wir sind immer noch gute Freunde, und ich freue mich, wenn sie glücklich ist. Zu Brads Ehe kann ich nichts sagen, aber was uns betrifft, sind Daph und ich schon sehr lange nur noch befreundet. Es macht mir wirklich Spaß, den Film mit ihr zu drehen. Jeder Mann kann sich glücklich schätzen, an ihrer Seite zu stehen. Und, ehrlich, wir haben schon vor langer Zeit festgestellt, dass wir eher wie Bruder und Schwester sind als alles andere.«

Er holt tief Luft und beschließt, seine Wahrheit zu Ende zu bringen, so ernst sie auch sein mag.

»Ich bin zurzeit auf der Suche nach der Liebe«, sagt er. »Ich bin auf der Suche nach meiner Traumfrau, nur für den Fall, dass ihr sie seht.«

Eine Gruppe von Fans stößt ein kollektives *Aaaahhh* aus, und er winkt ein letztes Mal, bevor er sich in die winterliche Kälte hinausbegibt und in den luxuriösen Mercedes steigt, der auf ihn wartet und zum Glück getönte Scheiben hat. Wenn er nicht davon ausgehen müsste, dass der Fahrer es an die Klatschpresse weitergibt, könnte er fast weinen. Alles ist Schauspielerei, sogar seine echten Gefühle. Das reicht aus, um ihn wütend zu machen und um sich wie der einsamste Mann der Welt zu fühlen, auch wenn jeder seinen Namen kennt.

3

EVIE

Der Anruf aus dem Pflegeheim kommt genau in dem Moment, als Evie mit der Bordkarte in der Hand am Abfluggate steht.

»Ms Gilbert?«, sagt eine höflich klingende Frau, aber Evie hat schon an der Anrufer-ID und dem darauffolgenden Pochen in ihrer Brust erkannt, dass es jemand von Bluebell Assisted Living ist. Wenn sie diesen Namen auf ihrem Display sieht, gerät sie automatisch in Panik, denn das verheißt nie etwas Gutes. Und es ist auch nie etwas, wogegen Evie viel tun kann. Keine gute Kombination.

»Geht es ihr gut?«, fragt Evie, anstatt höflich zu grüßen. Bei jedem Anruf aus dem Pflegeheim schlägt ihr das Herz bis zum Hals, denn jeder Anruf könnte derjenige sein, bei dem sie sagen, dass das Schlimmste passiert ist. Sie sollte ihnen diese Rückmeldung geben: *Hey, Leute, könntet ihr, anstatt »Hallo« zu sagen, wenn ich abnehme, bitte sagen: »Ihre Mutter ist nicht tot. Ist gerade ein guter Zeitpunkt zum Reden?«*

»Es geht ihr gut«, sagt die Frau und versteht die Sorge. »Hier ist Polly, Evie. Wir sind uns schon ein paarmal begegnet, falls Sie sich erinnern.«

»Polly«, wiederholt Evie. »Ja, natürlich. Entschuldigung. Ich wollte nicht so schroff klingen.« Sie holt tief Luft, um ihrem Körper zu signalisieren, dass er sich beruhigen kann. »Ich heiße Bird mit Nachnamen. Mom ist Mrs Gilbert, aber ich bin Ms Bird.«

»Natürlich«, sagt Polly. »Und entschuldigen Sie sich bitte nicht. Ich kenne das, alle reagieren so, wenn wir anrufen.« Sie macht eine Pause und fährt dann fort: »Es geht ihr gut«, wiederholt sie, »aber ich wollte Ihnen Bescheid geben, dass sie sich nach einem Sturz das

Handgelenk verstaucht hat. Sie hat sich vor einem der neuen Assistenten erschrocken und ist über einen Stuhl gestürzt. Ihr Handgelenk ist bandagiert, aber sie ist ängstlich und führt Selbstgespräche, so wie sie es immer tut.«

»Ja, das beruhigt sie. Sie ... Sie war Lektorin. In einem Verlag. Erzählt sie flüsternd eine Geschichte? Manchmal erfindet sie Dinge über die Zeit, als ich noch klein war, oder sie erinnert sich an Treffen mit ihren ehemaligen Autorinnen und Autoren und macht ihre Anmerkungen«, plappert Evie vor sich hin, obwohl sie weiß, dass Polly das alles weiß.

»Ja, genau. Das geht jetzt schon ein paar Stunden so«, fährt Polly fort. Evie merkt, dass sie gleich mit dem Boarding dran ist, zeigt auf ihr Handy und entschuldigt sich bei dem Steward, der ihre Papiere kontrolliert. Der Mann nickt, als ob er es verstehen würde. »Und sie hat sich tatsächlich beruhigt – ihre Strategie funktioniert offensichtlich. Wir werden sie genau im Auge behalten, wir wollten Ihnen nur wegen der Verletzung Bescheid geben.«

»Vielen Dank. Das weiß ich zu schätzen«, sagt Evie. »Und nur damit Sie es wissen, ich bin jetzt bis kurz vor Weihnachten außer Landes – ich steige gerade in den Flieger.« Sie steuert durch das Gate und stößt dabei fast ein Kleinkind um, das zufällig vor ihr stehen bleibt und sich hinsetzt, während ein Erwachsener hinter ihm beschämt dreinschaut. »Halten Sie mich also bitte auf dem Laufenden«, fährt sie fort und geht um das Kind herum, das nun weint. »Lassen Sie sich nur nicht abschrecken, wenn ein internationales Freizeichen ertönt. Ich habe es zwar erwähnt, als ich mich diese Woche verabschiedet habe, aber man weiß ja nie, ob es wirklich notiert wurde, nicht wahr?«

»Ich werde es noch einmal überprüfen. Und, ähm, Ms Bird, wenn ich Sie schon am Apparat habe ...«

Evie weiß genau, was Polly gleich sagen wird. Sie hat es schon so oft gehört: das leichte Hüsteln, das den Übergang von Höflichkeiten zu einer Diskussion über Geld anzeigt. Evies Schultern verkrampfen sich sofort.

»Oh«, sagt Evie und versucht, ihr Gesicht zu wahren. »Entschuldigen Sie, dass ich Sie unterbreche, aber mir fällt gerade etwas ein. Ich habe einen Scheck für Sie bei meiner Freundin hinterlegt. Sie wird ihn vorbeibringen. Er deckt die letzten drei Monate ab – ich hatte so viel zu tun, dass ich mich nicht um die Buchhaltung kümmern konnte. Ich entschuldige mich für die Verzögerung. Und ich habe auch vor, über die Feiertage alles aufzuholen, also werde ich von nun an im Voraus bezahlen. Ich sollte mir da wirklich Hilfe holen, weil ich so vergesslich bin. Haha.«

Evie ist sich schmerzlich bewusst, dass sie plötzlich wie ein Dutzend andere redet und kaum eine Pause macht, damit Polly keine Lücke zwischen ihren Worten findet, um sie zu schelten. Sie sollte besser mit Geld umgehen, das weiß sie. Und es ist ja nicht so, dass sie kein Geld verdient, es ist nur ... Irgendwie scheint es immer so schnell von ihren Konten zu verschwinden, wie es reinkommt. Das war schon immer so, es ist wie ein Zwang. Sie sollte sich einen Finanzberater suchen, besonders jetzt, wo sich ihre jahrelange harte Arbeit auszahlt. Sie hat noch nie ungewöhnlich viel Geld verdient, obwohl ihr Job im Wesentlichen darin besteht, den ganzen Tag am Computer zu sitzen und das Unmögliche zu erfinden. Aber jetzt, wo ihre Bücher mehr Aufmerksamkeit bekommen – auch dank der Nachricht von der Verfilmung –, muss sie mehr Verantwortung übernehmen. Es ist nur so, dass es immer einen Grund gibt, sich etwas zu gönnen. Wenn der Tag besonders produktiv war oder wenn er es gar nicht war, wenn sie einen Entwurf fertiggestellt hat oder wenn sie traurig ist, weil ihre Mutter nicht mehr so ist wie früher, oder weil der Sommer beginnt oder endet ... Evie kauft Klamotten, Make-up, Parfüm und Taschen, obwohl sie eigentlich nie irgendwohin geht.

Sie sollte für die Rente sparen – das weiß sie –, vor allem, seit ihre Mutter im Pflegeheim ist und Evie anfangen musste, die Pflege zu bezuschussen. Sie braucht auch eine Versicherung, falls sie eines Tages selbst krank wird und Pflege braucht. Aber sie scheint die Dinge nie in den Griff zu bekommen. Seit die Ersparnisse ihrer Mutter aufgebraucht sind, ist es ein ziemlicher Kampf, und Evie bezahlt das Pflegeheim nicht immer pünktlich. Ihr Vater sollte etwas beisteuern, aber er hat kein Geld mehr geschickt, seit er vor all den Jahren abgehauen ist. Deshalb hat sie gleich zugesagt, als Interesse an der Verfilmung von *Auf der Romantischen Straße* gezeigt wurde, obwohl sie Vorbehalte gegen die Klausel hatte, die ihre Anwesenheit am Set vorschreibt. Das Geld geht direkt ans Pflegeheim, und zwar im Voraus, damit sie nicht jeden zweiten Monat dieses Räuspern ertragen und sich wie eine Verrückte aufführen muss, um sich mehr Zeit zu verschaffen.

»Verstanden«, sagt Polly, als Evie endlich aufhört zu quasseln. »Das werde ich mir auch notieren. Fahren Sie an einen schönen Ort?«, fragt sie dann, kurz bevor sie auflegen.

Evie versucht nicht zu erklären, was das für eine Reise ist. Die meiste Zeit über versteht sie es ja selbst nicht.

»Nein, eigentlich nicht«, antwortet sie und geht zum Ende des Ganges, wo sie vier Flugbegleiter sieht, die die Passagiere an Bord des Flugzeugs begrüßen. Evie lächelt sie an. »Es ist nur eine Arbeitsreise.«

Der Flug ist okay. Sie sitzt in der Economy-Class, aber die Sitze neben ihr sind frei, sodass sie sich ausstrecken und ein bisschen ausruhen kann. Evie versucht, nicht zu viel über das Gespräch mit der Frau vom Pflegeheim nachzudenken oder über die Tatsache, dass ihre Mutter in den letzten sechs Monaten meistens in keinem guten Zustand war. Es gibt nichts, was sie tun kann. Absolut nichts. Und was sagt man über das Sorgenmachen? Man stiehlt sich aus der Gegenwart, um über etwas nachzudenken, was die Zukunft nicht einmal garantieren kann. Man leiht sich Sorgen.

Die Filmproduktionsfirma hat ihr einen Wagen geschickt, und so wird sie von einem gut aussehenden Fahrer abgeholt und zum Hotel in Würzburg gefahren. Das einzige Ärgernis ist eine Art Scharmützel mit Kameras und einem VIP am Ausgang der Flughafenhalle, was den Fahrer zwingt, einen längeren Weg zu nehmen.

Und dann sind sie am Ziel.

Es ist Nachmittag, und Würzburg ist wunderschön. Selbst in ihrer leicht angeschlagenen Stimmung sitzt Evie aufrecht auf dem Rücksitz und betrachtet die alten Brücken und hohen Steinbauten, die von Menschen in unterschiedlicher Winterkleidung bevölkert sind: Daunenjacken und dicke Wollschals in Rot- und Grüntönen, die Nasen rosa und der Atem sichtbar. Ihr Zimmer im Hotel ist noch nicht bereit, also stellt Evie ihre Tasche ab und beschließt, für eine halbe Stunde spazieren zu gehen, sich die Beine zu vertreten und sich ein bisschen umzusehen. Sie hat keine Ahnung, wie spät es zu Hause ist, aber hier ist es erst 15 Uhr, also kann sie sich genauso gut auf die Ortszeit einstellen.

Der Weihnachtsmarkt ist der größte, den sie je gesehen hat. Er befindet sich neben dem Dom, einem gotisch anmutenden Gebäude aus weißem Stein, das sich stolz in den Himmel reckt, mit raumhohen, von rotem Backstein umrahmten Buntglasfenstern, einem grauen Spitzdach und riesigen Glockentürmen aus rotem Backstein. Die ganze Kulisse ist mit gold-orangefarbenen Lichtern angestrahlt. Der Himmel ist mit schweren Wolken behängt, die den Hintergrund in ein tiefes Marineblau tauchen, das von Minute zu Minute dunkler wird. Ein Weihnachtsbaum, der so hoch ist wie zwei Doppeldeckerbusse, zieht den Blick auf sich. Er funkelt mit einer obszönen Anzahl von Lichterketten, die fachmännisch in gleichem Abstand von unten nach oben angebracht sind, und auf der Spitze thront ein riesiger goldener Stern und wiegt sich im leichten Wind.

Es müssen mindestens hundert Stände sein, alles mit Girlanden geschmückte Holzhütten, und es riecht nach Evies Kindheit, als die Zeiten noch glücklicher, weil unbedarfter waren. Es gibt noch mehr Lichter und Ornamente überall, und die meisten bestehen nicht aus schmuddeligem Plastik, sondern aus kunstvollem, mundgeblasenem Glas und filigranem Holz. Sie kommt an einem Obelisken vorbei, der ebenfalls mit Lichtern geschmückt ist und ein bisschen an einen Maibaum erinnert. Traditionelle schmiedeeiserne Laternenmasten brennen hell, riesige rote Kugeln in verschiedenen Größen baumeln an noch mehr Girlanden, die wie Kunstinstallationen im Abstand von zehn bis zwanzig Metern aufgestellt sind.

Fast ohne nachzudenken, nähert sie sich einer der Holzhütten und kauft einen traditionellen Glühwein, ohne zu wissen, was es ist, bis der Becher ihre Lippen berührt: heißer, gewürzter Rotwein. Sie nimmt einen Schluck und lässt alles auf sich wirken: die Verkaufsstände mit ihren Schmuckstücken, Tees und Gewürzen, die traditionellen Dekorationen, Duftkerzen und Salzlampen. Es ist faszinierend und so ganz anders als alles, was sie von zu Hause kennt. Sie ist zum ersten Mal in Deutschland und keineswegs enttäuscht, und während sie ihren Becher leert und die Flüssigkeit ihren Bauch füllt, atmet Evie tief durch und lächelt Fremden zu, die an ihr vorübergehen.

Vielleicht wird mir das guttun, denkt sie und genießt den Moment. Sie kauft noch einen Glühwein für unterwegs und macht sich auf den Weg zurück zum Hotel. Sie wird das schaffen. Sie kann sich hier wohlfühlen, wenn das Land so ist, wie es sich gerade zeigt. Sie ist noch nicht einmal müde – der Spaziergang hat sie erfrischt.

Ja, es geht ihr gut.

Das Zimmer, das sie bezieht, ist sauber und ziemlich geräumig. Sie lässt eine Playlist abspielen und packt die Hälfte ihrer Sachen aus. Die Besetzung und die Crew werden in den nächsten drei Wochen mehrmals umziehen – den bayerischen Teil der Romantischen

Straße hinunter –, also ist es unnötig, alles auszupacken. Aber sie findet einen Platz für ihre Toilettenartikel, hängt die Kleider auf, die leicht zerknittern, fischt ihre Nachtwäsche und ein Schlafmittel heraus, das sie gerne benutzt, und schließlich ihre Arbeitssachen: Laptop und Ladegerät, Notizbuch, Tagebuch, einen Ordner mit Ideen und Recherchen, die sich nicht nur auf dieses Projekt beziehen, sondern auf ihr Leben als Autorin im Allgemeinen. Sie notiert alles, was ihr interessant vorkommt, ohne den Grund dafür zu sehr zu analysieren. Beim Schreiben ploppen dann oft die seltsamsten Dinge auf, und fast immer liegt es daran, dass sie schon vor Wochen etwas darüber gelesen oder gesehen hat, es für später aufbewahrt hat und irgendwo in ihrem geistigen Kompost die erste Knospe eines Handlungsstrangs gewachsen ist.

Als sie ihr Telefon zum Aufladen einsteckt, leuchtet das Display mit einigen verpassten Anrufen von Carl auf sowie mit Textnachrichten von ihm, Magda und ihrer Agentin Sabrina. Carl bittet sie, ihn zurückzurufen, Magda will nur wissen, ob alles gut gelaufen ist, und Sabrina fordert Evie auf, so schnell wie möglich ihre E-Mails zu checken, der Verlag habe einen Vorschlag für das Cover für ihr Sommerbuch im nächsten Jahr geschickt.

Sie liest sie alle nacheinander und geht dann zu Carls Nachricht zurück. Sie telefonieren fast nie miteinander. Warum sollte er sie darum bitten, jetzt, wo sie in Deutschland ist? Evie war nicht davon ausgegangen, dass sie überhaupt Kontakt haben würden, während sie hier ist. Das ist nicht die Art von Dynamik, die sie haben. Als Carl im Sommer für einen Monat verreist war, haben sie nicht miteinander gesprochen, bis er zurück war. Warum sollten sie auch? Sie führen ja keine Beziehung. Sie sind … na ja, Magda hat es auf den Punkt gebracht: Sie haben ein Arrangement.

»Hey«, sagt Evie, als er nach dem dritten Klingeln über Face-Time-Audio abnimmt. »Alles in Ordnung?«

»Evie, heyyyy«, sagt Carl, und Evie merkt sofort, dass er Zeit schinden will. Sie weiß, wie das läuft. Sein Tonfall. Warum können Männer das Mitleid in ihrer Stimme nicht verbergen, wenn sie einem eine Ohrfeige verpassen? Sie hat die Erfahrung gemacht, dass zwar sowohl Männer als auch Frauen lügen, aber dass Männer meist kein Pokerface aufsetzen können. Sie macht sich auf den Schlag gefasst. Jetzt, wo sie darüber nachdenkt, wusste sie schon dadurch, dass er um den Anruf gebeten hatte, was passieren würde.

Sie wartet darauf, dass er tut, was immer er tun muss – vermutlich ist er schon bei der Arbeit und will am Schreibtisch nicht reden. Sie runzelt die Stirn, als sie hört, wie er aufsteht, wie ein Bürostuhl knarrt, dann weggerollt wird, eine Tür quietscht, die sich öffnet und schließt. In ihrem Bauch gluckst es unruhig, sie hat das Gefühl, etwas ziehe sich zusammen und dränge alles nach oben und erschwere ihr das Atmen.

»Entschuldige«, sagt er. »Ich musste mich in einen Besprechungsraum schleichen.«

»Sag, was du zu sagen hast, Carl«, weist Evie ihn an, denn sie muss es hinter sich bringen. Sie sind nicht zusammen, also ist es keine offizielle Trennung, aber ihre Wangen brennen heiß angesichts der drohenden Abweisung.

»Eves«, sagt Carl, und es ist offensichtlich, dass dies eine vorbereitete Rede ist. Evie steht in Socken am Fenster ihres Hotels und beobachtet unten Paare, die Händchen halten, und Familien, die gemeinsam über Witze lachen. »Du bist fantastisch. Zeit mit dir zu verbringen, ist wunderbar. Und ich habe dich sehr, sehr gern.«

Evie erschrickt bei dem Wort »gern«, sagt aber nichts. Sie wagt es nicht.

»Aber ... Ich habe jemanden kennengelernt. Und sie will, was ich will. Etwas mehr als ...«

»Ich verstehe«, unterbricht ihn Evie. »Kein Ding.«

Ich hasse das, denkt sie. *Ich hasse das, ich hasse das, ich hasse das.* Das ist der Grund, warum sie keine echte Beziehung will. Denn selbst wenn sie nur halb dabei ist, tut es weh. Wie ist denn dann der Schmerz, wenn sie es ernst meint? Aaah. Das ist es nicht wert. Überhaupt nicht wert.

»Nun«, sagt Carl. »Lass mich einfach …«

»Nein, nein«, beharrt Evie. Sie wird jetzt nicht am Telefon weinen. Sie wird sich überhaupt nicht erlauben zu weinen. Das ist ja gerade der Sinn einer *unverbindlichen Geschichte*. Eben weil man nicht um etwas weinen kann, das nie wirklich von Bedeutung war. »Schön, dass es dir gut geht.« Sie lässt es hell und melodiös klingen. »Ich weiß es zu schätzen, dass du es mir gesagt hast. Ich habe es auch genossen, Zeit mit dir zu verbringen.«

»Ich wollte es dir sagen, bevor du gegangen bist, aber dann haben wir uns nicht mehr gesehen und …«

»Alles in Ordnung«, wiederholt Evie. »Ehrlich. Mach's gut. Nichts für ungut.«

»Wirklich?«, fragt Carl und klingt unsicher.

»Wirklich«, sagt Evie und zwingt sich zu einem Lächeln, damit die Worte echter klingen, als sie sich anfühlen. »Ich wünsche dir alles Gute.«

Sie legt auf, zieht ihre Stiefel wieder an und macht sich auf den Weg zum Treffen mit allen Mitwirkenden, denn die weihnachtliche Seifenblase, in der sie sich vor nicht einmal zehn Minuten noch befunden hat, ist endgültig geplatzt. Nicht, dass sie das jemandem gegenüber zugeben würde, natürlich nicht. Nicht einmal vor sich selbst.

4

DUKE

Die Fahrt von Frankfurt nach Würzburg dauert etwas mehr als neunzig Minuten, der dramatische Himmel leuchtet in wirbelnden Fuchsia-Schattierungen gegen die drohende Dunkelheit an, wie Tinte, die auf einem Partykleid ausläuft.

Das war toll, textet ihm Carter. *Du bist bereits in der Daily Mail, auf* TMZ *und* @DukesLewks, wobei Letzteres auf seinen offiziellen Superfan-Account verweist, der fast so viele Follower hat wie seine offizielle Seite. Carter hat einige Links angehängt, aber Duke hat keine Lust, sich durchzuklicken. Er ist müde.

Daphne sagt, sie konnte nicht anders, als sich in Brad zu verlieben, und es täte ihr leid, aber Duke sieht ganz klar, dass Brad seine Frau nie verlassen wird, eine Frau, die Duke nie kennengelernt hat und die während der ganzen Zeit ein würdevolles Schweigen bewahrt hat. Aber trotz allem, was er vor den Kameras gesagt hat, hat sich Duke in Daphne verliebt. Er ist verletzt und denkt, dass er irgendwie benutzt wurde, dass Daphne ihm etwas vorgespielt hat, um sich selbst zu profilieren. (Uff, schon wieder dieses Wort!) Er verdrängt den Gedanken, weil er Angst hat, dass er, wenn er zu sehr darüber nachdenkt, nie wieder jemandem vertrauen wird. Er fühlt sich unsicher, wenn er bei Geschäftstreffen oder Geschäftsessen er selbst sein will, er nimmt keine Anrufe im Auto oder auf dem Make-up-Stuhl entgegen – es gibt so viel, bei dem er äußerst vorsichtig sein muss. Aber bei Daphne hat er die Vorsicht fallen lassen.

Er dachte, sie würde verstehen, wie einsam dieses Leben ist, weil sie es auch lebt, und sie könnten zusammen ihre eigene kleine Welt aufbauen, nur sie beide, eine gemeinsame Flucht aus dem Dasein als Daphne Diamond und Duke Carlisle. Zusammen hätten sie einfach nur Daph und Duke sein können, mit den Hunden spazieren gehen, Kaffee trinken, Schallplatten hören und Brettspiele spielen und vielleicht endlich kochen lernen, statt ewig Personal damit zu beauftragen. Aber wo er jetzt so darüber nachdenkt ... Sie wollte mit ihm zusammen über den roten Teppich laufen, und sie war diejenige, die in einem Interview über ihren letzten Film bestätigt hat, dass sie ein Paar sind, obwohl sie da erst seit ein paar Wochen zusammen waren. Sie hatten dasselbe Management, aber wenn es nur eine PR-Geschichte gewesen wäre, hätten sie Duke sicher vorher gefragt, ob er mitmacht – so verzweifelt sucht er nun auch nicht nach Zuneigung und Liebe, dass er sich gleich von einem ganzen Team von Leuten manipulieren lässt. Schließlich arbeiten sie *für ihn*.

Er antwortet Carter nicht, so wie immer, und beobachtet, wie die Autobahn langsam in die Stadt mündet. Würzburg ist charmant. Viele spitze Kirchendächer und Gebäude in Gelb- und Rottönen, die wie Schokohäuschen aussehen, die Lichter der Weihnachtsbäume auf dem Marktplatz, die auf dem Fluss funkeln und dem ganzen Ort eine ätherische, magische Atmosphäre verleihen. Er erhascht einen Blick auf Paare und Familien, die sich durch die Seitenstraßen abseits der Hauptstraße schlängeln, mit dampfender heißer Schokolade und braunen Papiertüten mit gerösteten Kastanien in der Hand. Wenn sie lachen, sieht man ihren Atem, ihre Zuneigung hält sie in der Kälte warm. An einer Brücke steht eine Frau mit einem Glühweinbecher in der Hand, ihr langes blondes Haar fällt ihr in Wellen über die Schultern. Sie sieht wehmütig aus, nachdenklich. Im Grunde sieht sie aus wie Evie Bird, die Autorin des Buches. Er erkennt sie von den Fotos, die es online von ihr gibt. Google-Tieftauchgang. Bei ihrem Anblick wird er munter. Er kann es kaum erwarten, sie zu treffen.

Duke kann nun besser nachvollziehen, warum sie ihren Roman

hier angesiedelt hat. Es ist genau der Ort, an dem man am 1. Dezember aufwachen möchte, pünktlich zum Beginn der Adventszeit. Wie der Titel es schon vermuten lässt, ist es hier unglaublich romantisch. Perfekt für eine Person, die nicht nur jemand ist, sondern auch jemanden hat.

Duke geht direkt in sein Hotelzimmer, um zu überprüfen, ob seine Sachen auch ausgepackt wurden. Das sind sie. Er wohnt in einer Suite und stellt sein Handgepäck in der Büroecke ab: Laptop, Drehbücher, die sein Agent zur Durchsicht geschickt hat, das Script mit *Auf der Romantischen Straße* und das dazugehörige Buch. Er sieht aufs Cover: ein handgezeichnetes Paar, das sich gegenübersteht. Ihm fällt das Haar fast in die Augen, sie hat ein Bein hinter sich hochgeknickt. Sie stehen auf einer Brücke. Der obere Teil des Covers ist dunkler als die Mitte, in einer Art blauem Ombré. Evie Birds Name befindet sich ganz oben; der Titel besteht aus klobigen weißen Buchstaben: *Auf der Romantischen Straße*. Darüber der Werbeslogan: *Liebe ist eine Reise – werden sie diese Reise gemeinsam antreten?* Er seufzt. Eine romantische Komödie zu drehen, war durchaus beabsichtigt: Die Klassiker aus den Neunzigern erleben gerade eine Renaissance, und wo früher ein Schauspieler dieses Genre übersprang, um »ernst genommen« zu werden, ist es mittlerweile so, dass jeder eine romantische Komödie in seinem Portfolio haben muss. Aber selbst in seinem Elend erkennt er, dass das Timing nicht einer gewissen Ironie entbehrt.

Es klopft an der Tür. Er schaut durch das Guckloch und sieht Daphne. Sie beißt sich auf die Unterlippe und blickt auf ihre Hände. Sie macht das – an den Fingernägeln kauen –, wenn sie nervös ist. Es ist ihre einzige schlechte Angewohnheit. Duke überlegt, ob er so tun soll, als sei er nicht da.

»Duke?«, fragt sie durch die Tür, als könne sie ihn spüren. So ein Mist. Er holt tief Luft und stählt sich.

»Hallo, Daphne«, sagt Duke, als er die Tür öffnet. Sie sieht ihn an. Diese Augen, oh Mann. Diese Augen sind der Grund, warum sie ein Star ist.

»Ich dachte, du würdest mich ignorieren«, sagt sie.

»Ich habe darüber nachgedacht.« Duke zuckt mit den Schultern, und er will ernst sein und zum tausendsten Mal wiederholen, wie verärgert er ist, aber dann halten sie Blickkontakt, und sie setzt ihr halbes Lächeln auf, und er spiegelt es, und dann lächeln sie wirklich: unbeholfen, aber sie lächeln. Kein verliebtes Lächeln, aber so was Ähnliches. Ein freundschaftliches Lächeln.

»Ich wollte nur …«, setzt Daphne an und sieht den Flur hinunter, um sich zu vergewissern, dass niemand zuhört.

»Komm rein.« Duke tritt zurück, und sie überschreitet die Schwelle. »Soll ich uns Drinks bestellen?«

Sie nimmt den Raum in Augenschein. Sie haben einmal darüber gesprochen, denn das war es, was Duke an ihr geliebt hat: dass sie *es verstand*. Sie hatten über leere, karge Hotelzimmer gesprochen, darüber, wie schrecklich oder genial sie sein können. Die leere Leinwand und das neue Projekt bieten ihnen die Gelegenheit, jemand anderes zu sein: manchmal ihr bestes Ich, manchmal ihr verrücktestes oder frechstes. Aber wenn es andersherum läuft – wenn ein Projekt nicht funktioniert oder sich hinzieht oder mit Problemen behaftet ist –, dann ist man einfach einsam, und das Hotelzimmer ist immer der offensichtlichste Ausdruck davon. Man kann nicht immer beeinflussen, wie herum es läuft. Duke vermutet, dass dieses Hotelzimmer eher die Einsamkeit widerspiegeln wird.

»Können wir nicht einfach die Minibar plündern?«, fragt sie und lässt sich in einem Sessel gegenüber dem Bett nieder. Er braucht nicht zu fragen, was sie will. Er holt zwei Gläser und die zwei kleinen Wodkaflaschen aus dem Kühlschrank.

»Danke«, sagt sie, als er ihr das Glas reicht. Sie sieht schön aus, wie immer. Helle Augen, glatte Haut und ein strahlendes, gewinnendes

Lächeln. Und sie will ihn nicht. Er kann nicht als Erster sprechen. Er hat schon gebettelt, als er von ihrer Affäre erfahren hat. Er hat sich geschworen, beim zweiten Teil der Dreharbeiten, in einem neuen Land, etwas mehr Würde zu zeigen.

»Ich wollte ...«, beginnt sie wieder und schüttelt dann den Kopf. »Ich weiß nicht. Nicht reinen Tisch machen, sondern ... reden? Wenn das okay ist?«

»Ich habe dich reingelassen, oder?«, antwortet er, aber sie lächeln schon wieder halb, denn keiner von beiden kann dem anderen wirklich böse sein. In seiner Vorstellung kann Duke böse bleiben, aber in der Realität kann er das nicht.

»Ich will mich nicht wiederholen. Ich weiß, dass ich schon viel geredet habe, und ich bin dankbar, dass du mir zugehört hast. Ich denke, es ist einfach nur ... Du weißt schon. Wir waren früher so gute Freunde, und ich wäre so traurig, das zu verlieren. Wir haben versucht, ein Paar zu sein, und es hat nicht funktioniert, und wir müssen noch drei Wochen lang zusammenarbeiten. Und danach müssen wir den Film promoten, und ich wette, du wirst bei den Globes nominiert, und dann geht es im nächsten Jahr zu den Preisverleihungen ...«

Er sieht sie an. Er blinzelt. »Ich brauche einfach etwas Zeit«, sagt er schließlich und wählt seine Worte sorgfältig aus. »Du sagst, wir hätten nicht zusammengepasst, aber ...« Er bricht ab, das Schweigen lässt ihm Raum für die Gedanken, die er vorhin schon hatte. Er dachte, sie hätten einander gefunden. War das nicht ein Traum? Endlich zu erkennen, dass die Freundin diejenige ist, nach der man die ganze Zeit gesucht hat. Nach zwölf Jahren, in denen er sie kannte, hatte er geglaubt, es sei alles so, wie es sein sollte: die perfekte Liebesgeschichte für ein perfektes Paar. Aber er hatte sich geirrt. Die Sache ist die: Daphne kennt ihn besser als jeder andere Mensch auf der Welt, und wenn sie meint, dass es nicht richtig ist, versteht er, dass er auf sie hören soll. Es ist nur ... Oh Gott. Es ist so schwer.

Er hasst es, Single zu sein. Er liebt die Liebe! Sie ist das Beste auf der Welt! Und sie entzieht sich ihm immer wieder.

»Es ist alles ziemlich durcheinander, ich verstehe das«, sagt Daphne. »Aber wenn du so weit bist, möchte ich, dass wir wieder das sind, was wir waren. Früher.«

Er nickt. »Früher«, wiederholt er.

»Ich glaube, wir können das«, bietet sie an. »Wenn wir es versuchen.«

Er leert sein Glas. »Du nutzt es aus, dass ich dir nie böse sein kann«, stellt er fest, und sie zwinkert ihm zu, ein Risiko, das sich auszahlt.

»Nur zum Teil.« Sie grinst, und als Duke das Gesicht verzieht, räumt sie ein: »Okay. Ein bisschen mehr als nur zum Teil.«

»Ich brauche Zeit«, wiederholt er. »Ich bin nicht wütend, sondern eher ... traurig. Ich wünschte, es wäre anders gekommen.«

»Ich weiß«, stimmt sie ihm zu. »Aber ich weiß auch, dass es da draußen eine große Liebe für dich gibt, viel größer und strahlender und glücklicher als alles, was wir hätten haben können. Ich irre mich nie ...«

Duke rollt unwillkürlich mit den Augen.

»Diesmal hoffe ich das wirklich«, gibt er zu.

»Ich habe das Gefühl«, sagt Daphne und steht auf, um zu gehen, »dass eine große Liebe für dich in greifbarer Nähe ist.«

5

EVIE

E vie hört seine Ankunft zur Teambesprechung, bevor sie etwas von ihm sieht. Die kleine Gruppe von Frauen mittleren Alters, die sich vor den Türen ihres Hotels versammelt hat, beginnt zu murmeln, dann zu johlen, und schließlich schreit sie »Duke! Duke!«, als er (wahrscheinlich) aus dem Aufzug kommt, der direkt gegenüber von der gläsernen Eingangstür ist.

Sie denken wahrscheinlich, dass er das Hotel wieder verlässt – und sie kann das enttäuschte Gemurmel hören, als er stattdessen genau in den Raum ausweicht, in dem sie sitzt. Evie sitzt an einem großen Tisch in einem Raum direkt neben der Hotellobby, der der Crew für Besprechungen zur Verfügung steht, und verrenkt sich halb den Hals, bevor sie sich wieder ihrem Kaffee zuwendet, als er eintritt. Sie löffelt den Schaum und setzt einen möglichst desinteressierten Gesichtsausdruck auf. Berühmtheit macht sie nicht nervös. Hier zu sein, in diesem Zirkus, stört sie nicht. Eigentlich sollte sie zu Hause in Utah sein und an ihrem nächsten Buch arbeiten, und ihre einzigen Sorgen sollten die zwei täglichen Spaziergänge von Dr. Dolittle sein und die Frage, ob sie die Ristretto-Kaffeekapsel in ihre Nespresso- oder in die Sanremo-Treviso-Maschine stecken soll.

All das hier ist das Gegenteil von dem, was sie gut findet. Evie glaubt wirklich, dass der Wunsch, berühmt zu sein, einer psychischen Störung gleichkommt. Sie verwendet nicht einmal mehr ein aktuelles Foto von sich auf den Seitenklappen ihrer Buchcover, so sehr möchte sie unter dem Radar bleiben. Evie Bird mag es, Geschichten zu schreiben, die sich verkaufen, ihr Honorar zu kassieren und dann unbelastet mit ihrem Leben weiterzumachen. Sie liebt ihre Arbeit, will sich aber nicht durch sie definieren lassen und findet es, ehrlich gesagt, beunruhigend, wenn andere das tun. Seit wann sind Jobtitel wichtiger als Persönlichkeiten?

»Hey, Duke, mein wichtigster Mann, willkommen«, sagt Marnie, die Produktionsleiterin, als der Lärm draußen lauter wird und dann plötzlich abebbt. Duke ist erstaunlich klein, denkt Evie. Hat sie das nicht schon mal irgendwo gehört? Dass die meisten Schauspielenden kleiner sind, als wir vermuten? Aber meine Güte, er sieht gut aus! Eine schön maskuline Kieferpartie und muskulöse Arme. Evie steht nicht auf und wird von Daphne, der Hauptdarstellerin des Films, beobachtet, die ebenfalls sitzen bleibt und schuldbewusst auf ihre Hände starrt. Sie blickt gerade noch rechtzeitig auf, um zu bemerken, dass Evie sie beobachtet, und lächelt halb verlegen. Evie erwidert ein halbes Lächeln.

»Guten Abend zusammen«, sagt Duke, zieht seine Baseballmütze ab und fährt sich mit der Hand durch die berüchtigten zotteligen Locken. Er ist sich seiner selbst sehr bewusst, denkt Evie und beobachtet ihn, wie er jeden einzeln und mit Namen begrüßt – sogar Daphne. Evie schenkt den Schlagzeilen nicht viel Aufmerksamkeit, aber sie wurde über die Dreiecksbeziehung zwischen Daphne, Duke und dem Regisseur von der Kamerafrau aufgeklärt, die innerhalb eines Nachmittags Evies Entschlossenheit, sich hier keine Freundinnen zu machen, infrage gestellt hat. Sie heißt Katerina. Evie hat beschlossen, dass sie ihre einzige Verbündete sein wird. Mit einer Verbündeten kann sie die nächsten drei Wochen locker überstehen.

»Oh Gott«, sagt Duke dann, als er sie endlich erreicht. Evie steht auf, obwohl sie es nicht vorhatte. Sie will nicht ehrerbietig oder beeindruckt wirken, aber sitzen zu bleiben, wäre einfach unhöflich. Er ist tatsächlich größer, als sie anfangs dachte, also reckt sie ihr Kinn nach oben, um ihn zu sehen. Diese Augen! Okay, alles klar. Evie kann verstehen, warum über diese Augen geredet wird, als wäre er die Wiederkunft des Herrn. Aber sie hat das Gefühl, dass er das auch weiß. Wie könnte er auch nicht? Das Einzige, was schlimmer ist als der Ärger, den ein gut aussehender Mann mit sich bringt, ist ein gut aussehender Mann, der weiß, dass er gut aussehend ist. Das ist doppelt so schlimm.

»Evie? Darf ich dir hier sofort und ehrlich sagen, dass ich ein unglaublich großer Fan von dir bin? Ich fühle mich so geehrt, dass ich in dieser Verfilmung mitspielen darf. Wirklich!« Duke legt seine Hand auf die Brust, um zu betonen, dass sein Herz nicht lügt. Evie weiß, dass es im Showbusiness gang und gäbe ist, sich gegenseitig Zucker in den Hintern zu blasen, also geht sie gar nicht auf sein angebliches Fansein ein und sagt stattdessen nur, dass das sehr nett ist. Sie will die Sache so schnell wie möglich hinter sich bringen.

»Ich merke, dass du mir nicht glaubst«, sagt er und legt noch einen drauf. »Aber im Ernst, ich habe alle deine Bücher gelesen. Alle sechzehn. Ich habe sogar *Dein halbes Leben* für nächsten Mai vorbestellt«, fügt er hinzu und verweist auf ihre nächste Veröffentlichung. Er muss seine Leute beauftragt haben, einen Spickzettel über sie zu erstellen oder so etwas, um sie zu umgarnen, damit sie ihm irgendwann einmal nützlich sein kann.

»Nun«, sagt Evie, ohne den Blickkontakt abzubrechen, den dieser Mann unbedingt aufrechterhalten will. »Es tut mir leid, dass ich bisher nichts von dir gehört habe.«

Alle lachen, als wäre es ein Witz, denn wie Evie jetzt weiß, ist Duke einer der erfolgreichsten und begehrtesten Stars in Hollywood – anscheinend haben die britische Bescheidenheit und die strahlend blauen Augen sowohl sein Heimatland als auch das ihre verzaubert. Er hat ein Remake von *10 Dinge, die ich an dir hasse* gedreht, hatte Magda erklärt, mit einer Oben-ohne-Szene, in der er aus einem Swimmingpool steigt, und diese Szene wurde zu einem Meme, das viral ging. Evie ist selbst nicht auf Social Media, weil sie zwei Bücher pro Jahr schreiben muss und festgestellt hat, dass sich die Leute einem nur allzu gerne anvertrauen wollen, wenn man über Herzensangelegenheiten schreibt. Das ist eine Belastung, für die sie im Moment keine Zeit hat, nicht bei all den anderen Dingen in ihrem Leben – ihre Mutter, ihr Vater, die Shoppingsucht, die sie wirklich bald in den Griff bekommen muss … Und die Liste geht noch weiter. Sie hatte Ärger mit ihrer Verlegerin, weil sie in einem Podcast zugegeben hat, dass sie nicht an die Liebe glaubt und dass jeder, der sie um Ratschläge bittet, auf dem Holzweg ist und sie auch gar kein offenes Ohr für solche Themen hat. Aber das weiß hier natürlich niemand, und man geht davon aus, dass sie genauso ein Duke-Fan ist wie jede andere Frau auch – und genauso eine Romantikerin wie jede andere Frau auch.

»Noch nie von mir gehört? Nun, das freut mich zu hören.« Duke grinst und nimmt anscheinend auch an, dass es ein Scherz ist. »Ein furchtbares Business, dieses Filmbusiness. So egozentriert.« Evie fällt auf, wie gerade seine Zähne sind und wie strahlend weiß. *Ich dachte, Briten hätten keine guten Zähne,* sinniert sie und wundert sich, dass sie überhaupt etwas über britische Zahnmedizin weiß. Wo hat sie dieses nutzlose Wissen bisher nur aufbewahrt?

Evie atmet aus, als alle Platz nehmen, und gibt eine weitere Getränkebestellung auf – niemand trinkt Alkohol, also bestellt Evie auch keinen. Sie nimmt noch einen Kaffee. Sie wird sich später ein Glas Rotwein auf ihr Zimmer bestellen, denkt sie, oder vielleicht eine Flasche. Sie spürt, dass jemand sie von hinten ansieht, und dreht sich um. Duke hat sich den Platz direkt hinter ihrer Schulter ausgesucht. Er lächelt sie an. Sie wendet den Blick ab.

»So, da wären wir«, beginnt Marnie. »Willkommen zum zweiten Teil von *Auf der Romantischen Straße*. Die Innenaufnahmen in Pinewood waren ein Riesenerfolg, und das liegt nicht zuletzt an der Vorlage, die Evie Bird geschrieben hat – willkommen, Evie, zur Fortsetzung unseres kleinen Filmdrehs hier!«

Alle kichern, denn der kleine Filmdreh kostet in etwa fünfundzwanzig Millionen Dollar, und einer nach dem anderen im Raum nickt Evie anerkennend zu. Sie fühlt sich gezwungen, etwas zu sagen. »Veronique hat ein großartiges Drehbuch geschrieben. Das ist alles von ihr.« Sie applaudieren Veronique, obwohl sie nicht anwesend ist. Offenbar hatte sie eine Meinungsverschiedenheit mit dem Regisseur und hat sich geweigert, herzufliegen – das hat jedenfalls Katerina erzählt. Evie kennt sie nicht persönlich, aber sie haben ein paarmal über Skype telefoniert, als Veronique an der Adaption gearbeitet hat. Evie war nicht zimperlich – sie hat der erfahrenen Drehbuchautorin die ausdrückliche Erlaubnis erteilt, sich alle kreativen Freiheiten zu nehmen, die sie braucht.

»Wir sind bereits im Schnitt mit dem, was wir haben, da wir, wie ihr wisst, die Promotion des Films vorgezogen haben, um die Sommervorschau für eine große Thanksgiving-Veröffentlichung zu nutzen. Wir möchten auch die Tatsache ausnutzen, dass *Auf der Romantischen Straße* gerade auf Platz drei der *New-York-Times*-Bestsellerliste eingestiegen ist, was, so glaube ich, die höchste Chartplatzierung ist, die du bisher hattest, Evie, richtig?«

Evie wusste das nicht. Sie kämpft gegen den Drang an, nach ihrem Handy zu greifen, das mit dem Display nach unten auf dem Tisch liegt, um ihre E-Mails zu checken und zu sehen, ob ihre Agentin oder Lektorin das bestätigen können. Ist ein fünf Jahre altes Buch wirklich auf der Bestsellerliste gelandet? Das scheint unmöglich. Stattdessen nickt sie nur kurz. Sie will kein Aufsehen erregen.

»Ihr habt alle das, was ihr braucht, schon in euren Zimmern, also alle Infoblätter. Wir sind alle hier untergebracht, und das Hotel ist ausgebucht. Es sind also nur wir hier. Jeder hat eine Tagespauschale für Essen und Getränke, und es gibt einen Sicherheitsdienst an der Tür und auf jeder Etage. Ich bin mir sicher, ihr wisst das, aber ich wiederhole es gerne noch einmal: Bei den Außenaufnahmen hier vor Ort, hier an der Romantischen Straße, geht es darum, den märchenhaften Zauber einzufangen. Duke und Daphne spielen George und Hermione ausgezeichnet, die Chemie und die Zuneigung in den ersten Aufnahmen stimmen. Alles, was wir hier draußen drehen müssen, dient dazu, das Gefühl dessen, was wir erschaffen, wirklich zu unterstreichen. Das Wetter ist kalt – man hat mir gesagt, dass wir Schnee erwarten –, aber wir wollen die Menschen die Wärme dieser Geschichte spüren lassen. Die Weihnachtsmärkte, die Lichter, die heiße Schokolade und die Weihnachtslieder und diese prächtigen Schlösser, die es überall zu geben scheint ... Die Leute sollen diesen Film gucken und sich in George und Hermione verlieben, aber wir wollen auch, dass sie sich in Bayern verlieben. Deutschland spielt die dritte Hauptrolle in dieser Liebesgeschichte.«

»Ich bin schon halb verliebt«, flüstert Duke in Evies Ohr. »Ich überlege, ob ich später einen Spaziergang mache, vielleicht hast du Lust, mitzukommen.«

Evie schenkt ihm ein höfliches, aber unverbindliches Lächeln. Warum versucht er ständig, sie zu bezirzen? Er hat doch sicher Wichtigeres zu tun, der Egomane. Eigentlich will sie nur einen Wein trinken und dann schlafen gehen, um vor dem kriminell frühen Weckruf um 5 Uhr morgens in einen leicht angeheiterten Schlummer zu fallen. Warum sie so früh aufstehen muss, weiß sie nicht – angeblich geht es da um die Arbeitsmoral der Darsteller ...

Es sind etwa hundert Teammitglieder anwesend, und nach der Besprechung plaudert Evie höflich, während ein Büfett eröffnet wird. Es ist an sich kein schlechter Job, auf fremde Kosten in Deutschland zu sein, in einem schicken Hotel zu wohnen und zu essen und zu trinken zu bekommen, es ist nur so, dass ihr Abgabetermin immer näher rückt. Sie schaut auf ihre Uhr. Vielleicht schafft sie es, vor dem Schlafengehen noch tausend Wörter zu schreiben.

»Ich muss dich unbedingt bitten, mein Exemplar von *Alle Jubeljahre einmal* zu signieren«, sagt Duke zu ihr, als sie zurück zum Büfett geht, um sich einen Nachschub an pochiertem Lachs zu holen. Vielleicht hat er sogar auf sie gewartet, dieser Widerling. Er ist zu erpicht darauf zu gefallen. Zu aufgedreht. Das wirkt unauthentisch. »Wenn es dir nichts ausmacht«, fügt er hinzu und bemerkt ihren Gesichtsausdruck.

Evie packt sich den Teller voll. »Schon okay«, sagt sie. »Niemand kann uns hören.«

Er blinzelt.

»Du musst dich bei mir nicht verstellen«, macht Evie deutlich. »Du brauchst mir nicht in den Arsch zu kriechen.«

Duke nickt. »Ah«, sagt er. »Du denkst, ich sage nur, dass ich deine Bücher mag, weil … ich jetzt bei der Verfilmung dabei bin?«

»Ich weiß nicht, warum du es sagst«, antwortet Evie und sucht nach der Kräuterhollandaise, die sie vorhin probiert hat. Sie war köstlich. Sie enthielt Zitrone und Kapern und noch etwas anderes, das sie nicht zuordnen konnte.

»Ich verstehe«, sagt Duke und hebt die Schale hoch, nach der sie gesucht hat, als könne er ihre Gedanken lesen. Er hält sie ihr entgegen, als wolle er sagen: *Die hier?*, und Evie greift widerwillig nach dem Servierlöffel, um ein bisschen davon auf ihren Teller zu träufeln. »Warum sollte ein Mann in seiner Freizeit romantische Komödien lesen? Nun …«, sagt er und stellt die Schüssel wieder ab, als sie fertig ist. »Zufälligerweise bin ich ein unverbesserlicher Idealist, und ich war einmal mit Adele im Urlaub, die dein Buch *Nichts kann uns stoppen* mitgebracht hatte, und es hat mich süchtig gemacht. Sie hat es geliebt, also habe ich es auch gelesen, und es wurde meine Einstiegsdroge. Du schreibst über Menschen, die sich treffen und verlieben, ja, aber da ist noch so viel mehr. Du lässt die Geschichten so weise enden, und daraus schließe ich, dass du auch weise bist. Bekommst du das oft zu hören?«

»Eigentlich nicht«, sagt Evie und zieht amüsiert eine Augenbraue hoch. Natürlich nennt er die Namen der Leute, mit denen er in den Urlaub fährt. Sie vermutet, dass Harry Styles auch dort gewesen sein muss, vielleicht auch Denzel Washington und Dolly Parton.

Wie lächerlich. »Wirklich, du musst das nicht tun. Ich schreibe Bücher über ›Ein Mann trifft eine Frau‹, sie erleben allerlei Komplikationen, und am Ende leben sie glücklich bis ans Ende ihrer Tage. ›Heteronormativer Unsinn, den man mit einem vernünftigen Gespräch klären könnte‹ – so lautete eine besonders denkwürdige Amazon-Rezension.«

»Das Genre heißt *Happily ever after*, nicht wahr? Also glücklich bis ans Ende ihrer Tage, oder?«

»Genau.« Evie nickt. »Ich schreibe Glücklich-bis-ans-Ende-ihrer-Tage-Romane, mit denen die Leserinnen und Leser ein oder zwei Tage der Realität entfliehen können. Aber wir wissen beide, dass die Hälfte von dem, worüber ich schreibe, nicht existiert. Sogar achtzig Prozent. Was ich schreibe, ist ein ähnliches Fantasieprodukt wie ein *Star-Wars*-Film.«

»Du glaubst nicht an ein glückliches Ende?«, fragt Duke und legt seine Stirn in Falten.

»Natürlich nicht«, erwidert Evie, schnappt sich ein weiteres Brötchen und beschließt, dass sie jetzt ein Glas Wein trinken will. »Ich bin erwachsen, und Erwachsensein ist scheiße. Das Leben besteht nicht aus Ed-Sheeran-Songs und verrückten Sprints zum Flughafen, um jemanden daran zu hindern, einen Flug zu nehmen. Aber das wäre keine besonders beruhigende Lektüre, nicht wahr?«, fragt sie rhetorisch. »Wenn du mich jetzt entschuldigen würdest.«

Sie drückt sich an ihm vorbei und nimmt dabei seinen holzigen Duft wahr. Aber sie will nicht einen auf Netzwerken machen, wenn sie hungrig ist und immer noch über Carl und den Sturz ihrer Mutter nachdenkt und über die Tatsache, dass sie schon seit viel zu vielen Stunden wach ist.

»Mein Gott«, hört sie Duke murmeln, als sie sich neben Katerina niederlässt. »Was für ein Sonnenschein!«

Evie gönnt ihm nicht die Genugtuung, ihn wissen zu lassen, dass sie ihn gehört hat, und konzentriert sich stattdessen auf ihren Lachs.

6

DUKE

Es wird unglaublich früh dunkel, und die funkelnden Lichter eines einsamen Weihnachtsbaums im Hotelfenster sind derzeit das Einzige, was den ersten Dezembertag ankündigt. Duke sieht Evie an der Hoteltür verweilen und merkt erst, dass er auf sie gewartet hat, als er einen Kloß der Enttäuschung in seinem Hals aufsteigen spürt, als sie sich ihm nicht nähert – *Oh, sie wird nicht hier entlanggehen.*

Sie war unhöflich gestern Abend, abweisend gar. Duke ist es nicht gewohnt, dass man ihm das Leben schwer macht, was ihm erst klar geworden ist, als sie ihn beim Büfett hat stehen lassen. Irgendwie konnte er den Gedanken nicht ertragen, dass sie ihn nicht mochte. Er wollte sie beeindrucken. Als er *Nichts kann uns stoppen* gelesen hatte, ihren Roman über zwei todkranke Patienten, die sich in einer Krebs-Selbsthilfegruppe treffen und beschließen, eine Liste mit Dingen zu erstellen, die sie vor ihrem Tod noch tun wollen – und sich dabei verlieben –, hatte er sowohl laut gelacht als auch geweint. Das war ihm beim Lesen noch nie passiert. Seitdem ist er von Evie Birds Büchern geradezu besessen, und dass sie hier am Set ist, hat ihn sehr gefreut. Er möchte mit ihr einen Drink nehmen und ihr eine Million Fragen stellen. Duke hat an einem eigenen Roman getüftelt, der allerdings nicht besonders gut ist. Jedenfalls hofft er, ihn überarbeiten zu können. Vielleicht hatte sie gestern einen Jetlag oder war überfordert. *Wir haben alle mal einen schlechten Tag.*

Duke tut so, als würde er auf seinem Handy scrollen, während er in Mantel, Ugg Boots und Wollmütze mit Bommel am Crew-Bus steht und verstohlen aufschaut, um zu sehen, dass sie sich offensichtlich im Hintergrund aufhält, um mit niemandem sprechen zu müssen. Er beobachtet das Kalkül in ihren Augen, wie sie überfliegt, wer wo steht, wie nah sie am Bus sind, und wirft dann einen Blick zurück, um zu sehen, wer gerade an ihrer Schulter aus der Tür kommt. Seine Füße setzen sich in ihre Richtung in Bewegung, bevor sein Kopf irgendeinen Plan ausgetüftelt hat. Er sieht sie direkt an: das Haar offen, aber in einen karierten Kaschmirschal gesteckt, ihr Atem bildet Wolken, als sie in die Kälte ausatmet. *Das warst wirklich du gestern auf der Brücke,* denkt er, ihr Gesichtsausdruck kommt ihm plötzlich vertraut vor.

Evie sieht auf, und er deutet auf die Hoteltür, öffnet den Mund und sagt, kaum Worte formend: »Ich habe nur meine … vergessen.« Er bricht ab und verflucht sich innerlich. Warum ist er so nervös? Das ergibt doch keinen Sinn. Er hat nichts vergessen. Er will zu ihr!

Als Antwort hebt Evie die Augenbrauen, als wolle sie sagen: *Klar, was auch immer,* und schaut wieder nach unten. Duke greift nach der Tür, als der Beleuchtungsregisseur von der anderen Seite herauskommt und er es sich anders überlegt.

»Das ist eine Lüge«, muss er sich eingestehen (was ist bloß sein Problem?!), und sie sieht wieder auf. Ihre Augen – braun, sehr dunkelbraun – bewegen sich von einer Seite zur anderen, als wäre sie verwirrt, mit wem er spricht. *Also gut.* Sie wird es ihm weiterhin schwer machen. *Verstanden,* denkt Duke. *Aber ich kann das überstehen.*

»Ich wollte nur mit dir reden.« Duke lächelt, und als sie begreift, dass er es ernst meint, verzieht sie verwirrt das Gesicht.

»Ich habe das Gefühl, dass wir gestern Abend keinen guten Start hatten, und da du hier allein gestanden hast … Also …«

»Ich versuche nur, ein bisschen Arbeit zu erledigen«, wirft sie ein und zuckt mit den Schultern. Sie sagt es nicht harsch oder böse, sie … sagt es einfach.

»Oh.« Duke nickt. »Tut mir leid.«

Sie sieht ihn wieder an und tippt dann weiter in ihr Handy. Er wollte nicht auf ihr Display schauen, aber er muss es getan haben, denn sein Kopf wirft einen Schatten darauf, sodass sie wieder aufschaut.

»Im Ernst?«, fragt sie und tritt einen Schritt zurück.

Er verkackt es wieder. Schon wieder.

»Oh nein, tut mir leid, ich wollte nicht neugierig sein. Oh Gott. Du machst mich nervös. Hat man dir das schon mal gesagt? Dass du einschüchternd bist?«

Sie sieht nicht auf, als sie sagt: »Das klingt eher danach, als sei das dein Problem und nicht meins.«

»Sicher.« Duke nickt wieder. »Fein. Okay. Nun, wie ich sehe, bist du kein Morgenmensch.«

Er rührt sich nicht vom Fleck. Er ist in weniger als dreißig Sekunden von dem Wunsch, eine Art Beziehung zu ihr aufzubauen, zu dem Gefühl übergegangen: *Was zum Teufel?* Wird sie wirklich nicht einmal Freundlichkeit vortäuschen? Sie kennt ihn nicht einmal; wie kann sie ihn *nicht mögen?* Sie muss sich jedem gegenüber so verhalten. Er hat das Gefühl, dass er irgendwie betrogen wurde. Diese Kälte ist keine Charaktereigenschaft, die in ihren Büchern zum Vorschein kommt.

»Hör mal«, sagt Evie und lässt ihren Blick wieder über ihn schweifen. »Es tut mir leid, okay? Ich habe hier eine Menge zu tun, und ich habe noch keinen Kaffee getrunken, und ich muss es einfach bis zum Mittag schaffen, und dann kann ich dir vielleicht was vortäuschen, was auch immer du von mir brauchst, damit du nicht aussiehst, als hätte ich gerade auf deinen Welpen getreten. Ich entschuldige mich dafür, dass ich …«

»Unhöflich bin?«, ergänzt Duke, als sie sich nicht entscheiden kann, welches Wort das passende ist. Er will nicht streitlustig sein. Es ist nur, na ja … Es ist das einzige Wort, das passt.

»Äh«, überlegt Evie. »Ich war nicht *unhöflich*.«

»Jemand versucht, sich mit dir zu unterhalten, und du sagst ihm, er soll sich verpissen? Das erscheint mir sehr unhöflich.«

»Sagt der Mann, der glaubt, dass er die Aufmerksamkeit einer Frau *verdient*.«

»Ich gehe nie davon aus, irgendetwas verdient zu haben«, erwidert Duke. »Ich bin gekommen, um unsere kleine Interaktion von gestern Abend zurechtzurücken, weil wir zusammen arbeiten und weil es mir richtig erschien. Aber ich sehe, dass dich das irgendwie verärgert hat, und deshalb hast du recht, du schuldest mir keine Aufmerksamkeit. Ich werde mich jetzt langsam zurückziehen ...«

Er hebt kopfschüttelnd die Hände und geht zurück zum Bus. Meine Güte. Manche Leute sind schreibend einfach besser als in echt. Das ist in Ordnung. Er hat sie falsch eingeschätzt.

»Nein«, sagt sie und verzieht das Gesicht. »Du kannst nicht sagen, dass es ...«, sie gestikuliert zwischen ihnen hin und her, während sie spricht, »meine Schuld ist. Ich bin nicht schwierig. Du bist zu ... zu ... unecht.«

Das ist lächerlich. Streiten sie sich jetzt wirklich? Duke bemerkt, dass die Leute anfangen, in ihre Richtung zu schauen.

»Die Leute starren uns an«, sagt Duke, verzieht sein Gesicht zu einem Lächeln und spricht mit leicht zusammengebissenen Zähnen. »Können wir bitte nicht ...«

Evie sieht sich um und scheint die neugierigen Blicke der Leute zu bemerken, denn sie schaut dann wieder zu Duke und spiegelt sein aufgesetztes Lächeln wider.

Mit ebenfalls zusammengebissenen Zähnen sagt sie: »Lassen wir es doch einfach bleiben, okay? Lassen wir einander in Ruhe. Wie ich gestern Abend schon gesagt habe, müssen wir keine Freunde werden.«

Duke zuckt mit den Schultern, merkt, dass es für die letzten Augen, die auf ihn gerichtet sind, feindselig aussieht, und breitet seine

Arme aus, damit seine Körpersprache sympathischer wirkt. Evie sieht ihn entsetzt an und legt dann ihre Arme unter die seinen, sodass ihre wütenden Körper unbeholfen zusammenstoßen. Jetzt umarmen sie sich. Sie schneiden Grimassen und umarmen sich und reden in gedämpftem, unterdrücktem Flüsterton.

»Seltsam«, sagt Evie leise, nachdem sie sich von ihm entfernt hat und die Leute sich in den Bus begeben haben, um zum Set zu fahren. Sie sieht nicht zu ihm, sondern auf den Boden.

»Superseltsam«, entgegnet Duke und lässt ihr den Vortritt, während er versucht, herauszufinden, was zum Teufel gerade passiert ist. Sie haben sich erst angeschnauzt und dann umarmt? In der Zeit eines Wimpernschlags? Wie skurril. Was für eine launische Autorin. Duke atmet flacher und ist entnervt.

Um so viel Abstand wie möglich zwischen sich und Evie zu bringen, lässt Duke ein paar andere vor sich in den Bus einsteigen. Der Bus ist voll, ein Meer von müden Gesichtern, die verschlafen in ihre Handys starren, also schaut er zu seiner Linken auf den Platz hinter dem Fahrer, den einzigen freien Platz im Bus. Auf dem Nachbarsitz schaut Evie mit steinerner Miene zu ihm auf und dann wieder auf ihr Handy. Er seufzt und setzt sich neben sie. Sie reden nicht miteinander. Duke lehnt sich halb in den Gang, um sie nicht versehentlich zu berühren. Er hält sich so steif wie möglich, während der Bus Kurve um Kurve durch die bayerischen Straßen fährt.

Als sie endlich an ihrem Ziel ankommen und sich die Türen öffnen, stürzt sich Duke die Treppe hinunter und in die Freiheit und ist vollkommen verwirrt darüber, wie sich ein Schweigen zwischen zwei Menschen so aggressiv anfühlen kann. Er beschließt also, sie in Ruhe zu lassen. Es war ein Fehler zu versuchen, sich mit ihr anzufreunden. Er hat sich durch ihre kaltherzige Attitüde quasi Erfrierungen zugezogen.

7

EVIE

Der Himmel färbt sich gegen halb sieben rosa. Die Fenster der Häuser und Geschäfte leuchten orangefarben, die Lichter gehen nach und nach an, wenn die Menschen aufwachen und ihren Tag beginnen. Der Fluss, der durch die Stadt fließt, spiegelt all das wider, ein Spiegel der Tausenden Leben, die sich um ihn herum abspielen. Es ist still, nur gelegentliches Vogelgezwitscher von Rotkehlchen unterbricht die Stille. Sie sitzen auf eisigen Toren, die in der Nacht von Väterchen Frost geküsst wurden. Evie pustet in ihre behandschuhten Hände, ihr Atem ist sichtbar wie der eines Drachen, und reibt sie dann aneinander. Sie friert.

»Zweite Klappe«, sagt der Regisseur Brad, während jemand mit einer Klappe auf- und zuschlägt und dann von der Kamera weggeht. Duke und Daphne sind in ihrer Rolle als George und Hermione zu sehen. Ihre Heldin trägt ein cremefarbenes Strickkleid, einen lavendelfarbenen Schal und eine Bommelmütze mit passenden Fäustlingen; goldene Schmuckstücke glitzern im weichen Licht. Ihr langes Haar ist leicht gelockt, und man hat den Eindruck, sie hätte natürliche Locken, aber Evie hat den Beginn ihrer Arbeitszeit gesehen und weiß genau, dass sie zwei Stunden für Haare und Make-up gebraucht hat.

Auf einen der Monitore zu blicken und zu sehen, wie alles funktioniert, ist unglaublich. Sie hatte sich geschworen, sich nicht zu sehr beeindrucken zu lassen, aber sie muss zugeben, dass das hier cool ist. George und Hermione waren ursprünglich nur aufkeimende Gedanken in ihrem Kopf – und jetzt sind sie hier, sie gehen und reden genau so, wie sie es sich vorgestellt hat, und an die hundert

Leute um sie herum sorgen dafür, dass alles nach Plan läuft. Sie wünschte, ihre Mutter könnte das sehen. Evie macht ein Foto, aber tief in ihrem Inneren weiß sie, dass ihre Mutter nicht ganz verstehen wird, wovon sie spricht, wenn sie es ihr erzählt. Es sei denn, es ist einer der seltenen Tage, an denen sie bei klarem Verstand ist. Evie hätte nichts gegen ein Weihnachtswunder. Aber sie wird nicht darauf hoffen. Sie weiß es besser.

»Ich weiß es nicht«, sagt Duke in seiner Rolle als George. Der Kragen seines marineblauen kurzen Wollmantels ist im Nacken hochgeschlagen, und er hat einen neuen goldenen Schimmer auf der Stirn, das ist wohl Make-up, aber vor der Kamera wirkt er wie von der Sonne geküsst. Evie hasst ihn nicht, wenn er in seiner Rolle ist. George ist nicht Duke, und so ist es einfacher, ihm mit Ehrfurcht zuzusehen. »Das habe ich meiner Mutter versprochen, und jedes Mal, wenn ich denke, dass ich dieses Versprechen brechen will, sehe ich ihr Gesicht. Ich kann ihr das nicht antun, Hermione. Ich kann es einfach nicht.«

Sie gehen langsam die breite Straße entlang, die bis 8 Uhr morgens für die Filmaufnahmen gesperrt ist. Eine Kamerafrau fängt alles ein, während ein Mann in einer Daunenjacke langsam rückwärtsgeht und die Kamera auf einem Kamerawagen auf Schienen entlangzieht, sodass sie die beiden gleichmäßig im Bild halten kann, während sie sich bewegen. Alle haben die strikte Anweisung, schnell zu arbeiten und so wenige Wiederholungen wie möglich zu machen, denn die Zeit ist einfach zu knapp. Drei Wochen sind sehr wenig Zeit, hat man ihr gesagt, und wegen der Jahreszeit gibt es einen Haufen Einschränkungen in Bezug auf Drehzeiten und Drehorte. Süddeutschland möchte, dass der Film hier gedreht wird, aber nicht um den Preis, dass die Touristen verärgert werden.

Die Schauspielenden halten vor einem kleinen Schaufenster inne.

»Siehst du den Ring da?«, fragt George Hermione, und Evie hält den Atem an. *Sie hat diese Worte geschrieben.* Es ist verrückt. »Sie hatte genauso einen. Ich wünschte, du hättest sie gekannt, Herm. Das tue ich wirklich. Mein Vater hat ihn ihr gegeben, als er zurückgekommen ist. Diese kleinen Dinge, die uns an etwas erinnern – sie sind überall, nicht wahr?«

Jetzt kommt Daphnes Part. »George«, sagt sie, und ihre Stimme klingt anders als im richtigen Leben. Evie weiß nicht, warum sie das überrascht, aber es ist so. »Deine Fähigkeit, die Vergangenheit zu romantisieren, erstaunt mich. Deshalb liebe ich dich auch so, wie ich es tue. Aber kannst du nicht auch nach vorn schauen? Denn die Vergangenheit ist vergangen, und ich stehe hier und bitte dich, an die Zukunft zu denken.«

Evie zuckt zusammen. Diese Worte verfolgen sie, weil sie sie einmal selbst ausgesprochen hat, als einen letzten Hoffnungsschimmer. Damals, in ihren Zwanzigern, hatte ihr Ex, Bobby, ihr wahrhaftig das Herz gebrochen, aber er war nur einer von vielen, die ihr das Herz gebrochen hatten. Losgegangen war es, als sie als Fünfzehnjährige ihren Vater mit zwei Koffern und einem Wutanfall aus der Einfahrt wegfahren sah. Ihn im Haus zu haben, war in vielerlei Hinsicht die Hölle gewesen, denn er schien es ihr übel zu nehmen, dass er draußen in der Welt *Donald Gilbert, berühmter Drehbuchautor und Regisseur* war, während er zu Hause einfach nur ein Ehemann und Vater war. Es war, als hätten Evie und ihre Mutter ihm nicht gereicht, als hätte er nicht nur geliebt, sondern auch verehrt werden müssen. Also verließ er sie, lief einer seiner Schauspielerinnen in die Arme und verließ dann auch sie für eine andere.

Seitdem hat Evie ihn nur noch gelegentlich in einem Beitrag im Fernsehen gesehen. Jeder andere Mann, den sie seitdem zu lieben versucht hat, hat genau das Gleiche getan. Das tun sie immer, das weiß Evie. Die Frage ist nur, wann.

Sie sieht zu, wie Duke seine Szene beendet, und fühlt sich schuldig. Sie hat heute Morgen eine Grenze überschritten, und die Scham darüber brennt ihr hinter den Ohren, auch wenn sie ihn nicht mag.

Er hat nur versucht, nett zu sein, so schmierig er sonst auch sein mag. Evie muss nicht jeden Mann für das miserable Verhalten einiger weniger büßen lassen, auch wenn Magda ihr genau das bereits vorgeworfen hat. Nein. Er mag ein Schauspieler sein, aber er ist nicht der Teufel. Sie hätte freundlicher sein sollen. Sie kann sich nicht erklären, warum sie so furchtbar abweisend zu ihm war, nur dass sie es war. Sie fühlt sich jetzt ziemlich mies damit. Vielleicht lag es auch am Jetlag. Vielleicht ist es das nagende Gefühl, dass sie hier Zeit vergeudet, die sie mit Schreiben verbringen sollte. Die Art ihrer Arbeit führt oft dazu, dass sie selbst am Wochenende oder an einem Feiertag daran denkt, dass sie noch viel zu tun hat. Autorin zu sein, ist, als hätte man immer Hausaufgaben zu machen.

»Und Schnitt«, sagt Brad und reißt sie aus ihren Gedanken. Sie hat den Höhepunkt der Szene verpasst. Alle gehen auseinander, während die nächste Szene aufgebaut wird. Sie brauchen keinen weiteren Take – der zweite war genau richtig. Evie sieht, dass eine neue Runde heißer Getränke bereitgestellt wird, und geht hinüber, um sich aufzuwärmen.

»Hey, alles in Ordnung?«, fragt Katerina. Evie hat sie gar nicht bemerkt. Sie sieht auf, ihre Sicht ist etwas verschwommen. Sie blinzelt und merkt, dass sie den Tränen nahe ist.

»Es ist die Kälte«, sagt Evie und klingt beinahe überzeugend. »Ich habe nicht an den Wind gedacht, als ich mich heute Morgen angezogen habe.«

Katerina nimmt ihre Ohrenschützer ab und gibt sie ihr. »Hier«, sagt sie. »Trag die mal eine Weile.« Als Evie protestiert, beharrt sie darauf. »Ich brauche sie wirklich nicht. Ich glaube, ich habe eine Mütze in meiner Tasche – und, hey, diese Weste ist beheizt! Mir ist mollig warm. Außerdem siehst du damit sehr hübsch und passend für das Social-Media-Team aus.«

Dem stimmt das Social-Media-Team später zu. Zwei Mittzwanziger, Dream und Willow, haben die Aufgabe, Interviews hinter den

Kulissen zu machen, sich um die Garderoben zu kümmern sowie die wichtigsten Fragen zu den Darstellerinnen und Darstellern, der Crew und der Arbeit beantworten zu lassen.

»Die Maskenbildnerinnen haben gesagt, dass sie Zeit für dich haben, wenn du willst«, bietet Willow-oder-Dream an.

»Ich bin schon geschminkt«, sagt Evie.

Willow-oder-Dream legt den Kopf zur Seite, als würde sie sie nicht verstehen. »Hmmm«, sagt sie. »Vielleicht sollten sie deinen Teint ein bisschen aufwärmen und deine Augen vergrößern? Und, mal sehen, ob die vom Kostüm dir etwas leihen können, das die Farbe deines Mantels von deiner Haut abhebt.«

»Was stimmt mit der Mantelfarbe und meiner Haut nicht?«, fragt Evie. Sie fühlt sich angegriffen. »Das ist ein guter Mantel. Er war teuer.«

Natürlich war er das. Ihre Kaufsucht ist der Grund, warum sie das Dach ihres Hauses nicht reparieren lassen kann. Oder ihrer Mutter nicht noch mehr helfen kann. Materielle Dinge können sie zwar nicht zurücklieben, aber sie können auch nicht abhauen, sie können sie nicht enttäuschen.

»Nein, ja, ich verstehe es, total, schwarz ist super vielseitig, wenn man draußen in der Kälte unterwegs ist oder so, aber ich würde sagen, du bist eher ein warmer Herbsttyp. Also vielleicht ein helleres Braun oder ein Rotton? Sogar Marineblau wäre toll. Dann siehst du nicht so abgespannt aus.«

Abgespannt!, denkt Evie, aber da führt Willow-oder-Dream sie schon am Handgelenk zu ein paar Wohnwagen, die hinter einem kleinen Park stehen. Sie klopfen, warten und werden dann hereingebeten. Zu Evies Entsetzen ist Duke da drin, und sie zwingt sich, ihn wenigstens anzulächeln und gute Miene zum bösen Spiel zu machen.

»Ich komme schon klar«, sagt er. »Ich freue mich für sie, das tue ich wirklich. Das ist gut so. Oh …«, unterbricht er sich, als er Evie sieht.

Evie hebt eine Hand hoch. »Duke.«

»Evie.«

»Oh!«, sagt Kayla, die Maskenbildnerin. »Du bist Evie! Unglaublich! Duke hat uns gerade von deinem Buch erzählt, stimmt's, Duke?«

Duke schaut achselzuckend zu Boden.

»Er hat dich eine außergewöhnliche Autorin genannt!«, behauptet Kayla, die den Frost, der von den beiden ausgeht, offenbar nicht bemerkt.

Evie zieht die Augen zu Schlitzen zusammen. Machen sich denn hier alle über sie lustig? Sie blickt von Kayla zu Dukes Spiegelbild. Er zieht ein Gesicht, das sie nicht ganz deuten kann.

»Ich habe gerade gesagt, dass mir *Du und ich und wir* gefallen hat«, sagt er langsam, als hätte er Angst, Evie würde ihn wieder anschreien. »Vor allem das Ende. Du lässt es so aussehen, als bekäme jeder alles, was er sich jemals gewünscht hat, aber es ist auch eine Traurigkeit darin, etwas Bittersüßes.«

Er sieht ihr kurz in die Augen und wendet dann den Blick ab. Zu Recht, denkt Evie, sie war vorhin wirklich ziemlich ekelhaft zu ihm. Und gestern Abend auch. Sie bietet ihm zögernd etwas an, mit dem er arbeiten kann – das ist ihre Art, sich zu entschuldigen, ohne sich wirklich zu entschuldigen.

»Ja«, räumt sie ein. »Denn so funktioniert das Leben nicht, nicht wahr?«

»Das sagt meine Therapeutin auch«, scherzt Duke. Kayla lacht. Er fährt fort und sieht Evie jetzt selbstbewusster an. »Dass es keinen Endpunkt beziehungsweise kein endgültiges Ziel gibt. Das einzige Ende ist der Tod, und selbst dann ist es der Beginn von etwas Neuem.«

Evie nickt. Das ist so ziemlich genau das, was sie denkt. Ist er wirklich von selbst auf diese Analyse ihres Stoffes gekommen? Sicher nicht.

»Ha«, sagt er dann. »Meine Güte, wie ich immer weiterquatsche. Ich weiß nicht, wie viel Zeit du schon in einem Schminkstuhl verbracht hast, aber Kayla wird es dir sagen: Ich rede so viel, damit ich nicht einschlafe, stimmt's? Dieser Job ist sicher nicht mit einer Schicht in einem Kohleschacht zu vergleichen, aber wir haben hier wirklich lange Tage.« Er gähnt, um das Gesagte zu unterstreichen, und es kommt Evie vor, als sei er verlegen, als hätte er mehr preisgegeben, als er vorhatte, und als wolle er zurückrudern.

Kayla lacht wieder, während sie charmant etwas an seinem Kinn macht, und sagt in ihrem südafrikanischen Tonfall: »Ich liebe unsere Gespräche, Duke. Das weißt du doch.« Und dann zu Evie: »Er leiht mir dein Buch. Ich bin schon so gespannt, es zu lesen. Willst du dich nicht setzen?«

»Danke«, murmelt Evie und fügt hinzu: »Mir wurde gesagt, du müsstest meinen Teint aufwärmen.« Kayla zeigt auf den Stuhl neben Duke.

»Das kann ich machen«, sagt Kayla. »Ich brauche nur noch zwei Minuten mit Mr Carlisle hier, dann können wir loslegen.«

Willow-oder-Dream geht, und Evie zieht ihren Mantel aus und setzt sich in den Schminkstuhl vor dem Spiegel. Sie sitzt Duke gegenüber, über ihre Spiegelbilder haben sie sofort Blickkontakt. Evie fällt auf, wie außerordentlich symmetrisch und kantig seine Gesichtszüge sind. Im Gegensatz dazu wirkt sie teigig und blass. Die Leuchtröhren im Wohnwagen trüben seine Attraktivität kein bisschen, geschweige denn, dass sie sie in den Schatten stellen.

»Sag nichts über meine Tränensäcke«, scherzt Duke, als er bemerkt, dass sie ihn beobachtet. Er sagt es zögernd, um sich zu vergewissern, dass sie tatsächlich aufgetaut ist und man sich mit ihr unterhalten kann. Evie schenkt ihm ihr berühmtes Lächeln mit geschlossenem Mund, das Beste, was sie zustande bringt. Es ist ihre Art zu sagen: *Na schön. Wir sollten uns gegenseitig tolerieren, solange wir – schon wieder – nebeneinandersitzen müssen.* »Kayla hat ihr

Bestes getan, oder? Ich schlafe im Moment einfach nicht gut. Diät, Sport, Make-up können viel bewirken, aber nichts kann einen Mangel an REM-Schlaf kaschieren.«

Evie ist sich nicht sicher, ob das eine rhetorische Frage ist oder ob sie sich an sie und Kayla richtet.

»Du siehst … sehr gut aus«, sagt sie. Es klingt hohl. Sie spürt, wie seine Augen über ihr Gesicht wandern, vielleicht um ihre eigenen Tränensäcke zu begutachten, die Beweise für den Jetlag. Sie schluckt, unsicher über das leicht nervöse Gefühl, während er sie abscannt, und bevor ihr etwas Witziges einfallen kann, verkündet Kayla, dass sie fertig ist und Duke gehen kann. Es klopft an der Tür, und eine Frau mit einem Headset und einem Klemmbrett sagt, dass sie noch fünf Minuten Zeit hätten, präziser wird sie aber nicht. Vermutlich geht es um die nächste Aufnahme, denkt Evie. Es ist so viel los, so viel Action und Bewegung, genau wie in ihrer Kindheit.

»Also«, sagt Duke und bleibt hinter ihr stehen, während Kayla weiße Taschentücher in den Kragen von Evies Pullover stopft.

»Um das Überschüssige aufzufangen«, erklärt Kayla.

Evie braucht einen Moment, um zu verstehen, dass er sie wieder anspricht.

»Ist es dein erster Tag am Set?«, fragt er. »Das hat Katerina jedenfalls gesagt.«

Hat er wirklich über sie gesprochen? Seltsam.

»Ist alles ziemlich magisch, nicht?«, fährt er fort.

Evie kneift die Augen zusammen. Sie will etwas erwidern, merkt aber, dass sie nicht weiß, was sie sagen soll, und schließt den Mund wieder. Dann holt sie tief Luft, weil sie sieht, dass er auf ihre Worte wartet, und fängt an: »Jawohl. Ich kleiner Niemand kann es nicht fassen, hier zu sein.«

Sie versucht, leicht ironisch zu klingen. Duke entfährt ein schallendes Gelächter. Was auch immer für eine Energie zwischen ihnen beiden herrscht, sie kann definitiv unter »Funktioniert nicht« eingeordnet werden. Egal, wie sehr sich die beiden bemühen, sie scheinen verschiedene Sprachen zu sprechen und einander nicht zu verstehen.

»Du weißt schon, dass wir hier dein Buch verfilmen, oder?«, fragt er, eine Augenbraue gerade so hochgezogen, dass sie überheblich wirkt und einen verärgert. »Du bist ganz sicher kein kleiner Niemand.«

»Nein, du verstehst mich falsch«, sagt Evie und bringt ihre Stimme dazu, ruhig und vernünftig zu klingen. »Ich bin gerne ein Niemand. Ich will ein Niemand sein. Ich bin nicht hier am Set, weil ich mit den Stars flirten will. Ich bin nur hier, weil ich vertraglich dazu verpflichtet bin.«

Duke nickt. Er hat die glatteste und reinste Haut, die Evie je gesehen hat, wie eine echte Ken-Puppe, nur noch attraktiver.

»Ja«, sagt Duke. »Ich weiß. Ich habe sie gebeten, diesen Passus einzubauen. Ich wollte dich kennenlernen.«

Evie blinzelt.

Was?!

»Du hast sie dazu gebracht, mich hierherzufliegen?«, fragt sie. Das ergibt doch keinen Sinn. Warum sollte er das tun?

»Ja«, sagt Duke, als wäre es keine große Sache. »Wie ich schon gesagt habe, bin ich ein großer Fan deiner Bücher.«

Was?!! Evie sieht einen roten Nebel aufsteigen, und ihre Wut steigert sich dramatisch.

»Ich werde meinen Abgabetermin nicht einhalten können«, sagt sie, und ihre Beherrschung schwindet immer schneller. »Ich bin von meinem Hund getrennt, von meinem Haus, meiner Mutter und meiner besten Freundin, die zufällig gerade eine furchtbare Scheidung durchmacht, und das zur Weihnachtszeit, und ich bin hier, am anderen Ende der Welt, wegen dir, um mir hier den Arsch abzufrieren?!«

Duke lacht ein wenig, und Evie nimmt an, er denkt, es sei zurückhaltend.

»Ja, also, ich wollte dich kennenlernen, und alle haben gesagt, du wärst bereit für Interviews und die Dokumentation hinter den Kulissen …«, sagt er langsam und tut immer noch so, als sei das alles ein vernünftiges Gespräch und nicht der Beginn der Apokalypse. Evie steht bereits vom Schminkstuhl auf.

»Danke, Kayla, aber ich denke, ich glänze schon genug. Und ich bin mir sicher, dass sich mein Teint, jetzt, wo ich wütend bin, noch schöner gefärbt hat«, sagt sie und wendet sich wieder Duke zu. »Du hast sie dazu gebracht, mich hierherzufliegen?«

Er nickt und sieht dabei verunsichert aus, als sei das doch überhaupt keine große Sache. Und das bringt sie noch mehr aus der Fassung.

»Die Welt besteht nicht aus Marionetten, die für dich tanzen«, zischt sie entgeistert.

Es hat sich schon seit einer Weile eine gewisse Wut in ihr angestaut, im Grunde seit dem Anruf des Pflegeheims, dass die Kosten für die Pflege ihrer Mutter gestiegen sind. Sie wollte damals schon jemanden anschreien. Aber sie kann ihre Mutter nicht anschreien. Oder Carl. Also kann jetzt genauso gut Duke Arschbacke Carlisle dafür herhalten. Sie ist ihm fast dankbar, dass er ihr die Gelegenheit dazu gibt. »Das ist ja so was von absolut dämlich! Wenn man jemanden treffen will, schreibt man eine E-Mail und fragt nach einem Treffen. Man macht es nicht zu einer vertraglichen Verpflichtung, als wäre man scheiß Christian Grey!«

Duke zuckt zusammen, und Evie schwört, dass er versucht, das Ganze ins Komische zu wenden. »Vorsicht, das ist vermintes Terrain«, sagt er. »Ich habe diese Rolle leider nicht bekommen. Verdammter Jamie Dornan.«

Evie schließt die Augen. Er ist verrückt. Vollkommen verrückt. Er macht Witze angesichts ihrer nur allzu berechtigten Wut. Sie schüttelt den Kopf, während sie versucht, ihren Mantel anzuziehen. Sie verfehlt den Ärmel, und er nimmt ihn ihr ab, stellt sich hinter sie und hilft ihr ganz gelassen beim Anziehen, während sie weiterschimpft.

»Danke«, sagt sie und entreißt ihm den Stoff, als er ihr helfen will, den Reißverschluss zuzuziehen. Sie macht ihn selbst zu, so schnell, dass er fast kaputtgeht, und fügt dann hinzu: »Ich hoffe, es war großartig, mich auf deinen Befehl hin hier zu haben, oh du Göttlicher, aber Vertrag hin oder her, ich fliege jetzt nach Hause. Bye-bye.«

Sie stolpert die schmalen Stufen des Wohnwagens hinunter und weiß nicht, warum sie derart aus der Haut gefahren ist, außer dass sie diesen Duke so was von satthat. Zum Teufel mit ihm. Scheiß auf diese ganze dumme Sache. Sie hätte niemals zustimmen dürfen. Sie wird das Geld für das Pflegeheim anders auftreiben – egal wie, aber nicht so. Ein Mann wie Duke kann nicht einfach sagen: »Spring!«, und alle springen.

Sie verhakt sich, macht einen Fehltritt und knallt dann die Tür hinter sich zu.

Duke Carlisle ist ein egozentrisches Arschloch, denkt sie bei sich und versucht, herauszufinden, in welche Richtung es zurück zum Hotel geht. Im Gehen denkt sie daran, wie er ihr in den Mantel geholfen hat. *Bäh!*

8

DUKE

Es wird ein wolkenloser Tag mit strahlend blauem Himmel, und je heller die Sonne scheint, desto mehr verschwinden Dukes Gedanken an Evie. In weniger als vierundzwanzig Stunden sind sie schon dreimal aneinandergeraten. Einmal ist verzeihlich, zweimal ist unglücklich, aber dreimal? Alles klar, er ist raus.

Einen Moment lang sah es so aus, als hätte sich im Wohnwagen alles zum Guten wenden können, doch dann ist sie durchgedreht und hinausgestürmt. Diese Frau ist ganz offensichtlich gestört. Duke hatte sich vorgestellt, dass sie wie die Figuren in ihren Romanen ist, aber jetzt ist ihm etwas anderes klar geworden: Menschen, die künstlerisch tätig sind, sind selten »normal«. Evie ist einfach einer dieser Menschen, die etwas kreieren. Schauspielende, Schriftstellerinnen, Künstler, Designerinnen, Musiker – sie alle versuchen, die Welt zu erleben, um dann etwas über sie zu sagen, und man muss sehr sensibel sein, um die Welt auf sich wirken zu lassen, um sie in sich aufzunehmen. Er wird Evie in die Kategorie »genial, aber unbeständig und unberechenbar« einordnen müssen.

Auch wenn es kalt ist, scheint die Sonne intensiv, ganz typisch für Europa. Duke liebt sein Londoner Haus – ein weitläufiges Townhouse mit echten, funktionstüchtigen Kaminen und dunklen, üppig dekorierten Räumen –, aber die Stadt selbst macht ihm zu schaffen. Als Brite möchte er natürlich ein Domizil in seiner Heimat haben, aber er hat keinen Kontakt zu seinen alten Schulfreunden im Norden, und alle seine Freunde aus der Branche sind in Los Angeles, wo er auch ein Haus besitzt. Er liebt den Sonnenschein dort und wie sich das Wetter auf das Gemüt der Menschen auswirkt. Das Wetter in Großbritannien ist immer irgendwie feucht. In London hat er durchgehend kalte Füße, als würde die Luftfeuchtigkeit seine Knochen durchdringen. Sicher, heute trägt er Thermosocken am Set und unter seinem Kostüm lange Thermounterhosen, aber es ist nicht so kalt wie zu Hause. Es ist frisch und klar, und er fühlt sich … nun ja, besser. Sein gebrochenes Herz scheint hier weniger gebrochen zu sein, und der Ortswechsel trägt dazu bei, dass er die Geschehnisse in Pinewood ein bisschen anders sieht.

Sie drehen gerade auf dem Marktplatz neben dem Rathaus. Es ist ein großer, gepflasterter Platz mit einem terrakottafarbenen Brunnen und einem drei Meter hohen Weihnachtsbaum mit weißen Lichtern und einem großen goldenen Stern auf der Spitze. In den Bäumen ringsum hängen ebenfalls Lichterketten, und sie brennen auch tagsüber. Die Holzhäuser sind dreistöckig und haben rote und schwarze Holzrahmen vor weißen Wänden. Alles läuft reibungslos, denn das Wetter macht alle fröhlich und effizient. Sie kommen schnell zu den Ergebnissen, die sie brauchen, und Duke weiß, dass er gute Arbeit leistet. Er muss zugeben, dass es nach wie vor erstaunlich gut ist, mit Daphne zusammenzuarbeiten – sie gibt ihm viel, was dazu führt, dass er viel zurückgeben kann. Die Chemie muss nicht hergestellt werden. Dass er mit der aktuellen Situation einverstanden ist, kommt vielleicht plötzlich, wie ein schneller Windwechsel, aber seit sie miteinander gesprochen haben, ist ihm klar geworden, dass Daphne und er als Freunde vielleicht wirklich besser funktionieren. Er sieht es jetzt auch.

Trotzdem hätte sie dafür nicht mit dem Regisseur ins Bett gehen müssen.

Wenn er ehrlich ist, braucht sein Ego vielleicht etwas länger, um zu heilen, als sein Herz.

Obwohl sie vorhin so getobt hat, ist Evie ans Set zurückgekehrt.

Duke nimmt sie hinter den Monitoren wahr und erhascht zwischen den Aufnahmen einen Blick auf sie. Sie hat ihre Sonnenbrille aufgesetzt und sieht aus, als wäre sie bereit für die Piste. Duke fragt sich, ob sie Ski fahren kann. Er hat Zeit mit Kate Hudson und ihrer Familie in Aspen verbracht – sie verstehen sich prächtig, und er liebt Kurt und Goldie, sie sind wirklich lustig. Sie würden Evie mögen, ihre gequälte Künstlerattitüde verstehen.

Okay, das ist seltsam. Was denkt er da? Die Vorstellung, mit Evie Urlaub zu verbringen, ist gruselig.

Er schaut wieder in ihre Richtung. Sie sieht auf. Er wendet sich ab. Hmm. Er wird weiterhin einen großen Bogen um sie machen. Offenbar fliegt sie nicht nach Hause, wie sie vorhin angedroht hat, aber sie sollten wohl trotzdem besser Abstand halten.

»Hey«, sagt eine Stimme hinter ihm, als sie Mittagspause machen. »Hey!«

Er dreht sich um. Evie. So viel zum Thema Abstand. Er nimmt seine Sonnenbrille ab und sieht sofort, dass sie sauer ist. Aber das ist ja keine Überraschung. Das ist ihr Normalzustand.

»Meinst du mich?«, fragt er ungläubig.

»Hast du das gesehen?«, fragt sie und reicht ihm ihr Handy. Es ist ein Textnachrichtenfeed von einer Magda. In der letzten Nachricht steht: *Ähem, ich bitte um rasche Stellungnahme!!* Und dann ist da noch ein Link zu einer Klatschseite. Er zieht einen Handschuh aus und klickt auf die Seite. Die Schlagzeile lautet: *Explosiver Streit. Duke Carlisle streitet sich mit Autorin am Set von* Auf der Romantischen Straße.

Darunter tauchen einige Fotos von ihnen auf von vor sechs Stunden – Evie gestikuliert wild vor dem Make-up-Wagen, und Duke schaut halb amüsiert, halb sauer drein. Er dreht sich ein bisschen, um das Handy vor dem grellen Sonnenlicht abzuschirmen, und blinzelt, während er den ganzen Artikel liest.

Hollywoods Frauenschwarm Duke Carlisle wurde heute bei den Dreharbeiten zu seinem neuen Film bei einem hitzigen Wortwechsel mit einer Kollegin fotografiert.

Der 37-jährige Star aus *Wo immer du hingehst*, in einem bequemen grauen Trainingsanzug und einem figurbetonten T-Shirt, soll sich auf einen Wortwechsel eingelassen haben, der in Tränen endete.

Die Autorin Evie Bird, 36, die auf exklusiven Fotos, die nur wenige Stunden nach den Dreharbeiten in Würzburg aufgenommen wurden, blass und ungepflegt aussieht, stürmte nach einem heftigen Streit aus dem Wohnwagen, wie Quellen berichten. Bei dem Dreh handelt es sich um eine Verfilmung ihres Liebesromans *Auf der Romantischen Straße*, in dem Duke die Hauptrolle spielt.

Der gut aussehende Duke neigt offensichtlich nicht dazu, die Damen seines neuesten Films glücklich zu machen, denn er hat sich gerade erst von seiner Co-Darstellerin Daphne Diamond getrennt. Sie wurde kurz nach Beginn der Dreharbeiten in London mit dem verheirateten Regisseur Brad Beckonoff in flagranti erwischt, und es wird vermutet, dass ihre Affäre noch andauert. Brad ist mit Caterina Falange verheiratet, die beiden haben drei kleine Kinder.

Es wird behauptet, dass die Spannungen zwischen den Stars am Set groß sind, da Duke unter dem Mann arbeitet, der ihm die Freundin ausgespannt hat, und mit der Ex, die ihn verschmäht hat, und nun kommt er mit der Buchautorin auch nicht zurecht.

Evie Bird selbst sind explosive Drehorte durchaus bekannt, denn sie wuchs in Hollywood bei ihrem Vater auf, dem renommierten Autor und Regisseur Donald Gilbert, zu dem sie mittlerweile keinerlei Kontakt mehr hat. Gilbert wurde als Chefautor seiner Fernsehsendung entlassen, nachdem ihm unprofessionelles Verhalten vorgeworfen wurde.

Der Streit ist ein weiterer Rückschlag für den Film, eine britische Produktion in Zusammenarbeit mit den Starry Night Studios, da der Klatsch und Tratsch vom Set die Produktion weiterhin in den Schatten stellt. Worum es bei dem Streit ging, ist nicht bekannt.

Die Bestsellerautorin hat eine durchschnittliche Bewertung von 4,2 Sternen auf Rezensionsseiten für Romane, in denen es um Themen geht wie Palliativmedizin, Abtreibung im Teenageralter, außereheliche Affären und zufällige Begegnungen, aus denen Liebe wird.

Auf der Romantischen Straße wird verfilmt, nachdem das Buch im Internet viral ging. Der Film soll nächstes Jahr vor Weihnachten in die Kinos kommen.

»Oo-kay-y …« Duke nickt, seine Nasenflügel blähen sich auf. »Ich komme wie ein absoluter Idiot rüber.«

Er sieht Evie an, als würde er moralische Unterstützung von ihr erwarten, denn sie sitzen im selben Boot, aber während sich seine Nasenlöcher weiter aufblähen, starrt Evie apathisch ins Leere und ist knallrot geworden.

»Duke, über dich wird ständig so etwas geschrieben. *Ich* bin auf sechzehn Fotos zu sehen! Warum braucht jemand sechzehn verdammte Fotos, auf denen ich dich einen … einen … nenne?«

Duke sieht sie an.

»Einen was?«, fragt er aufrichtig neugierig.

»Mein Gesicht ist jetzt überall im Internet! Und was soll das mit der durchschnittlichen Sternebewertung meiner Bücher? 4,2 ist *gut.* Bei denen klingt das so, als würde ich leere Seiten veröffentlichen, die trotzdem enttäuschen. 4,2 ist *unglaublich.*«

»Das sehe ich auch so.« Er nickt. »4,2 ist wie … vierundachtzig Prozent bei Rotten Tomatoes. Bei Rotten Tomatoes würdest du für vierundachtzig Prozent sogar ausgezeichnet werden. Nicht, dass mich das überraschen würde.«

Sie blinzelt, sagt »Danke«, aber er kann ihren Tonfall nicht deuten.

»Außerdem«, fügt er hinzu, weil er nicht anders kann, »wusste ich nicht, dass du Donald Gilberts Tochter bist.«

»Bin ich nicht.« Sie rollt mit den Augen. »Das haben sie erfunden. Duke, was sollen wir jetzt damit machen? Nein, warte.« Sie denkt noch einmal nach. »Das Ganze ist deine Schuld. Was wirst du dagegen tun?«

»Nichts?«, schlägt er vor, und ihr Gesicht verfinstert sich. Duke schüttelt den Kopf. »Evie, so ist das Showbiz. Die Zeitungen schreiben Dinge, und wie du gerade gesagt hast, ist das meiste davon erfunden.«

»Aber das war nicht erfunden. Wir haben uns gestritten, und jemand hier hat es fotografiert. Und wer sind all diese ›Quellen‹?«

»Erfunden«, wiederholt Duke. »Sie haben dir sogar einen falschen Vater angehängt! So erfunden ist das!« Er sieht, dass ihr die Tränen in die Augen steigen. »Hör mal«, sagt er und versucht, ruhig zu bleiben. »Es tut mir leid, wenn dich dieser Artikel verärgert hat, und ich kann verstehen, wie übergriffig sich das anfühlt. Wie du bereits gesagt hast, wolltest du ja auch gar nicht hier sein. Ich dachte eigentlich, du würdest zurückfliegen, und wenn du das immer noch vorhast, dann kannst du sicher sein, dass sich so etwas nicht wiederholen wird. Zumindest nicht für dich. Für mich gehört das zum Job.«

»Ich fliege nicht nach Hause«, murrt Evie und sieht auf den Boden.

»Oh?«, sagt Duke.

»Dieser Vertrag ist offenbar verbindlich. Du hast mich hier als Geisel. Eine Geisel, die jetzt auch noch gegen ihren Willen fotografiert wird.«

Duke denkt darüber nach. Er fühlt mit ihr – wirklich! –, aber die Maschinerie ist größer als er. Er kann die Gesetze des Filmgeschäfts, die vor einem Jahrhundert aufgestellt wurden, nicht umschreiben.

»Ich werde sehen, ob ich irgendetwas wegen des Vertrags tun kann, okay? Ich kann die Paparazzi nicht kontrollieren, aber wenn du wirklich nach Hause willst, werde ich mich erkundigen, wie wir das möglich machen können.«

Sie wirft ihm einen Blick von unten zu, durch die Wimpern, als würde sie es hassen, zuzugeben, dass das, was er gesagt hat, eine Lösung sein könnte.

»Du musst keine Angst haben, dich zu bedanken«, sagt Duke sarkastisch, als es offensichtlich ist, dass sie sich für seinen Vorschlag nicht bedanken wird.

Sie sieht ihn spöttisch an. »Es gibt nichts, wofür ich mich bei dir zu bedanken hätte.«

Wie viele Läuse sind ihr denn eigentlich über die Leber gelaufen? Es ist, als wäre sie völlig unfähig zu den einfachsten Höflichkeiten.

»Das ist deine Welt, und du hast mich da mit hineingezogen«, sagt sie. »Also werde ich mich nicht dafür bedanken, dass du deinen eigenen Dreck weggemacht hast. Bring es einfach in Ordnung, okay? Damit wir beide mit unseren sehr getrennten, sehr unterschiedlichen Leben weitermachen können.«

Duke seufzt. Diese Frau. Er hat noch nie einen schwierigeren, dickköpfigeren, eigensinnigeren Menschen getroffen.

»Gut«, sagt er. »Danke für die aufmunternden Worte.«

Sie macht auf dem Absatz kehrt, und die Art, wie sie davonstürmt, macht Duke klar, dass er noch nie zuvor jemanden so abrauschen gesehen hat. Zumindest nicht seit heute Morgen.

Abends ruft Duke seine Therapeutin Phoebe an. Er geht seit sechs Jahren immer wieder zu ihr, nachdem Jennifer Aniston ihm gesagt hat, dass er unbedingt mit einer neutralen Person sprechen muss, wenn er seine Hollywood-Karriere überleben will. Die Gespräche mit ihr helfen ihm, eine andere Perspektive einzunehmen, wenn er zu sehr in seinem eigenen Kopf feststeckt. Aber im Grunde sagt Phoebe meistens nicht sehr viel. Meistens redet er, und sie nickt oder macht ein »Hmm«-Geräusch, so wie sie es heute tut.

»Ich sage mir so, okay, wir sind in der Klatschpresse. Aber was hat sie denn erwartet? So läuft das eben in dieser Welt. Obwohl, eigentlich hat sie ja gesagt, dass sie es mag, ein Niemand zu sein, im Make-up-Trailer, als wir den Streit hatten. Also … vielleicht trage ich hier eine gewisse Schuld. Hmm. Na ja. Ich kann das zugeben, weißt du? Ich kann mir meine Schuld eingestehen. Es sieht einfach für keinen von uns beiden gut aus, jetzt, wo es raus ist. Es lässt den Film schlecht dastehen, und Gott … Ben und J.Lo haben bewiesen, dass das Letzte, wofür man bekannt sein will, das Privatleben ist und nicht die Arbeit. Uff. Ich kann nicht glauben, dass ich gerade *die Arbeit* gesagt habe. Ich weiß, es geht hier nicht um den Mindestlohn für Fließbandarbeit, aber für mich ist es wichtig. Glaube ich zumindest. Ich finde es irgendwie interessant, wie Evie die Öffentlichkeit komplett meidet. Vielleicht bin ich sogar ein bisschen neidisch darauf. Das ist ein furchtbares Gefühl, Neid. Und ich glaube, ich fühle mich von ihr zurückgewiesen, was mich offensichtlich triggert. Sie ist einfach nicht beeindruckt von mir, und nach allem, was mit meiner Mutter passiert ist, will ich nur ihre Aufmerksamkeit, ihre Anerkennung, und es ist einfach dieser dumme … *Zwang*, den ich habe, dass mich jeder mögen soll. Ich will die Situation kontrollieren, damit ich gemocht werde, was eigentlich das Gegenteil davon ist, ein guter Mensch zu sein, nicht wahr? Nicht, dass ich nach Beweisen dafür suche, dass ich ein schlechter Mensch bin, ich weiß, darüber haben wir schon gesprochen. Aber es geht mir darum, ob mein Verhalten meiner besten Version von mir entspricht … Was denkst du? Verhalte ich mich okay?«

Er wartet, bis Phoebe etwas sagt.

»Was denkst *du*, Duke?«, fragt sie. Typisch. Duke seufzt.

»Ich denke, dass es manipulativ ist, die Leute dazu bringen zu wollen, einen zu mögen, also sollte ich versuchen, damit aufzuhören. Ich denke, das ist es, was Evie wahrscheinlich verkörpert, oder was auch immer: Ich habe sie hierhergeholt, ich habe all das von ihr erwartet und habe es wirklich vermasselt, weil ich keine Ahnung hatte, dass sie so zurückgezogen lebt, und jetzt ist sie in der Presse.

Also … Ich kann mich entschuldigen und tun, was ich versprochen habe, sie hier rausholen.«

Phoebe macht noch ein Hmm-Geräusch und verkündet dann: »Okay, Duke, das war's dann für heute.«

Duke schaut auf die Uhr. 20:55 Uhr. Er beendet das Gespräch mit Phoebe und beginnt, in seinem Handy nach den Namen der ausführenden Produzenten des Films zu suchen, weil er verzweifelt versucht, ein Mann zu sein, der sein Wort hält. Er hasst es, dass Evie recht hat: Er hat seine Macht missbraucht. Das ist eine bittere Pille, die er schlucken muss.

9

EVIE

Evie ist immer noch wütend, selbst am Abend. Ihr Gesicht ist überall im Internet. Es war mitten in der Nacht in Utah, als Magda den Artikel gesehen hat. Sie konnte wegen der Scheidung nicht schlafen und hat sich anscheinend durch dumme Klatschseiten gescrollt, sodass sie die Story quasi sofort bei Erscheinen gesehen hat. Nachdem sie Duke gebeten hat, sich darum zu kümmern (oder besser gesagt, nachdem sie Duke *aufgefordert* hat, sich darum zu kümmern), ist sie zurück ins Hotel gegangen, und nun geht sie am Fußende des Bettes auf und ab, um ihren Gedanken freien Lauf zu lassen. Sie will nicht hier sein. Ihre Agentin hat gesagt, sie muss. Aber sie will einfach nur nach Hause.

Evie hasst sich selbst dafür, dass sie das tut, aber sie googelt ihren Namen. Die »Story« ist überall. *Sie* ist überall. Es gibt bereits Hunderte Suchergebnisse.

Es fühlt sich klaustrophobisch an. Es fühlt sich übergriffig an. Und in ihrer Magengrube braut sich etwas zusammen, das sich anfühlt wie Angst. Als sie versucht, diesem Gefühl und seinen Ursachen auf den Grund zu gehen, stellt sie höchstens fest, dass diese Angst mit ihrem Vater zu tun hat. »Dad.« Sein Ruhm hat ihre Familie zerstört. Sie will absolut nichts mit Berühmtheit zu tun haben, es würde sie nur zerstören. Wie sind sie überhaupt darauf gekommen, dass sie mit ihm verwandt ist? Zum Glück hat Duke da nicht nachgebohrt. Niemand hat es getan. Trotzdem …

Sie will ihr dummes, verdammtes Gesicht nicht überall im Netz sehen. In dem Café, in das sie manchmal zum Schreiben geht, erzählt sie den Leuten, dass sie im Marketing arbeitet. Sie meidet

Literaturfestivals und Veranstaltungen in Buchhandlungen, weil die Leute sie nervös machen. Sie hasst es, vor Menschengruppen zu sprechen. Sicher, deswegen verkauft sie weniger Bücher und auch, weil sie nicht auf TikTok oder Instagram Live ist und keine Facebook-Gruppe mit Lesungen betreibt. Aber das ist in Ordnung. Sie weiß nicht sonderlich viel über das Leben, aber sie weiß, dass wenn man das tut, was Duke getan hat – wenn man tut, was ihr Vater getan hat –, und der Welt ein winziges Stück von sich selbst gibt, wird die Welt immer nur mehr wollen. Es ist besser, ihnen gar nichts zu geben. Und außerdem kann sie sich so einreden, dass ihr Vater sie ja gar nicht finden kann. Wenn sie offline und unauffindbar ist, gibt es einen Grund dafür, dass er sich nie wieder gemeldet hat. Aber wenn ihr Gesicht und ihr Name überall in den Zeitungen auftauchen, wird er es bestimmt bemerken, und dann wird Evie mit Sicherheit wissen, dass der Grund, weshalb sie ihn seit über zwanzig Jahren nicht mehr gesehen hat, nicht der ist, dass sie nicht auffindbar ist. Sondern, dass er nicht will.

Ihr Handy piept. Es ist wieder ihre Agentin.

Okay, beginnt die Textnachricht. *Anscheinend hat die Produktion eine Idee, wie es weitergehen soll. Sie wollen, dass du um 8 Uhr in Suite 304 zu einem Treffen kommst.*

Evie atmet erleichtert aus. Eine Lösung. Gut.

Klar, schreibt sie zurück. *Danke. Hast du eine Idee, was die Lösung sein kann?*

Nein, antwortet die Agentin. *Aber sei einfach offen, und höre sie dir erst einmal an, okay? Ich denke, du wirst dableiben müssen, aber zumindest wird es Wege geben, es erträglich und lohnenswert zu machen.*

Hmmmm. Evie denkt darüber nach. Sie hat heute noch kein einziges Wort geschrieben, und sie hatte sich ein paar Tausend Wörter vorgenommen. Sie duscht, um den Tag wegzuwaschen, und stellt sich den Wecker auf 6 Uhr morgens. Sie wird als Allererstes so viel aufs Papier bringen, wie sie nur kann.

Morgen wird ein besserer Tag, sagt sie zu sich selbst. Schlimmer als heute kann es unter gar keinen Umständen werden.

10

DUKE

A uf keinen Fall. Nein. Auf gar keinen Fall. Das ist lächerlich.«
Duke hatte eine Stunde Vorsprung, um sich mit dem zu arrangieren, was Evie gerade erst gehört hat: dass sie, laut den Filmchefs, so tun sollten, als seien sie ein Paar.

»Es ist für die Geldgeber«, stellt Marnie, die Produktionsleiterin, klar. »Ich kann gar nicht genug betonen, wie nervös sie das gemacht hat, was in London passiert ist, und jetzt auch noch das. In den Klatschforen wimmelt es von Gerüchten, dass der Film dem Untergang geweiht sei, und wisst ihr, was? Wir haben das nicht verdient. Ich für meinen Teil habe zu hart gearbeitet, als dass das alles den Bach runtergeht. Das haben wir alle.«

Duke sieht, wie Evie sie mustert, und ihre Augen werfen Dolche ab.

»Als Frau findest du das wirklich in Ordnung?«

»Ja, das tue ich«, sagt Marnie. »Denn als Frau weiß ich, dass Klatsch und Tratsch ein Werkzeug des Patriarchats sind, und wenn Frauen – denn es tummeln sich hauptsächlich Frauen auf diesen Websites, und es sind auch hauptsächlich Frauen, die die Artikel anklicken … –, was wollte ich sagen?« Sie scheint den Faden verloren zu haben.

»Das Patriarchat«, erinnert Duke, und nun sind Evies Dolche gedanklich auf ihn gerichtet. Die Wut in ihrem Gesicht ist so groß, dass es sich anfühlt, als hätte sie tatsächlich Haut durchbohrt.

»Ja, genau.« Marnie atmet tief durch. »Klatsch ist ein Werkzeug des Patriarchats. Wenn Frauen übereinander lästern, geht es ihnen weniger darum, Machtstrukturen zu verändern. Wenn wir also die

Erzählung absichtlich umschreiben, mit erfundenen Geschichten, können wir das zu unserem Vorteil nutzen.«

»Wenn du so versessen darauf bist, Machtstrukturen zu verändern, warum verzichtest du dann nicht komplett auf den Klatsch?«, fragt Evie.

Marnie nickt. »Weil ich eine Frau bin«, sagt sie, »und weil ich noch zweieinhalb Wochen von diesem Albtraum-Dreh vor mir habe. Um ehrlich zu sein, will ich zu Weihnachten einfach nur nach Hause. Vielleicht kann ich im neuen Jahr die Mächtigen demontieren, aber jetzt, hier, muss ich meine Hände hochhalten und sagen: Ich versuche nur, das hier zu überstehen, so gut ich kann. Du nicht?«

Duke ist beeindruckt. Er mag Marnie, weil sie immer ehrlich ist, und er hält dies für einen weiteren Beweis ihres guten Charakters.

»Ich habe gehört, dass du und Duke euch wirklich gestritten habt und Duke die Hände hochgehalten hat, um zu sagen, dass er die Schuld dafür auf sich nimmt.« Evie sieht ihn nicht an, als Marnie das sagt, aber er kann an der kleinsten Bewegung ihrer Augenbraue erkennen, dass sie es registriert hat. »Alles, worum wir bitten, sind ein paar Schnappschüsse in den nächsten Wochen, auf denen ihr Händchen haltet oder Schlittschuh lauft oder was auch immer, damit wir den Ruf des Films wiederherstellen können. Es steht eine Menge Geld auf dem Spiel, für uns alle.«

»Ihr wollt, dass ich mich verkaufe«, sagt Evie, und jetzt sieht sie Duke tatsächlich an, und er weiß beim besten Willen nicht, wie sie überzeugt werden kann. »Du willst, dass ich so tue, als würde ich ihn daten? Wie eine Art Escort-Girl?« Duke versucht, die totale Abscheu in ihrer Stimme nicht zu persönlich zu nehmen. Er ist auch nicht gerade begeistert. Als er alle darum gebeten hat, einen Weg zu finden, der aufdringlichen Presse entgegenzuwirken, hatte er gemeint, sie ganz zu stoppen, und nicht, sie mit einer anderen Geschichte zu füttern.

»Wir verstehen, dass du die Presse nicht magst«, sagt Marnie, und Evie schüttelt den Kopf und wirft Duke noch mehr böse Blicke zu. Duke schaut zum Fenster, das plötzlich den interessantesten Himmelsausschnitt bietet, den er je gesehen hat.

»Aber das könnte auch gut für dich sein«, beharrt Marnie. »Deine Agentin hat gesagt, dass die Verkaufszahlen in die Höhe geschnellt sind, nachdem Duke mit deinem Buch fotografiert wurde, und dass andere Studios Interesse an Verfilmungen einiger deiner anderen Werke bekundet haben. Das ist großartig! Wirklich cool. Wir können dafür sorgen, dass sie Donald Gilbert nicht mehr erwähnen, wenn das das Problem ist – es wird nur noch um Evie Bird und Duke Carlisle gehen, und bis Neujahr ist alles vergessen.«

»Es ist nicht so, dass ich die Presse nicht mag«, sagt Evie mit leiser Stimme. »Ich *hasse* die Presse. Ich hasse … das alles. Dieses ganze Affentheater. Es ist beschämend.«

»Es ist lukrativ.« Marnie zuckt mit den Schultern. »Und wir haben alle einen Job zu erledigen.« Duke spürt Evies Blick auf sich, und er wagt es, ihr in die Augen zu schauen.

»Bist du etwa damit einverstanden?«, fragt sie ihn in einem anklagenden Ton.

»Ich weiß nicht, was ich davon halten soll«, sagt Duke langsam. »Ich habe allen gesagt, dass es von dir abhängt. Ich dachte, du hättest vielleicht eine klare Position zu dem Ganzen.«

»Du willst, dass ich den Bösewicht spiele?«, fragt sie ihn, und ohne eine Antwort abzuwarten, sagt sie zur Gruppe: »Gut, dann bin ich der Bösewicht. Nein.«

Schweigen.

Evie lässt sich auf Dukes Bett fallen und starrt an die Decke.

Dukes Herz klopft so stark, dass die anderen es hören können müssten. Er fühlt sich schrecklich, aber der Vertrag ist knallhart: Evie darf nicht früher nach Hause fliegen. Wie alle anderen muss sie das akzeptieren und einen Weg finden, damit es funktioniert.

»Ich denke Folgendes«, beginnt Duke, ohne sich von seinem Platz zu erheben. Evie stützt sich auf die Ellbogen und starrt ihn unverwandt an. Das macht ihn nervös, aber es gelingt ihm, zuversichtlicher zu klingen, als er sich fühlt. »Es ist klar, dass diese Artikel nicht mehr ungeschehen gemacht werden können und dass sich die Presse ab jetzt für alles rund um uns und den Film interessiert. Und jetzt will das Filmteam die Aufdringlichkeit der Presse in etwas umwandeln, das allen hilft. Dem Film und auch Daphnes Ruf, weil es neuen Klatsch bringt und dadurch ein schöneres Ende für das Drama rund um ihre Affäre mit Brad. Es hilft mir, weil … nun ja, es lässt mich bodenständiger erscheinen, weil ich keine Schauspielerin date, sondern eine ganz normale Person und so weiter. Und es hilft dir, weil du ein klareres Profil bekommst und Presse für deine Bücher. Das ist doch gut, oder nicht? Dein Buch wird verfilmt! Ob es dir gefällt oder nicht, dein Gesicht wird für eine Weile bekannt sein, also solltest du das Beste daraus machen, solange es noch geht. Versteh das bitte nicht falsch, aber … genauso schnell wirst du auch wieder vergessen sein. Und du musst keine roten Teppiche betreten oder dich in Social-Media-Kanälen präsentieren – es sind buchstäblich nur ein paar öffentliche Termine, während wir beide am selben Ort sind. Nichts wird bestätigt oder dementiert.«

Evie seufzt mit zusammengekniffenen Augen.

»Gut«, sagt sie schließlich, und Duke kann seine Überraschung nicht verbergen. Doch bevor er etwas erwidern kann, sieht sie ihn an und sagt: »Aber zuerst brauchen wir ein paar Grundregeln.«

Duke merkt, dass die anderen sichtlich erleichtert sind.

»Danke«, sagt Marnie. »Wir werden es für euch beide so schmerzlos wie möglich machen. Und wer weiß? Am Ende werdet ihr womöglich sogar Spaß haben.«

Evies Gesichtsausdruck verrät Duke, dass eine solche Wende nicht möglich sein wird.

Als alle anderen gegangen sind, steht Evie am Doppelfenster und blickt über den Platz, die Hände in die Hüften gestemmt. Sie atmet laut ein und aus. Ein und aus. Duke wartet darauf, dass sie sich umdreht, aber das tut sie nicht. Sie steht einfach nur da. Atmet. Ein. Und. Aus.

»Ich versuche, mich zu entspannen«, sagt sie schließlich. Offensichtlich hat sie seine Ungeduld bemerkt. Er hat leicht mit dem Fuß gewippt. Sie war diejenige, die dieses kleine Tête-à-Tête einberufen hat, sie möchte weitere Grundregeln klären, aber dazu muss sie mit Duke sprechen.

»Sicher, lass dir Zeit«, sagt Duke.

Sie dreht sich um. »Gut«, beginnt sie. »Lass uns einfach auf eine Ebene kommen, okay?«

»Ich bin ganz Ohr«, sagt Duke. »Schieß los.«

»Regel eins: Es wird nicht geküsst.« Duke fängt an zu lachen. Sie wirft ihm diesen Blick zu. Diesen finsteren Blick.

»Oh, du meinst das ernst«, stellt er fest. »Ja, gut. Es wird nicht geküsst.«

Er hatte das Küssen noch nicht einmal in Erwägung gezogen, also war es nicht schwer, es wieder zu streichen. Evie Bird küssen? Das wäre, als würde man eine kalte Steinstatue knutschen.

»Am Hintern grapschen ist auch nicht«, sagt sie.

Duke verzieht den Mund und runzelt die Stirn.

»Auf keinen Fall«, stimmt er zu und versucht, seinen inneren Monolog nicht zu verraten. Grapschen? Er würde sie genauso wenig anfassen, wie er seine Hand in ein Schlangennest stecken würde. Aber all das laut auszusprechen, scheint sie zu beruhigen, also ist ihr zuzuhören das Mindeste, was er tun kann.

»Wenn wir Händchen halten, tun wir das nicht länger als eine Minute, höchstens zwei.«

Duke beißt sich auf die Wange, um nicht zu grinsen. »Sechzig Sekunden zu überschreiten, käme schon einem grenzwertigen Vorspiel nahe. Ich bin vollkommen einverstanden.«

»Kannst du das bitte ernst nehmen?«, schimpft sie. »Ich versuche, diese ganze Geschichte rein geschäftlich zu halten, damit es keine ... Meine Güte, das ist ein Widerspruch in sich! Eine Scheinromanze professionell zu halten! Großer Gott, machen wir das wirklich?«

»Falls es dich tröstet«, sagt Duke, »ich bin auch nicht gerade begeistert von der Situation.«

»Kein Grund, unhöflich zu sein«, erwidert Evie.

Duke erschrickt. »Wieso bin ich unhöflich? Du hast doch gerade dasselbe gesagt!«

»Du hättest nicht so schnell zustimmen müssen«, sagt sie und schmollt.

Puuuhh, das wird hart. Die Hälfte der Zeit widerspricht sich diese Frau selbst. Duke kommt da nicht mehr mit.

»Also: Kein Küssen, kein Grapschen, und Händchenhalten dauert nicht länger, als eine Tiefkühlkartoffel braucht, um in der Mikrowelle aufzutauen. Alles hier oben abgespeichert«, sagt er und tippt sich an die Schläfe.

»Was weißt du denn über das Zubereiten von Tiefkühlkartoffeln?«, fragt sie. »Bist du darauf gestoßen, als du dich über *Normalsterbliche* erkundigt hast?«

Sie spricht es höhnisch aus, und Duke merkt, dass er es vorhin als Redewendung benutzt hat.

»Ich habe das nicht so gemeint«, sagt Duke. »Es tut mir leid, wenn ich dich damit beleidigt haben sollte.«

»Um beleidigt zu sein, müsste mir das, was du sagst oder denkst, etwas bedeuten.« Evie zuckt mit den Schultern.

»Autsch. Ich glaube, das hat mich verletzt.«

Evie hebt ungerührt eine Augenbraue.

»Ich habe eine persönliche Frage«, sagt er, wohl wissend, dass sie ihm dafür etwas an den Kopf werfen wird. Sie blinzelt. »Wenn du einen Freund oder eine Freundin oder was auch immer hast ...«

»Habe ich nicht«, unterbricht sie ihn schnell.

»Oh«, sagt Duke. Es überrascht ihn nicht, dass Little Miss Sunshine Single ist, aber er musste es überprüfen.

»Ich wollte damit nur sagen, dass, wenn du jemanden hättest, man diese Person vorwarnen müsste. Ich denke halt voraus.«

»Deine Sorge um mein Liebesleben überschreitet eine Grenze«, sagt Evie.

»Okay.« Duke nickt. »Lass uns einfach mit den Regeln weitermachen. Willst du noch etwas anderes hinzufügen, außer dass ich dich nicht anfassen, nicht ansehen und nicht versuchen soll, die Situation auszunutzen?«

»Nein«, sagt Evie mit einem falschen Lächeln. »Ich denke, das war's. Es sind ja nur vier Wochen im Dezember, und dann können wir es aus unserem Gedächtnis streichen.«

»Nur vier Wochen im Dezember«, stimmt Duke zu. »Zum Glück.«

11

EVIE

Ihre erste Fake-Verabredung läuft katastrophal, genau wie sie es erwartet hat.

In Dukes Suite beschließen sie, das Ganze so schnell wie möglich hinter sich zu bringen. Sie wollen sich einen Kaffee holen, einen Spaziergang um den Block machen und dann ins Hotel zurückkehren, wo Evie weiterarbeiten kann und Duke tun kann, was auch immer Duke tun muss – wahrscheinlich ans Set gehen oder eine Stunde vor dem Spiegel stehen und liebevoll sein Spiegelbild betrachten.

Sie machen sich auf den Weg, wobei Evie ihm die Ausgangstür aufhält, und Duke sagt: »Warum bin ich mir nur so sicher, dass du mich anschreien würdest, wenn ich versuchen würde, dir die Tür aufzuhalten?«

Evie zieht ihren Hut tief ins Gesicht. Es ist sehr kalt draußen.

»Du scheinst zu denken, dass ich die personifizierte Unhöflichkeit bin«, sagt Evie. »Was an sich schon sehr unhöflich ist.«

Sie hört nicht, ob er antwortet. Er schreitet voran, und sie muss fast laufen, um ihn einzuholen.

Sie biegen um die Ecke zu einem kleinen Café, das sie beide unabhängig voneinander auf ihren Erkundungstouren entdeckt haben, und plötzlich wird Evie klar, dass es hier nichts zum Mitnehmen gibt. Magda hatte etwas darüber gesagt, dass in Europa Speisen und Getränke nicht so häufig zum Mitnehmen angeboten werden wie in Amerika, und es stimmt – sie können entweder an einer kleinen Bar stehen und einen Espresso trinken oder sich draußen an einen kleinen Tisch unter einem Heizpilz setzen.

»Ich komme mit rein«, sagt Evie. »Und wenn wir am Tresen stehen, halte ich mich für etwa fünf Sekunden an deinem Arm fest, okay? Können wir überhaupt sicher sein, dass wir fotografiert werden?«

Duke sieht sie an, setzt ein vorgetäuschtes Lächeln auf und sagt mit zusammengebissenen Zähnen: »Ich – habe – keine – Ahnung – Evie. Ich – nehme – es – an. Also, lächle. Bitte.«

Evie bricht in falsches Gelächter aus, wirft den Kopf in den Nacken und streckt dann die Hand aus, um Dukes Arm zu berühren.

»Du bist so witzig, Dukey!«, quietscht sie, und eine Frau mit einem Hund auf dem Schoß, die am Tisch neben ihnen sitzt, runzelt missbilligend die Stirn.

Sie warten, bis sie an der Reihe sind, während eine einzige Bedienung Bestellungen aufnimmt, Kaffee kocht und Kuchen serviert. Duke bestellt einen schwarzen Kaffee und Evie einen Latte. Die Bedienung sagt ihnen den Preis erst auf Deutsch, dann auf Englisch, als sie merkt, dass sie sie nicht verstehen.

Duke beugt sich nach vorn und will mit dem Handy kontaktlos bezahlen, während Evie gleichzeitig einen Zehn-Euro-Schein hinhält.

»Schon in Ordnung«, sagt Duke. »Das geht auf mich.«

»Das ist eine Frage des Stolzes«, entgegnet Evie. »Ich bestehe darauf.«

Sie versperrt ihm mit einer Hand den Zugang zum Kartenlesegerät. Er schlägt ihre Hand weg, aber sie hält sie gleich wieder hin, er versucht erneut, seine Karte aufzulegen, diesmal mit mehr Kraft. Dabei drückt er ihren Arm nach hinten und in die Luft, sie tritt einen Schritt zurück – und stößt direkt in die Bedienung, die ein Tablett voller Kaffeetassen trägt.

Alles geschieht in Zeitlupe. Das Tablett bewegt sich nach oben. Es kippt. Der Kaffee schwappt in tausend verschiedene Richtungen, unter anderem direkt auf Evies Brust, wo er sich prompt über ihren ganzen Mantel verteilt und auf ihre Stiefel tropft. Die Bedienung schreit. Jemand, der an einem Tisch in der Nähe sitzt, rutscht mit seinem Stuhl nach hinten, und es hört sich an wie Fingernägel, die an einer Tafel kratzen. Das Tablett landet auf dem Boden. Die sechs Tassen, die sich auf dem Tablett befanden, landen ebenfalls auf dem Boden, klappern und zersplittern zu Evies durchnässten Füßen.

»Oh mein Gott«, sagt Evie und schaut sich völlig panisch um. »Oh mein Gott! Es tut mir leid. Es tut mir so leid!«

Sie dreht sich zu Duke um, um zu sehen, ob es ihm gut geht, ob er auch etwas abbekommen hat, aber ihre Sorge verwandelt sich schnell in Wut. Sie sollte eigentlich erleichtert sein, dass er nicht auch von Kaffee überschüttet ist. Es stört sie nicht, dass er trocken geblieben ist, doch was sie stört, ist, dass er lacht. Er lacht über sie.

»Ernsthaft?«, sagt sie, schnappt sich Papierservietten vom Tresen und wischt sich als Erstes wütend die Hände ab. »Unglaublich«, stöhnt sie und tupft dabei den Kaffee nicht ab, sondern verschmiert ihn überall auf ihrem Mantel und macht so alles noch schlimmer.

Aber Duke macht weiter – er lacht weiter. Er scheint das Ganze sogar so lustig zu finden, dass er umso mehr lacht, je frustrierter Evie wird, je hysterischer sie versucht, sich sauber zu machen, je lauter die Leute um sie herum auf Deutsch reden und die Stücke der zerbrochenen Tassen zusammensuchen. Bis Evie seinen Namen sagt.

»Duke«, schnaubt sie und sieht ihn an. »Duke!«

Während sie schreit, hört sie, wie jemand in der Nähe sagt: »Duke? Duke Carlisle«, und dann wird die Aufregung noch größer, als sich herumspricht, dass der Filmstar hier ist, im Café, und niemand es bemerkt hat.

Er sieht sie an und öffnet den Mund, um etwas zu sagen. Aber bevor er etwas sagen kann, schnappt Evie ihren Latte und schüttet ihn auf ihn.

»Okay«, sagt er langsam und hält seine Arme von dem sich ausbreitenden Fleck weg, wobei Kaffeetropfen von seinem irritierend-perfekten Gesicht fallen. »Ich sehe ein, dass ich das verdient habe.«

Wütend gehen sie schweigend zum Hotel zurück.

Das Abendessen im Hotel ist vor allem ein Get-together für die Besetzung und die Crew, und Evie hält sich die ganze Zeit über am anderen Ende des langen Speisesaals auf – weit weg von Duke. Ihr Kaffee-Date hat ihr den Rest gegeben. Sie hat jetzt verstanden, was alle damit meinten, als sie davon sprachen, die Erzählung über den Film umzudrehen und sie zu ihrem Vorteil zu nutzen. Was soll's, ihr Foto kursiert jetzt im Netz, und es kann noch für die nächsten Wochen kursieren, wenn es helfen soll, mehr Bücher und noch mehr Filmrechte zu verkaufen, egal, ob ihr Vater es sieht (oder nicht). Sie wird sich jetzt nicht verstecken, um nicht erkannt zu werden. Aber Herrgott, sie ist bereits mit diesen neuen Fotos online, Live-Action-Fotos mit dem verschütteten Kaffee, gepostet für die Massen. Zum Glück sieht es so aus, als sei ihr der Kaffee aus der Hand gerutscht, und nicht, als ob sie ihn absichtlich über Duke geschüttet hätte. Zumindest besagt das die Bildunterschrift: *Eine weitere Katastrophe folgte schnell, als sich der Kaffee auf dem Boden verteilte, Autorin Evie Bird ausrutschte und ihr Date ebenfalls von Kopf bis Fuß mit Kaffee bedeckte.* Die Wahrheit ist, dass sie die Kontrolle verloren hat, als Duke sie so ausgelacht hat. Es schockiert sie, wie viel schneller sie wütend wird, seit sie hier ist, als sei der Hyde zu ihrem Jekyll freigesetzt worden. Duke drückt einfach all ihre Knöpfe.

Nach dem Essen will Evie nur noch nach oben gehen und versuchen zu schreiben, doch als sie das letzte Stück ihres gebratenen Rindfleischs gegessen hat, kommt Katerina rüber, um zu fragen, ob sie zu dem Pub-Quiz mitkommt, das in der Weinstube nebenan veranstaltet wird.

»Ähm, nein ...?«, antwortet Evie verwirrt. Organisierten Spaß mag sie gar nicht, das ist für sie ein Synonym für Hölle. »Ich muss arbeiten.«

»Neeein!«, jammert Katerina. »Das kannst du nicht machen! Komm schon, es dauert nur eine Stunde. Du kannst dich nicht verstecken.«

»Natürlich kann ich das.« Evie blinzelt und merkt selbst, wie langweilig sie klingt. Katerina verzieht das Gesicht. Evies Fassade schmilzt. »Oh Mann, das kann doch nicht wahr sein«, sagt sie, gefährlich nahe an einem Lächeln.

»Ist das ein Ja?«, fragt Katerina mit einem schelmischen Lächeln auf den Lippen. »Es wird Wein geben ...«

»Gut. Aber nur eine Stunde, okay? Ich muss vor dem Schlafengehen noch ein bisschen schreiben.«

»Abgemacht«, sagt Katerina, und sie ziehen los in die Weinstube. Unterwegs fügt Katerina hinzu: »Das ist gut fürs Gruppenklima. Und als hartgesottene Kamerafrau am Set muss ich darauf bestehen, dass du nicht in den Überlebensmodus verfällst. Dieser Job funktioniert nur, wenn man sich dem Lagerkoller hingibt und sich mit jedem anfreundet, und sei es nur für die Zeit, in der wir alle zusammen sind.«

Evie lässt sich in die hinterste Ecke der Hotellobby führen. Die Weinstube – im Grunde ein Raum, der gemütlicher ist als die Lobby und kleiner als das Restaurant – ist die pure Festlichkeit mit einem knisternden Kaminfeuer, niedrigen Balkendecken und mit Stühlen, die mit abgewetztem Kord und Samt gepolstert und mit Überwürfen und Kissen übersät sind. Etwa zwanzig Leute sitzen in Zweier- oder Dreiergruppen zusammen, mit Zetteln in der Hand, und Jerry, ein Beleuchter um die fünfzig mit Pferdeschwanz und Mikrofon, hat offensichtlich das Sagen.

»Oh, toll!«, ruft er, als er ihre Ankunft registriert. »Wir fangen wirklich gleich an. Evie, kannst du dich dort mit Billy No Mates zusammentun? Katerina, du bildest ein Team mit Daphne«, sagt sie.

»Daphne hat einen guten Geschmack, was ihre Quizpartner angeht«, witzelt Katerina, löst sich von Evie und geht durch den Raum zu einem kleinen dreibeinigen Tisch mit zwei Holzstühlen. Hier sitzt eine lächelnde Daphne mit einem Stift in der Hand. Evie schaut sich um, um zu sehen, wer Billy No Mates ist, und sieht sich mit Duke und dem leeren Stuhl neben ihm konfrontiert. Sie schaut zu Jerry, der damit beschäftigt ist, in einer anscheinend recht umfangreichen Sammlung von Fragen und Antworten zu blättern, und als er schließlich aufschaut, gestikuliert er einfach wieder in Dukes Richtung. Der hat mittlerweile auch verstanden, was vor sich geht, und wie es Evie scheint, wirkt er ebenfalls ziemlich panisch.

»Also, es gibt mehrere Runden: Allgemeinwissen, Filme, Geschichte, Wissenschaft – aber kein Sport oder Musik, denn aufgrund der kulturellen Unterschiede zwischen Großbritannien und den USA würde man mir nur vorwerfen, dass ich das Spiel in die eine oder andere Richtung manipuliere«, beginnt Jerry. »Seid ihr bereit?«

Evie sieht sich nervös um und macht sich auf den Weg zu Duke. Wenn sie jetzt geht, wird es sich anfühlen, als hätte er gewonnen, als könne sie es nicht schaffen. Und das kann sie. Sie kann es mit ihm aufnehmen. Sie wird sich nicht geschlagen geben.

»Ich bin sehr ehrgeizig beim Spielen«, sagt Duke als Begrüßung.

Evie setzt sich neben ihn und kommt ihm dabei so nah, dass ihr Knie an seins stößt. »Ich auch«, sagt sie. »Also … vermassle es nicht, okay?«

Er presst die Lippen fest zusammen. Das Quiz beginnt.

Die beiden stürmen durch die Allgemeinwissen-Runde und geben die Antworten überraschenderweise schnell hintereinander ab.

»Welches Landsäugetier ist das größte der Welt?«, fragt Jerry ins Mikrofon.

Duke zuckt mit den Achseln und sagt zu Evie einfach »Elefant«. Er berät sich nicht mit ihr, sondern sagt es, wie um es sich selbst zu bestätigen, aber es klingt richtig, also hält sie ihn nicht davon ab, es aufzuschreiben.

Jerry geht zur nächsten Frage über. »Wofür war Nostradamus berühmt?«, fragt er in die Runde.

Evie weiß darauf keine Antwort. Duke sieht sie an, und sie zuckt mit den Achseln.

»Hat er nicht das Ende der Welt vorhergesagt?«, schlägt sie vor, und Dukes Augen leuchten auf.

»Also Vorhersagen?«, fragt er sie, und Evie zuckt wieder mit den Achseln.

»Ich denke schon.«

Duke schreibt es auf, mit der Einschränkung: »Wenn es falsch ist, liegt es an dir.«

»Im 19. Jahrhundert war das Veloziped ein Prototyp für was?«, drängt Jerry. Seine Andeutung, dass diese Frage sie einen Punkt kosten könnte, lässt ihr Blut unter der Hautoberfläche kochen. Sie weiß sehr viel! Nur weil er schlechte Fragen stellt, heißt das nicht, dass sie nicht ihren Beitrag zum Pub-Quiz leisten kann.

»Das müsste doch ein Fahrrad sein, oder?«, sagt sie schnell, während sie im Kopf das Wort etymologisch hinterfragt. »Veloziped«, überlegt sie noch einmal, und er sieht sie an und bohrt ihr Löcher in den Schädel, um sie zum schnelleren Denken zu motivieren. Nicht, dass er selbst Vorschläge machen würde. »Velo. Ist das nicht französisch für Fahrrad?«

»Ich glaube schon«, sagt er. »Klingt vernünftig.«

»Dann eben Fahrrad.« Sie sieht zu, wie er die Antwort aufschreibt. »Und hey«, fügt sie hinzu und beugt sich vor, um ihn anzufauchen. »Wenn es falsch ist, sind wir beide schuld.«

Er zieht die Augenbrauen in einer Art und Weise hoch, die Evie nicht deuten kann.

12

DUKE

Als das Quiz weitergeht, fällt Duke auf, dass Evie nach Weihrauch und Patschuli riecht. »Was?«, raunt sie ihn an, als Jerry seine Fragen unterbricht, um sich ein weiteres Bier zu holen. »Nichts«, sagt er. »Gott. Du bist so … defensiv.«

»Ich bin nur darauf bedacht, mich nicht lächerlich zu machen«, schießt sie zurück. »Lass mich mal das Schreiben übernehmen. Du wirst immer langsamer.« Sie nimmt ihm den Stift aus der Hand, beugt sich vor und notiert: »George Michael, ›Careless Whisper‹.« Er wäre auf diese Antwort sowieso nicht gekommen, also ist es nur gut, dass sie übernommen hat.

»Wer hat die Zeilen *When I find myself in times of trouble, Mother Mary comes to me* geschrieben?«, fragt Jerry, jetzt, wo er wieder da ist, und Duke weiß, dass Jerry immer betrunkener wird, denn er lallt und redet irgendwie schneller. Sie flüstern beide, genau zur gleichen Zeit: »The Beatles, ›Let It Be‹.« Duke sieht zu, wie Evie schreibt, neben ihrer schwungvollen Handschrift sieht seine aus wie das Gekrakel eines Schuljungen. »*I've got this feeling in my bones, it goes electric, wavy, when I turn it on*«, sagt Jerry. Evie sieht Duke an, offensichtlich unsicher.

»Justin Timberlake«, sagt Duke. »›Can't Stop the Feeling‹.«

»Du magst Pop?«, fragt sie, nachdem sie es aufgeschrieben hat.

»Sag das nicht so … so verurteilend«, antwortet er. »Jeder mag Pop. Deshalb heißt es ja auch Pop, wie in populär.«

»Schon gut, der Herr von der Musikpolizei.« Sie rollt mit den Augen, und das lässt Dukes Haut kribbeln. Er war kein Arsch, aber sie gibt ihm das Gefühl, einer zu sein. Sie ist jederzeit bereit, sich auf jede Kleinigkeit zu stürzen, die ihr missfällt – und ihr scheint absolut alles zu missfallen. »Ich habe nur gefragt.«

»Du wolltest provozieren«, korrigiert er sie. Er schaut auf seine Uhr. Es ist bald Schlafenszeit. »Ich schreibe populäre Belletristik, Duke. Du spielst in populären Filmen mit. Es war nur der Versuch einer Konversation und keine Provokation. Um Himmels willen!«

Er sieht sie an, als sie sich halb umdreht, um sich auf Jerry zu konzentrieren. Sie hat gerötete Wangen, was wohl zum einen an der Wärme in dem gemütlichen Raum und zum anderen an ihrem Wettbewerbseifer liegt. Sie könnte hübsch aussehen, wenn sie nicht so finster dreinblicken würde. Die nächsten Runden gehen schnell vorbei.

»Wer hat James Bond in *In tödlicher Mission* gespielt?«, fragt Jerry.

»Roger Moore«, zischt Evie.

»Welcher britische Schauspieler starb während der Dreharbeiten zu Ridley Scotts *Gladiator,* in dem er eine Nebenrolle innehatte?«

Evie antwortet sofort: »Oliver Reed.«

»In welchem Land erhielten 1893 die Frauen als Erstes das Wahlrecht?«

»Neuseeland«, flüstert Duke, aber als Evie ihn überrascht ansieht, tut er so, als ob er es nicht wüsste. Er weiß es nur, weil er vor Kurzem ein Drehbuch gelesen hat, das in dieser Zeit spielt, aber nur über seine Leiche würde er ihr das gestehen.

»Welchen Namen trägt der 8. Mai, um die bedingungslose Kapitulation der deutschen Armee am Ende des Zweiten Weltkriegs zu feiern?«

»Victory in Europe Day«, flüstern sie unisono. Sie notiert es.

»Welchen Anteil an ihrer DNA haben Menschen und Schimpansen ungefähr gemeinsam? Siebenundsiebzig Prozent, zweiundneunzig Prozent oder achtundneunzig Komma fünf Prozent?«

Sie sehen sich an, und Duke stellt fest, dass sie es im Grunde zum ersten Mal tun. Sie starrt ihm in die Augen. Er starrt in ihre. Sie suchen beide beim jeweils anderen nach der Antwort auf die Frage, aber für den Bruchteil einer Sekunde fühlt es sich für Duke zumindest fast so an, als wäre da etwas mehr. Als ob er in diesem Moment den kleinsten Riss in ihrer Fassade und eine weichere, verletzlichere Frau dahinter sehen könnte. Dann sagt sie: »Wenn ich dich anschaue, dann lautet die Antwort achtundneunzig Komma fünf. Du bist im Grunde ein Schimpanse, der ein Drehbuch auswendig lernen kann, stimmt's?«

»Autsch, das war hart«, sagt er und rollt mit den Augen. »Aber ja, es stimmt.«

»Wer ist berühmt für seine Theorie der schwarzen Löcher?«, fragt Jerry.

»Stephen Hawking«, sagt Duke.

»Das chemische Symbol Y steht für welches ungewöhnliche Metall?«

Sie sehen sich wieder an.

»Keine Ahnung«, sagt sie und schneidet eine Grimasse.

»Ich muss auch passen«, antwortet Duke.

Am Ende ist es nicht schlimm. Sobald sie ihren Zettel an den nächsten Tisch weitergegeben haben, wobei jedes Team den Antwortbogen des Teams am Nachbartisch überprüft, und sie ihn dann wieder zurückbekommen haben, wissen sie, dass sie eine gute Chance haben zu gewinnen. Sie lagen im ganzen Quiz nur dreimal falsch.

»Gewonnen haben ... Duke und Evie!«, verkündet Jerry und fällt dabei fast vom Stuhl.

Die beiden springen aufgeregt auf, schreien im Einklang vor Freude und nehmen sich in den Arm. Breit grinsend hüpfen und jubeln sie, bevor sie plötzlich stehen bleiben. Dann sehen sie sich an, und sofort, genau zur gleichen Zeit, scheinen beide bemerkenswert peinlich berührt zu sein davon, dass sie ihr Teamwork so feiern. Sie setzen sich wieder hin, schnell und leise, als wäre es eine Ausnahme gewesen, jemals so enthusiastisch in so unmittelbarer Nähe zueinander gewesen zu sein.

»Also dann, gute Nacht«, sagt Duke, als alle beginnen, den Raum zu verlassen.

»Mhm«, sagt Evie und steht ebenfalls auf. Sie streckt einen Arm aus, um ihm zu signalisieren, dass er vorgehen soll. Er tut es, und als er sich wieder umdreht, um etwas zu sagen – er weiß nicht genau, was –, ist sie weg.

13

EVIE

D er verschüttete Kaffee war nicht meine Schuld, nur damit das klar ist«, sagt Duke zu Evie, während sie auf dem Weihnachtsmarkt Dosenwerfen spielen. Sie versuchen es noch einmal mit einem Wir-tun-so-als-ob-Date, auf Geheiß ihrer beiden Teams. Diesmal klappt es besser – zumindest in dem Sinne, dass keiner von ihnen mit Kaffee vollgeschüttet ist. Sie zielt mit einem Ball auf die Dosenreihe. Wenn sie eine davon runterstößt, gewinnt sie einen Preis.

»Ja«, sagt sie, nachdem sie nicht getroffen hat. »Das war es. Aber egal. Ich habe mich überreden lassen, es noch einmal zu versuchen, also … Ich werde einfach dafür sorgen, dass keine weiteren Getränke in deine Nähe kommen, und außerdem kannst du von jetzt an gerne alle Rechnungen übernehmen. Ich werde nicht einmal mehr so tun, als würde ich nach meinem Geldbeutel greifen.«

»Hättest du mich nur von Anfang an ein Gentleman sein lassen …«, betont Duke.

Evie schüttelt den Kopf. »Im Ernst jetzt? Ich dachte, wir hätten gerade Schwamm drüber gesagt?«

Duke beißt sich auf die Unterlippe. »Haben wir auch.«

»Weißt du«, sagt sie und tut so, als wäre die Dose sein Kopf, den sie sauber abschlagen will, »das Verrückte an der Sache ist, dass ich nicht sagen kann, ob dich hier draußen überhaupt jemand erkannt hat. Würden wir es überhaupt mitbekommen, wenn wir fotografiert werden? Beobachtet uns überhaupt jemand während dieser Scharade?«

»Man sollte meinen, sie wären leicht zu treffen«, sagt Duke, reicht ihr eine weitere Kugel und deutet auf eine Dose, während er sagt:

»Ich weiß, dass dein Instinkt dir sagt, du solltest von oben werfen, aber von unten ist es sicher besser.«

Sie wirft ihm einen bösen Blick zu.

»Oder auch nicht«, fügt er hinzu und hebt kapitulierend die Hände.

Evie verfehlt ihren dritten und letzten Wurf und ist frustriert. Sie wollte Duke wirklich das Gegenteil beweisen. Aber es fühlt sich seltsam passend an, wenn man bedenkt, dass sich die ganze Sache auch außerhalb ihrer Kontrolle befindet. Und sie weiß, dass sie jetzt nicht nur wegen der Dosen wütend auf Duke ist. Selbst wenn sie das Geld über ihre Moral gestellt und der Scheinromanze zugestimmt hat, fühlt sie sich gezwungen, jemandem die Schuld zu geben, eine konkrete Instanz zu haben, auf die sie ihre Bedenken lenken kann, und Pech gehabt, Duke Carlisle, du stehst in der Schusslinie.

Die Dreharbeiten sind jetzt weiter auf der Romantischen Straße fortgeschritten, und der Zeitplan wurde so festgelegt, dass Daphne heute ihre Soloszenen hat und Duke morgen seine. Nachdem sie in ihrem Hotel in Rothenburg ob der Tauber eingecheckt haben, nutzen sie Dukes seltenen freien Tag und machen sich auf den Weg zum Weihnachtsmarkt. Es ist erst 14 Uhr, aber der Himmel hängt tief und grau, der blaue Himmel vom Morgen ist Schneewolken gewichen. Es gibt Stände mit Jahrmarktspielen und Essensstände, Krapfen und leuchtende, schimmernde Lichter. Duke und Evie sollen sich einfach ein paar Stunden lang so verhalten, als ob es ein richtiges Date wäre. Dukes PR-Berater hat sogar angedeutet, dass es gar nicht so schlecht wäre, wenn sie sich auch ein bisschen frech küssen würden. Auf gar keinen Fall, denkt Evie, das verstößt gegen die Regeln, die sie aufgestellt haben. Sie wird sich die Sehenswürdigkeiten anschauen und sogar ein bisschen reden, wenn ihr danach ist, aber sie ist nicht komplett käuflich. Das Einzige, was sie in die Nähe ihrer Lippen zu lassen gedenkt, ist eine saftige Wurst vom Schwenkgrill.

»Hungrig?«, fragt sie Duke, als sie einen Stand entdeckt, der Würstchen und Glühwein verkauft.

»Ich darf seit 2009 nicht mehr zugeben, dass ich Hunger habe, aber ja, klar«, antwortet er. »Ich kann ein Würstchen kaufen zum Fake-Essen, während wir ein Fake-Date haben.«

Er bezahlt, und während Evie darauf wartet, dass ihre Wurst ein bisschen abkühlt, fragt sie: »Ist das wahr? Dass du seit über zehn Jahren auf Diät bist?«

Duke nickt. »Die Kameralinse packt immer etwa viereinhalb Kilo drauf«, sagt er und klopft sich zur Betonung auf den Bauch.

»Oje«, seufzt Evie. »Als Nächstes erzählst du mir, dass du drei Nasenoperationen hattest und kein Eis essen kannst, weil deine Zähne zu empfindlich sind.«

»Oh, nein«, sagt Duke lachend. »Meine Zähne sind tadellos. Mein Zahnarzt könnte Preise für seine Arbeit an meinem Lächeln gewinnen.«

»Zeig es mir«, stichelt Evie und nimmt endlich einen Bissen von der Wurst. »Zeig mir das Lächeln aus dem *People Magazine.*«

Duke schaut über seine Schulter und wirft dann den Kopf herum, um sie anzuschauen und zu grinsen. Obwohl sie damit gerechnet hat, beunruhigt es sie ein wenig. Seine kühlen blauen Augen, seine kräftige römische Nase, die Art und Weise, wie er sich durch feinste Mimik auszudrücken vermag – das ist alles zu viel. Niemand sollte so attraktiv sein. Und seine Haut? Es ist, als hätte der Mann keine Poren. Wo geht sein Schweiß hin?

»Wie ist deine …«, sagt er und senkt seine Stimme zu einem anzüglichen Tonfall, »… Wurst? So wie du sie dir erhofft hast, kleine Lady?«

Evie kaut und rollt gleichzeitig mit den Augen. Das alles ist so lächerlich, dass es eigentlich nicht schwer ist, in die Rolle der Frau zu schlüpfen, die sich in ihn verliebt, weil es einer außerkörperlichen Erfahrung nahekommt. Es ist noch nicht lange her, dass sie als ganz normale Evie Bird nach Europa geflogen ist, und jetzt spielt sie vor den internationalen Kameras. Nicht, dass sie sie erkennen könnte. Wenn er so mit ihr redet – spielerisch und albern –, könnte man sehr leicht glauben, es sei echt. Sie muss einen kühlen Kopf bewahren.

»Ich verstehe, warum sie dich nicht die Drehbücher schreiben lassen«, scherzt sie. »Deine Dialoge sind sehr schwerfällig.«

»Ey!« Duke lacht. »Du zerstörst meine Träume!«

Evie wischt sich den Mund mit einer Serviette ab. Sie könnte mehr vertragen. Das Essen auf dem Weihnachtsmarkt macht sie nicht satt, es öffnet eine Leere in ihr, die nach mehr verlangt. Sie will auch diese kleinen hellbraunen Pfannkuchen probieren. Kartoffelpuffer? Nennt man die so? Und sie hat Leute gesehen, die kleine Schälchen mit Pilzen in einer Art weißer, knoblauchartiger Soße hatten. Das wäre ihr auch recht.

»Ich habe Hunger wie ein Wolf«, verkündet sie. »Und ich rieche Knoblauch. Lass uns meiner Nase folgen.«

»Hui«, sagt Duke. »Die Art und Weise, wie du das sagst, würde mich auch in Versuchung führen. Es ist sehr erotisch, wie du über Knoblauch sprichst.«

»Mach dich nicht über mich lustig«, warnt Evie. »Nicht, wenn es um Essen geht.«

Sie schlängeln sich weiter durch die Menge und plaudern, bis Evie wieder einmal vergisst, dass das alles nur gespielt ist, alles nur Show. Auf eine seltsame Art macht es sogar Spaß, sich die kleinen Stände anzusehen, die Salzlampen und Dekorationen, die traditionellen Leckereien und Holzspiele. Tatsächlich kann sie sich nicht daran erinnern, wann sie das letzte Mal so etwas gemacht hat – Lippenstift getragen und mit einem Mann gelacht. Ihr letztes Date – fake oder echt – ist Jahre her. Sie hatte gedacht, das sei okay für sie, aber sie spürt ein Ziehen im Becken, ein langsames Erwachen.

»Oh mein Gott, sieh mal!«, schreit sie und zeigt auf ein Karussell. »Das ist so kitschig.« Sie gluckst. »Sollen wir eine Runde fahren? Ich stelle mir gerade vor, wie wir fotografiert werden, während wir kichernd in einem Karussell sitzen, uns vorbeugen und uns etwas Süßes zuflüstern ... Da lohnt es sich fast zu übertreiben.«

Duke legt den Kopf zur Seite, während er sie ansieht, als wolle er herausfinden, wo ihr Tonfall auf einer Skala von eins bis sarkastisch landet.

»Ich bin dabei, wenn du es bist«, sagt er langsam, und Evie nickt.

»Ich mache keine Witze«, betont sie. »Karussell! Karussell!« Sie klatscht im Rhythmus der Silben in die Hände. Sie bezahlen die Fahrkarten und warten in geselligem Schweigen, bis sie an der Reihe sind. Wäre es ein richtiges Date, würde Evie sich fragen, ob sie sich mehr Mühe geben sollte, aber so versucht sie nicht, Duke zu beeindrucken, und als das Gespräch auf natürliche Weise abebbt, erzwingt sie kein neues. Sie schlurfen vorwärts, und plötzlich spürt sie, wie etwas auf ihrer Wange landet.

»Duke«, sagt sie. »Ich glaube, ich habe gerade Schnee gespürt.« Sie blicken beide zum Himmel.

»Ja, wirklich! Sieh nur!«, quietscht sie und streckt eine Hand aus, um eine winzige Schneeflocke aufzufangen. »Das ist unglaublich! Ich kann es gar nicht fassen. Versucht die Crew hier etwa, ein möglichst großes Weihnachtsklischee zu erschaffen?« Dann wirft sie den Kopf in den Nacken und kichert. Vielleicht ist sie high von den gesättigten Fetten all dieser Snacks, vielleicht hat sie aber auch nur keine andere Wahl, als sich auf diese Inszenierung einzulassen. Sie versucht, der ganzen Welt vorzugaukeln, dass dieser Adonis mit ihr schläft, damit sie die Filmrechte an einigen ihrer anderen Bücher verkaufen kann – und was dann? Nimmt sie sich anschließend eine Auszeit, und das Gespielte kommt als psychotischer Traum wieder? Sie hat Magda noch nicht eingeweiht, aber wenn sie es tut, weiß Evie, dass sie ausflippen wird.

Aus-flip-pen! So etwas passiert Leuten wie ihnen nicht. Sogar Evie, die gekrönte Königin des Zynismus, kann zugeben, dass das der Wahnsinn ist.

»Wir sind dran«, sagt Duke und zeigt auf die Stelle, an der das Tor geöffnet wurde, damit sie durchgehen.

»Du solltest dich auf das rosa Pony setzen.« Evie kichert. »Was hast du bei dem Meeting noch mal gesagt? Mich zu ›daten‹, würde dich bodenständig wirken lassen? Was ist normaler, als auf einem rosa Pony zu sitzen?«

Duke runzelt die Stirn und hebt dann ein Bein über ein einhornähnliches Pferd in rubinroten Glitzertönen. Es ist sehr tief, weil es gerade in seiner niedrigsten Position war, als das Karussell angehalten hat, sodass er seinen Kopf heben muss, um Evie anzusehen, und es erstaunt sie, wie verletzlich er dabei wirkt.

»Du siehst lächerlich aus«, sagt Evie fröhlich.

»Ist mir klar«, brummt Duke zurück. »Danke.«

Die Fahrt beginnt.

»Wenn wir fotografiert werden, sollen sie gefälligst meinen guten Winkel erwischen!«, schreit Evie über den Lärm der Jahrmarktmusik hinweg.

»Was für ein guter Winkel?«, schießt Duke zurück, und Evie ist überrascht. Er ist gut darin, sie auf Abstand zu halten, aber Duke ist selten richtig gemein.

»Du bist unausstehlich«, sagt sie und schüttelt den Kopf. Sie braucht keinen Schauspieler, der sie an ihre Durchschnittlichkeit erinnert. »Und außerdem siehst du vielleicht vor der Kamera gut aus, aber im wirklichen Leben hast du eine sehr komische Nase. Du bist also auch keinem Ölgemälde entsprungen.«

Danach reden sie nicht mehr miteinander, und Evie genießt die Fahrt, den Wind in ihren Haaren und die Lichter, die verschwimmen, während sie ihren Blick schweifen lässt.

»Ich hab jetzt genug«, sagt Duke irgendwann.

»Oh …«, entgegnet Evie und versucht, ihre Enttäuschung zu verbergen.

Duke lacht.

»Was?«, fragt sie.

»Nichts.« Er schüttelt den Kopf und zieht seine Stirn in Falten, als ob er sehr müde wäre.

»Nee, sag schon.«

»Ich habe nur gedacht«, antwortet Duke, »dass du vielleicht deine Berufung verfehlt hast. Du bist eine gute Schauspielerin. Du hast fast so geklungen, als wärst du wirklich traurig, dass du jetzt nach Hause gehen musst.«

Evie ist perplex. Er ist schon wieder gemein, und es ist klar, dass das vorhin keine Ausnahme war, als er sich über ihr Aussehen lustig gemacht hat. Er mag sie wirklich nicht und hält sich für etwas Besseres.

»Na schön. Geh nach Hause. Ich werde noch eine Runde drehen. Einen schönen Abend«, sagt sie in gereiztem Ton und geht davon.

Er ist ein Arsch, denkt sie sich, während sie sich durch die Menschenmenge schlängelt. *Er hat keine Ahnung, wie er auf andere wirkt, dieser egozentrische Schwachkopf.*

Dann dreht sie sich um – es gibt dafür keinen erkennbaren Grund, außer dass sie sich irgendwie dazu gezwungen fühlt. Und da steht er und schaut ihr hinterher.

Evie reißt die Arme hoch und fragt ihn wortlos: *Was?!*

Duke schüttelt den Kopf, die Kieferpartie ist locker, der Gesichtsausdruck verletzt, was ein bisschen viel ist, wenn man bedenkt, dass er der Clown ist. Evie beschließt, einfach zurückzustarren; sie wird sich nicht vor ihm wegducken, sich seinen Launen nicht beugen. Sie wollte doch gar nicht hier sein, schon vergessen? Und jetzt ist sie eine Hauptfigur in dieser Farce, die ein paar Wochen dauern soll, und er besitzt die Frechheit, sich aufzuspielen!

Sie gewinnt. Duke wendet sich ab. Und Evie hasst sich dafür, dass ihr sein runder Hintern auffällt und die Selbstsicherheit seines Gangs, sein breiter Rücken, einfach alles.

Ja, er ist heiß, schimpft sie mit sich selbst. *Und wenn schon? Was ist schon heiß, wenn alles nur Show ist?*

Aber sie schaut trotzdem nicht weg. Sie behält die Show im Auge, bis er außer Sichtweite ist, und selbst dann geht ihr der Gedanke an ihn nicht aus dem Kopf.

14

EVIE

E vie kann nicht anders. Den ganzen Tag hat sie versucht zu schreiben, um ihren Roman endlich zur Vollendung zu bringen, doch alle potenziell interessanten männlichen Figuren haben plötzlich Dukes blaue Augen oder seine breiten Schultern. In dem Café, in das sie heute Morgen gegangen ist, um zu schreiben, heute Nachmittag am Set und jetzt in der Hotelbar, wo ihr noch tausend Wörter fehlen, muss sie immer wieder an ihr Fake-Date mit Duke vom Vorabend denken.

Es war frustrierend. Denn obwohl sie aus Prinzip alles an dieser Abmachung hasst, ist es viel besser gelaufen als das Date im Café – na ja, bis sich seine Stimmung geändert hat. Davor war sie gefährlich nahe daran, es zu genießen. Wenn Duke sich entspannt und vergisst, dass er »auf Sendung« ist, ist er eine gute Gesellschaft. Nicht, dass er das oft tut, natürlich nicht. Es ist merkwürdig. Als sie aufgewacht ist, hat sie daran gedacht, wie nah sein Arm an ihrem war, als sie spazieren gegangen sind, wie sich seine Unterarmmuskeln angespannt haben, als er sich an der Stange des Karussells festgehalten hat. Es muss an der Müdigkeit liegen oder am anhaltenden Jetlag, aber diese Bilder laufen in ihrem Kopf in einer endlosen Schleife, die sie nicht anhalten kann. Also googelt sie ihn, um sich abzulenken, und schon bald liest sie einen Artikel nach dem anderen über ihn, unter anderem in einem der samstäglichen Feuilletons der *Times*.

Duke Carlisle ist kein durchschnittlicher aufstrebender Hollywoodstar. Seit anderthalb Jahrzehnten lebt er seinen Traum und erzählt Sally McVitie, was er über die

Liebe, das Lachen und die Bedeutung von Ehrlichkeit auf und außerhalb der Leinwand gelernt hat.

Duke Carlisle sitzt mir in einer Hotellobby im Zentrum von London gegenüber, die Arme auf die Knie gestützt, die Baseballkappe tief in die Stirn gezogen. »Es ist ja nicht so, als wäre ich Justin Bieber oder so«, erklärt er mit einem sardonischen Lächeln. »Die Leute erkennen mich zwar, aber es kommt auf den Kontext an. Wenn ich herausgeputzt zu einer Veranstaltung oder einem Event gehe, ist es offensichtlich, dass ich im Dienst bin, dann ist es okay, mich anzusprechen. Aber wenn ich so rumlaufe wie jetzt, dann werde ich meistens in Ruhe gelassen. Es sind im Grunde nur die Paparazzi, die keine Grenzen kennen.«

Ich sage ihm, dass das schwer sein muss – ich mag es nicht einmal, wenn ich ohne vorherige Erlaubnis auf dem Instagram-Foto einer Freundin markiert werde.

»Danke, dass du das sagst«, sagt er, und seine berühmten blauen Augen funkeln verschmitzt. »Ich weiß, das klingt ein bisschen so, als würde ich mich beschweren, dass meine Diamantschuhe zu eng sind, das ist mir bewusst. Aber wann haben wir gemeinsam beschlossen, dass Filme zu machen, bedeutet, dass man mir nachts durch eine dunkle Gasse folgen oder mich fotografieren darf, wenn ich verkatert die Müllcontainer rausstelle?«

Mit seinen ausgeprägten, abgeschnittenen Vokalen und seiner entwaffnend direkten Art ist er nicht das, was man von einem Mann erwartet, der wegen seines Gastauftritts in *The Marvelous Mrs. Maisel* als Spitzenkandidat für die Award-Saison gehandelt wird, der das Gesicht des neuen Chanel-Herrendufts ist und der durch seine pure Existenz die Boulevardpresse beschäftigt. Während wir uns unterhalten, nippt er an seinem grünen Tee und hält nach jeder Frage kurz inne, bevor er eine wortgewandte, anspruchsvolle und erfrischend offene Antwort gibt.

»Ich weiß, dass es möglich ist, in der Öffentlichkeit zu stehen, ohne ständig unter Beobachtung zu sein. Das hört sich jetzt nach Name-dropping an, aber ich bin mit Stormzy befreundet, und ich finde es unglaublich, wie er in Ruhe gelassen wird. Er kann seine Musik machen, sein Leben leben, dann taucht er aus dem Nichts auf, um ein Album zu veröffentlichen und in Glastonbury aufzutreten, und alles ist ziemlich entspannt für ihn. Als ich vor ein paar Sommern auf dem Paddelbrett fotografiert wurde, fand er das furchtbar, aber jetzt lachen wir darüber. Er hat mich anscheinend unter dem Namen Anaconda in seinem Handy gespeichert.«

Ich bin froh, dass Carlisle derjenige ist, der das zur Sprache bringt. Die Paddelbrett-Fotos, auf die er sich bezieht, kursierten im Sommer 2020 im Internet, als er ohne sein Wissen fotografiert wurde, während er mit einer geheimnisvollen Blondine an einem Strand am See herumtollte – splitterfasernackt. Auf Twitter wurde über die Größe seines Penis gestritten, und jeder, wirklich jeder, von der *Late Late Show* mit James Corden bis hin zu Boris Johnson, hatte etwas dazu zu sagen. Damals schien er es mit Humor zu nehmen, doch Monate später ging ein Blogpost über die Verletzung seiner Privatsphäre erneut viral. »Ich musste mich einfach dazu äußern«, erklärt er plötzlich ganz ernst. »Ja, ich habe meinen Schwanz in der Öffentlichkeit gezeigt. Wir waren in Frankreich, und ich war verliebt und fühlte mich glücklich und frei. Und dann haben die Medien und Social Media einen der glücklichsten und romantischsten Tage meines Lebens zu einer Art Witz gemacht, und ich habe lange gebraucht, um den Mut aufzubringen zu sagen, dass ich mich damit sehr unwohl fühle. Ich habe mich immer wieder gefragt, was gewesen wäre, wenn das einer Frau passiert wäre. Hätten die Leute die Fotos dann auch so geteilt? Oder wäre es unfeministisch gewesen?« Genau das fragt er auch in seinem Post. »Okay, wir wissen, was der männliche Blick ist und wie sich Frauen dabei fühlen, aber die Definition von Gleichberechtigung ist doch nicht, dass wir dann eine Art weiblichen Blick haben, der Männer auf die Größe ihres ... was auch immer reduziert. Gleichberechtigung heißt: Hey, lasst uns niemandem dieses schreckliche Gefühl geben. Lasst uns niemanden zum Objekt degradieren. Lasst den Mann in Ruhe paddeln! Und kauft ihm vielleicht eine neue Badehose!«

Er bricht in ein charmantes Lachen aus und tut das, wofür er in seinen Filmen so bekannt geworden ist: Er jazzt die Gefühle seines Publikums hoch und zieht ihm mit seinem Humor und seiner guten Laune den Boden unter den Füßen weg.

»Manchmal kann man sich einfach nicht ausdenken, wie das Leben so spielt, nicht wahr? Und ich weiß, dass ich und meine Freunde nicht sehr viel herumsitzen und heulen. Ich meine das nicht auf eine blöde Art, als würde ich mich zu männlich zum Weinen fühlen für so was. Vielleicht liegt es daran, dass ich Nordländer bin. Da lacht man lieber, als dass man weint. Ich denke, das ist es, was ich oft versuche, in meine Arbeit einzuflechten. Für mich bedeutet das Menschlichkeit. Diese Grenze einzuhalten.«

Ich kann nicht umhin, mich zu fragen, wie er so geworden ist. Über seine Kindheit ist nur wenig bekannt, außer dass er von einer alleinerziehenden Mutter in Sunderland aufgezogen und seine Begabung fürs Schauspielen erst relativ spät entdeckt wurde.

»Ja«, sagt er und streicht sich nachdenklich übers Kinn. »Ich hatte eine wirklich tolle Lehrerin, Mrs Steinenberg, die mir von einem Casting erzählt hat. Ich habe sie nie gefragt, warum sie darauf gedrängt hat, dass ich hingehe – es war kurz vor unserem Schulabschluss, und dann wurde aus dem Vorsprechen mein erster Auftritt, ich zog nach London, und, bäm!, da sind wir nun, viele Jahre später.« Er schüttelt liebevoll den Kopf. »Ist es nicht unheimlich, wie schnell das Leben vergeht? Ich war doch gerade noch ein Kind. Es ist verrückt.«

Das Leben muss ein rasches Tempo haben, wenn man so viel Zeit am Set verbringt wie Carlisle. Allein im letzten Jahr war er in vier großen Filmen zu sehen und hatte einen Gastauftritt bei *Mrs. Maisel*. »Ah, ja«, sagt er in seiner typisch selbstironischen Art. »Aber das waren nur drei

Episoden der Serie, und in zwei der Filme hatte ich bloß eine Nebenrolle. Aber wenn Olivia Wilde dich bittet, in den großartigen, von
Frauen geführten Filmen, die sie gemacht hat, mitzuspielen, dann
nimmst du dir einfach die Zeit. Dasselbe gilt für Greta. Als sie anrief,
bin ich vor Freude explodiert. Ich kann gar nicht in Worte fassen, was
für eine Ehre das für mich war.«

Die Greta, die er meint, ist die oscarnominierte Greta Gerwig, und
seine Rolle in ihrem neuesten Film ist der Grund, warum wir uns heute
treffen ...

Evie reißt sich von dem Artikel los. *Fokussiere dich,* sagt sie sich.
Mach nur diesen ersten Entwurf fertig! Sie musste ihr Handy aus-
schalten, weil sie plötzlich sehr beliebt ist und alle möglichen Leute
sie kontaktieren, von College-Freundinnen über ihren alten Eng-
lischlehrer, ihre Lektorin bis hin zu ihrer Cover-Designerin. Es
wurden Fotos von dem Date auf dem Weihnachtsmarkt veröffentlicht, mit noch mehr unsinnigen Berichten über ihre »wachsende
Liebe« und mit noch mehr Fake-Beweisen vom Set. Das ist zu viel.
Sie muss das alles einfach hinter sich lassen. Das ist genau das, was
sie in ihrem Job zu vermeiden versucht hat! Man kann keine gute
Arbeit abliefern, wenn man durch Trubel abgelenkt wird! Sie hasst
es. Sie hasst, hasst, hasst es. Sie öffnet ein neues Browserfenster und
tippt unnützerweise *Duke Carlisle Paddelbrett* ein.

»Arbeitest du an deinem nächsten Meisterwerk?«, fragt Duke
und wirft einen Schatten auf ihren Bildschirm. Sie blickt entsetzt
auf und klappt ihren Laptop schneller zu als ein Teenager, der beim
Pornogucken erwischt wird. Duke kommt frisch aus der Dusche,
sein gewelltes Haar ist noch feucht, und er sieht sehr lässig aus. Er
trägt eine graue Jogginghose und ein T-Shirt, das bei Normalsterb-
lichen zweifellos locker herunterhängen würde, bei Duke Carlisle
betont es aber einen steinharten Bizeps und solide Bauchmuskeln.

»Du schon wieder«, sagt Evie entnervt.

»Ich weiß«, antwortet er und lächelt nur mit einer Gesichtshälfte, um seine Reue zu zeigen. »Ich habe dein Leben ruiniert. Ich bin mir ziemlich sicher, dass das alles morgen, noch bevor du es bemerkst, Fischpapier sein wird, aber trotzdem ...«

»Fischpapier?«, fragt Evie.

»Das ist wohl britisch, nehme ich mal an. Das kommt aus der Zeit, als wir unsere Fish and Chips in die Zeitung von gestern eingewickelt haben. Also: Die Nachrichten von heute sind die Fish-and-Chips-Zeitung von morgen. Ergo, wen interessieren die News vom Vortag ...«

»Verstehe«, sagt Evie und lässt ihren Laptop geschlossen. Sie muss sich ihre Niederlage eingestehen. Sie hat nicht in zehn Jahren sechzehn Bücher veröffentlicht, indem sie nur dann gearbeitet hat, wenn die Muse sie geküsst hat. Evie weiß, dass sie die nächsten zwei Stunden hier sitzen und vielleicht fünfhundert brauchbare Wörter zustande bringen kann, oder sie kann warten, bis sie ausgeschlafen ist, und am Morgen fünftausend Wörter aus sich heraussprudeln lassen. »Nun, man sagt, das Internet hat ein langes Gedächtnis, also ... Das bleibt alles abzuwarten, nicht wahr?«

»Kann ich mich zu dir setzen?«, fragt er.

»Bedeutet das nicht noch mehr Ärger? Wir streiten uns, wir fühlen uns wohl miteinander, wir schlafen miteinander ... Und was dann? Planen wir, die Welt zu zerstören? Außerdem dachte ich, du hättest gestern Abend genug von mir gehabt. Du bist weggestürmt.«

Er sieht sich um. Es ist ruhig. Die meisten der Crewmitglieder sind heute Abend in die Stadt gegangen.

»Ich hatte genug von dir«, sagt er, aber er lächelt, der gut aussehende Arsch. »Du machst mich wahnsinnig. Aber hier gibt es sonst niemanden, mit dem ich etwas trinken könnte, und ich weiß nicht – ich glaube, ich bin einfach der Sündenbock.« Seine Stimme ist spitzbübisch leise, und Evie muss gegen ihren Willen lächeln.

»Okay«, sagt sie. »Ich wollte sowieso gerade ein weiteres Glas bestellen.«

Duke ruft den Kellner herbei, und Evie bewundert den Raum. Die Bar ist holzgetäfelt, hat rote Lederbänke und eine gedämpfte Beleuchtung, und aus einem Lautsprecher über ihnen ertönen leise Klavierklänge mit festlichen Liedern. Bunte Lichter von den Bäumen in den Ecken tanzen langsam und reflektieren das Licht auf strategisch platziertem Lametta. Von der Decke hängen Girlanden, und Evie merkt erst jetzt, dass sie aus echten Tannenzweigen bestehen müssen, denn der Duft von Tannenholz liegt in der Luft. Der Rotwein kommt, und Duke sieht sie an.

»Prost«, sagt er.

»Prost«, erwidert Evie. Sie stoßen an, stellen anschließend die Gläser auf dem Tisch ab, weil es Glück bringen soll, und trinken dann. Der Wein ist schwer und voll, Beeren und Verheißungen färben ihre Lippen.

Duke nimmt einen weiteren großen Schluck aus seinem Glas. »Mein Personal Trainer würde mir dafür den Hals umdrehen«, sagt er und nickt in Richtung Weinglas, aber Evie kann das nicht nachvollziehen.

»Ich habe nachgedacht«, sagt Evie dann. Sie hat schon ein großes Glas getrunken, also ist sie lockerer geworden. Es ist leichter, seine Meinung zu äußern, wenn man sich locker fühlt. »Du hast gesagt, dass du es warst, der die Klausel in meinen Vertrag hat reinschreiben lassen. Dass ich herkommen muss. Aber du hast mir bisher nicht gesagt, warum.«

»Warum ich wollte, dass du hier bist?« Er hält inne, und Evie rollt bei seinem dramatischen Getue mit den Augen. Er ist so ein Schauspieler. »Weil ich wirklich ein Fan bin«, sagt er. »Ich habe wirklich alles gelesen, was du geschrieben hast, und ich habe sogar versucht, ein Vorab-Exemplar des nächsten Buches zu bekommen, aber man hat mir gesagt, dass sie noch nicht fertig sind.«

Evie verzieht das Gesicht. Das ist das Äquivalent zu: *Ja, okay, wie auch immer.* »Nicht einmal meine beste Freundin ist so ein glühender Fan«, erwidert sie. »Nicht, dass sie es sein sollte oder so. Ich stehe ja auch nicht in ihrem Klassenzimmer und applaudiere ihrem Unterricht, warum sollte ich also erwarten, dass sie all das liest, was ich schreibe, um Geld zu verdienen?«

»Das ist nicht das Gleiche«, sagt er. Sie blinzelt. Duke kneift die Augen zusammen. »Du glaubst mir immer noch nicht, oder? Du glaubst nicht, dass ich geweint habe, als Max und Sinita in *Bring mich zum Mond* getrennte Flüge nehmen mussten. Oder bei *Hoffnung und die Geister der Vergangenheit,* als Luther endlich seinem Vater alles sagt, damit er seine Dämonen zur Ruhe bringen und mit Rochelle weiterleben kann? Ich habe danach eine Stunde lang geweint. Das war kathartisch. Ganz zu schweigen von George in *Auf der Romantischen Straße.* Warum, glaubst du, wird dieser Film überhaupt gedreht, Evie? Ich habe das Buch gelesen und dafür gesorgt, dass es passiert. Ich habe es bei Stu von Independent untergebracht und Marnie hinzugeholt; ich habe früh meinen Namen hinzugesetzt, damit wir eine Finanzierung bekommen.«

Wie ein gottverdammter Retter, denkt Evie düster. Aber dann wird sie wieder locker. Er scheint aufrichtig zu sein. Sie will etwas sagen, merkt dann aber, dass sie eigentlich gar nicht weiß, was. Sie entscheidet sich für: »Das wusste ich nicht. Ich weiß nicht, wie das alles funktioniert.«

»Du weißt aber schon, dass du brillant bist, oder?«

Sie schüttelt den Kopf. Brillant? Nein. Brillant ist ein bisschen übertrieben. Kompetent. Das ist sie, sie ist kompetent.

»Ich bin nicht Shakespeare«, sagt sie. »Ich habe eine eingeschworene Fangemeinde, die den Stil meiner Bücher mag, und ich versuche, die emotionale Wahrheit der Dinge zu erzählen, auch wenn ich mal ein Happy End verhunze. Aber es sind nur Geschichten. Nur Worte.«

»Worte, die den Menschen helfen«, sagt Duke. »Das sagt man dir doch sicher, wenn du Bücher signierst.«

»Ich mache keine Signierstunden«, entgegnet Evie. Er zieht seine Augenbrauen zusammen. »Ich bin nicht sehr gut … in der Öffentlichkeit. Ich mag das nicht. Das habe ich dir doch schon gesagt. Ich bin ein zurückgezogen lebender Mensch.«

»Dann eben E-Mails«, drängt er. »Oder DMs.«

Sie schüttelt den Kopf. »Jemand anderes kümmert sich für mich um all das.«

»Rezensionen?«

»Nein.«

»Wow. Du hast buchstäblich keine Ahnung, was deine Arbeit den Leuten bedeutet? Du hast keinerlei Beziehung zu den Menschen, die deine Bücher kaufen?«

Sie schüttelt den Kopf. Sie schreibt, und was danach passiert, geht sie nichts an. Das hat sie sich zumindest immer eingeredet.

»Du veränderst Leben, Evie. Du solltest deine Leute feuern, wenn sie dir das nicht klarmachen. Deshalb wollte ich dich hier haben. Du hast mir geholfen, Evie. Die Art, wie du die Welt siehst, hilft mir, die Welt zu sehen. Es ist mir egal, dass deine Bücher sich gar nicht an mich richten. Ich bin ein Mann, der Liebesromane liest! Und wenn schon! Ich liebe sie, verdammt. Sie geben mir Hoffnung, Evie. Weißt du, wie unglaublich das ist?«

Evie kann die Leidenschaft, mit der er spricht, nicht einschätzen. Das ist alles übertrieben. Er ist ein Schauspieler, er wird dafür bezahlt, dramatisch zu sein. Und sie ist nicht die große Inspirationsfigur, als die er sie hinstellt. Sie ist ein Desaster.

»Ich schreibe nicht, um anderen Leuten zu sagen, wie sie ihr Leben leben sollen«, sagt sie, als er sich beruhigt hat. Sie atmet tief durch, weiß, was sie sagen will, zögert aber. Kann sie ihm vertrauen? Sie beschließt, dass es ihr egal ist. Die Wahrheit ist die Wahrheit. »Ich schreibe, um meinem eigenen Leben zu entkommen.«

Duke hört auf zu lächeln. Er sieht sie aufmerksam an. Für einen Moment fühlt sich die Atmosphäre geladen an, als würde er, wenn sie sich nach vorn beugt, ebenfalls in ihre Umlaufbahn gezogen werden, bis ihre Lippen aufeinandertreffen.

»Genau aus diesem Grund bin ich Schauspieler geworden«, flüstert er.

Er streckt eine Hand nach ihr aus, und für den Bruchteil einer Sekunde genießt sie es. Das Gefühl, verstanden zu werden. Gesehen. Gehört. Geschätzt.

Dann zieht sie sich zurück.

Männer verlassen einen.

Traue niemandem.

Sie könnte sowieso nie genügen.

Das hier ist nicht real.

»Zeit zum Schlafengehen«, verkündet sie. Sie ist aufgewühlt, der Wein liegt ihr schwer im Magen. Sie kann nicht glauben, was er sagt – und schon gar nicht, wie er es sagt. Okay, sie hat ein paar Artikel über ihn gegoogelt und ein paar Gedanken an seine Arme verschwendet. Aber Tatsache bleibt: Was ist das hier? Diese »Beziehung«? Sie ist gespielt. Aber er ist ein verdammt guter Schauspieler – fast hätte auch sie ihre Hand nach ihm ausgestreckt, fast hätte sie ihre Finger mit seinen verschränkt. Ist das der Grund, warum Schauspielende bei Dreharbeiten immer zusammenkommen? Weil Fakt und Fiktion so leicht ineinander übergehen? Sie nimmt ihren Laptop und schenkt ihm ein Lächeln mit geschlossenem Mund, und bevor er noch etwas sagen kann, verschwindet sie.

Umso verrückter ist es, dass sie, kaum dass sie eingeschlafen ist, schon von ihm träumt.

15

DUKE

Darf ich meinen Arm um dich legen? Wäre das in Ordnung?«, fragt Duke Evie schüchtern. Nach den Dreharbeiten sind sie wieder unterwegs, auf dem Weihnachtsmarkt, und freuen sich, fotografiert zu werden. Beziehungsweise sie hoffen, fotografiert zu werden! Marnie, die Produktionsleiterin, hat bereits berichtet, dass die positiven Schlagzeilen über Duke und Evie die Geldgeber beruhigt haben, sodass alle rundum zufrieden sind. Sie müssen einfach so weitermachen wie bisher. Und eigentlich kann Duke nicht genau sagen, warum sich das besser anfühlt als vorher, aber das tut es. Er hasst die Situation nicht mehr so wie zu Beginn. Evie scheint jetzt viel entspannter zu sein. Gestern Abend waren sie sogar kurz vor einem intimen Moment, bevor sie abgehauen ist. Evie Bird ist ein Rätsel für ihn, und je mehr Zeit er mit ihr verbringt, desto mehr möchte er dieses Rätsel lösen.

»Ich denke, das wäre realistisch, oder?«, fügt er hinzu. Es ist ein widersprüchliches Gefühl, auf diese Weise um Erlaubnis zu bitten. Aber sie haben ja ihre Grundregeln, und das könnte fast gegen die Regel »keine unnötigen Berührungen« verstoßen.

Evie rümpft bei seinem Vorschlag, den Arm um sie zu legen, die Nase, als ob sie unzufrieden wäre, und Duke erwartet, dass sie ablehnt. Es schockiert ihn dann, als sie einverstanden ist. Es ist nicht die Art, wie er eine Frau umarmen möchte – nichts davon ist wirklich »lustig«, wenn es erzwungen wird –, aber wenn er das mit jemandem tun muss, könnte es schlimmere Menschen als Evie Bird geben. Sie ist stachelig, aber er fängt an, ihren süßen, weichen Kern zu spüren.

»Mir ist gerade ein bisschen kalt«, sagt Evie, also legt er seinen Arm über ihre Schulter, und sie streckt ihre andere Hand aus, um seine zu halten. Sie gehen langsamer als zuvor – zum einen, weil hier mehr los ist, zum anderen, weil sie sich Arm in Arm und im Gleichschritt nicht so schnell bewegen können. Wäre es ein richtiges Date, würde sich Duke über den Weihnachtsmarkt als Kulisse freuen. Alle um sie herum sind gut gelaunt, und es ist schön, hier einen Weihnachtsfilm zu drehen, umgeben von echtem Weihnachtsfeeling. Er hat schon von Sommer-Blockbustern gehört, die in der späten Wintersonne gedreht wurden, und von Freunden von ihm, die während einer Hitzewelle spielen mussten, dass sie frieren. Er muss nicht viel tun, um sich festlich zu fühlen, wenn er spielen soll, dass er sich festlich fühlt, und umgekehrt: Das Eintauchen ins Festliche macht ihn umso fröhlicher. Er hat sich von dem Duke, der erst vor einer knappen Woche in Deutschland gelandet ist, weit entfernt. Daphne wer? Seine Laune ist viel besser als früher.

»Was sollen wir als Nächstes tun?«, fragt Evie.

Er ist so nah bei ihr, dass er ihr Shampoo riechen kann. Es riecht nach Kokosnuss.

»Vielleicht wäre es schön, wenn ich dir etwas kaufen würde?«, schlägt er vor. »Du kannst dir ein Armband aussuchen oder so was – sie verkaufen diese geflochtenen Lederarmbänder. Ich könnte es dir ans Handgelenk binden.«

»Du hast das schon mal gemacht«, kichert sie, und Duke versteht, dass er überempfindlich ist, dass die Art und Weise, wie sie sich über das Arrangement lustig macht, ihn auf eine Art verärgert, die er nicht ausdrücken kann. Aber daraus zu schließen, dass alle seine Dates erzwungen waren, verletzt seinen Stolz.

»Autsch«, antwortet er. »Ich weiß, dass du gerade einen Zuckerrausch hast, aber auch ich habe Gefühle.«

Sie zieht an seiner Hand. »Ich verletze dich immer wieder, nicht wahr? Das ist keine Absicht.«

»Nein«, beharrt er, obwohl er beeindruckt ist, dass sie so ehrlich ist. Das ermutigt ihn, ebenso offen zu sein. »Ich weiß, dass du nicht hier sein willst. Ich verstehe das, und es ist dumm von mir, dass ich mich dadurch zurückgewiesen fühle, aber meine Therapeutin sagt, dass Zurückweisung mein Hauptthema ist ...«

»Da hast du dir ja den perfekten Job ausgesucht, wenn du mit Zurückweisung nicht umgehen kannst«, sagt sie, aber das beweist nur, dass sie es nicht versteht.

»Aber wenn alles gut läuft, dann gibt es kein besseres Gefühl«, entgegnet er. »Selbst wenn man weiß, dass es leer und hohl ist und morgen schon wieder vorbei sein könnte, ist es, als wäre man heroinsüchtig. Ich habe mein ganzes Leben damit verbracht, meinen ersten Rausch übertreffen zu wollen.«

»Duke, das meinst du nicht im Ernst, oder?«

Sie sieht ihn mit diesen großen braunen Augen an, ein Anflug von Mitleid liegt darin.

»Nein.« Er lächelt und ändert seinen Tonfall. Warum hat er gedacht, er könnte ehrlich sein? Warum will er so verzweifelt von jemandem gesehen werden, von irgendjemandem, dass er so etwas zu einer praktisch Fremden sagt? Es liegt an ihren Büchern. Er hat alles ernst gemeint, was er über die Liebe zu ihren Büchern gesagt hat, über die Liebe zu ihrer Betrachtungsweise. Aber die Autorin ist nicht das Werk – das ist es, was er zu begreifen beginnt. Sie ist schön und scharfsinnig und hat einen ganz besonderen Sinn für Humor, und etwas davon fließt in ihre Romane ein, aber das ist nicht sie. Vielleicht sind es Teile von ihr. Die anderen Teile sind hier und machen sich über alles lustig, dem er sein Leben als Erwachsener gewidmet hat, und das ist nicht in Ordnung.

Sie kaufen das Armband, und als Duke wieder im Hotel ist, nachdem er vorgegeben hat, Kopfschmerzen zu haben und seinen Text lernen zu müssen, sind die Fotos bereits online. Genau wie sie gehofft hatten, war ein Fotograf die ganze Zeit dabei. Er hasst es, dass er es überprüft hat, und noch mehr hasst er das traurige Gefühl, das sich in ihm breitmacht, während er durch die Fotos scrollt. Da sind sie beim Essen, da fahren sie mit den Fahrgeschäften, da schauen sie sich in die Augen. Es gibt ein Foto, auf dem er sie fast bewundernd anschaut, während sie zur Seite blickt, und dann – verwunderlich, wenn man bedenkt, dass sie fast den ganzen Nachmittag über ein schiefes Lächeln auf den Lippen hatte – ein Foto, auf dem sie ihn auf die gleiche Weise ansieht. Er liest eine Speisekarte oder eine Preisliste, und ihr Gesichtsausdruck ist offen und einfühlsam, verspielt und süß. Es sieht wirklich so aus, als ob sie in ihn verliebt sei. Duke fragt sich, ob sie nicht ihre Berufung verfehlt hat. Offenbar ist sie auch eine gute Schauspielerin. Ich will, dass dieser Blick wirklich echt ist, denkt er sich, bevor er beschließt, dass er das nicht so meint, sondern schlafen muss, dass er nie mit einer Frau wie Evie zusammen sein will, weil er immer das Gefühl haben würde, nicht mithalten zu können.

Also warum denkt er ständig an sie?

»Du wirkst traurig«, sagt Daphne nach ihrer letzten Szene, einer Slapstick-Szene, die eine Eisbahn, einen Sturz und einen Beinahe-Kuss beinhaltet. »Ich bin da, wenn du mich brauchst.«

Duke sieht sie an. Es ist schon spät. Er ist nicht wirklich über ihr gestriges »Date« hinweggekommen, darüber, wie verletzend es sich angefühlt hat, Evies Wut über ihre Fake-Romanze abzubekommen.

Er war früh aufgestanden, um eine seiner Soloszenen zu drehen – es ist gut gelaufen, nicht großartig, aber gut. Der Schnee war zu Eis gefroren, also war es ziemlich kühl, und es ist schwer, sich zu konzentrieren, wenn einem so kalt ist. Aber als die Sonne herauskam und das Eis schmolz, konnte er sich endlich auf das konzentrieren, was er am besten kann. Er ist wirklich stolz auf das, was sie gemeinsam geschaffen haben. Das passiert nicht bei jedem Dreh – verdammt, bei den meisten Drehs passiert das nicht. Es ist eine Art magische Alchemie, bei der die Besetzung, die Crew, die Geschichte und die Kulisse aufeinander abgestimmt sind. Der Film wird nicht für die Preisverleihungssaison infrage kommen, aber darum ging es ihm auch gar nicht, als er die Rolle übernommen hat.

Dass er die Rolle übernommen hat, liegt daran, dass er sich beim Lesen des Buches wie George gefühlt hatte. Er konnte jeden Gedanken, jedes Gefühl und jede Sorge nachempfinden. Dukes Mutter ist nicht tot, aber sie ist nur selten anwesend. Dass Evie ihm gesagt hat, er verhalte sich wie ein kleiner Junge, geht ihm nicht mehr aus dem Kopf. Er hört Phoebes Stimme: Natürlich ist er wie ein kleiner Junge, denn kleine Jungs brauchen Eltern, die ihnen helfen, Männer zu werden, und ihn hat niemand dabei unterstützt. Seit seinem elften Lebensjahr hat er sich mehr oder weniger selbst erzogen – sein Vater unbekannt und seine Mutter dauerbetrunken. Dieser Film, den sie hier drehen, ist eine Liebeskomödie, aber für ihn ist George der Prototyp eines Mannes, der sich wegen seiner schwierigen Beziehung zu seinen Eltern grundsätzlich im Leben zurückhält. Nur dass George seine Mutter sehr geliebt hat, und jetzt ist sie nicht mehr da.

Duke hätte sich so sehr gewünscht, seine Mutter so lieben zu können, aber es war einfach unmöglich. Und doch versucht er es weiterhin. Macht ihn das zu einem Idioten? Was soll Duke jetzt tun? Wohin soll er mit dieser Liebe, die er zu vergeben hat? Niemand scheint sie zu wollen.

»Es wird schon«, sagt Duke zu Daphne.

Sie gehen zu ihrem Wohnwagen, und er setzt sich aufs Sofa, während sie sich abschminkt und sich von Hermione wieder in Daphne verwandelt. Sie wirft ihm ein Feuchttuch zu, damit er sich auch abschminken kann. Sein Dermatologe sagt, Feuchttücher sind Teufelszeug, aber im Hotel wird er sich richtig reinigen. Das Tuch wird ganz orange. Es ist unglaublich, wie viel Zeug sie sich auf die Haut schmieren lassen müssen, damit sie in 3-D »normal« aussehen. Niemand sieht wirklich wie Duke Carlisle aus, nicht einmal Duke

Carlisle. Kein Wunder, dass nichts jemals gut genug ist – er vergleicht sich mit einem Geist. Einem Mythos, den er erschaffen hat.

»Brad hat gesagt, die Fotos von dir und Evie sind überall«, sagt Daphne und bindet sich das Haar zu einem hohen, unordentlichen Dutt. »Das ist gut. Mir ist klar, dass du hättest absagen können. Und schließlich hilft diese Geschichte auch mir. Ich weiß das zu schätzen.«

»Ich tue nur das, wofür man mich bezahlt«, sagt Duke zur Decke.

»Armer kleiner Superstar«, erwidert Daphne und lässt sich neben ihn aufs Sofa fallen. Sie streckt eine Hand nach seiner aus und hält sie fest. Ihr Tonfall verändert sich. »Du wirst bekommen, wonach du suchst. Ich weiß, dass es sich jetzt nicht so anfühlt, aber es wird passieren. Ich sehe es kommen.«

»Ja?«, fragt Duke und sieht sie an.

»Ich sehe eine verliebte Frau und eine Schar von Kindern, die alle deine Haare haben – glückliche Strandurlaube und riesige Weihnachtsfeste. Es ist nur … na ja, nimmst du uneingeforderte Ratschläge an?«

»Wenn ich Ja sage«, erwidert Duke, »heißt das dann nicht, dass ich sie erbeten habe?«

Sie rollt mit den Augen. »Sieh mal. Ich mag dich wahnsinnig gern. Wirklich. Und das weißt du. Und wenn ich das sage, dann meine ich das mit aller Liebe der Welt, und ich sage es, um dir zu helfen, nicht um dich zu verletzen.«

»Warum habe ich das Gefühl, dass du mich auf die Stirn küsst, bevor du mich mit einem Schwert aufspießt?«

»Es ist dein Bemühen, Duke. Du bemühst dich so sehr, eine Beziehung so zu gestalten, wie du sie dir in deinem Kopf vorstellst, dass du nicht zulässt, dass sie sich als das entfaltet, was sie tatsächlich ist, und deshalb fühlt sie sich nie richtig echt an.«

Er hatte recht: Das fühlt sich an wie ein Schwert, das sie in sein Herz rammt.

»Ich bin, wer ich bin, Daphne«, sagt er. »Ich bin jemand, der sich Mühe gibt.«

»Absolut.« Daphne nickt. »Ich meine nur … Sei, wer du bist, und vertraue darauf, dass das ausreicht.«

Er sieht sie an. Genau das ist es. Das, worüber er in diesen Sitzungen spricht, für die er Hunderte – Tausende! – Pfund bezahlt. Genug zu sein. Genug zu fühlen.

»Meine Therapeutin sagt, dass niemand mein wahres Ich hinter meiner Berühmtheit sehen wird, bis *ich* anfange, mein wahres Ich zu akzeptieren, und mich nicht mehr hinter meinem Status verstecke«, sagt Duke. »Was peinlich ist, denn es ist ein bisschen so, als würde ich mich beschweren, dass meine Matratze mit zu viel Geld vollgestopft ist, oder?«

»Nein«, sagt Daphne mit Nachdruck. »Dieser Job ist verkorkst. Jeder glaubt, uns zu kennen, und sobald wir Leute in unser Leben hereinlassen, werden wir verarscht. Wenn wir unsere Kreise aber eng ziehen, werden wir beschuldigt, unnahbar und hochnäsig zu sein. Das ist verrückt. Ich möchte aber, dass du weißt, dass du genug bist, und der Mann, den ich morgens um 6 Uhr in der Küche gesehen habe, wie er sich Rührei macht, und der vor dem Schlafengehen in seine Zahnbürste singt, der ist ganz besonders. Und mein Weihnachtswunsch für dich ist, dass du das auch sehen kannst. Du bist ein guter Schauspieler, Duke, aber du bist ein noch besserer Mensch.«

Nachdem sie sich verabschiedet haben, sagt Duke seinem Fahrer, dass er zu Fuß zum Hotel gehen wird. Es ist fast Mitternacht, der Weihnachtsmarkt schließt gerade, die Menschenmassen haben sich längst aufgelöst. Ein bisschen frische Luft wird ihm guttun. Außerdem ist es in einer kleinen Stadt mitten in Bayern nicht gerade gefährlich. Er will sich einfach nur normal fühlen. Mit seinem Hut und der Kapuze sollte das gut klappen. Der Trick ist, keinen Blickkontakt mit Fremden aufzunehmen, sondern immer nach unten zu schauen – das hat ihm Owen Wilson beigebracht.

Er trägt Turnschuhe und Jogginghose und schaut auf das Kopf-steinpflaster unter seinen Füßen, während er einen Fuß vor den an-deren setzt. Er weiß nicht, wohin er geht. Es ist ein weitverbreiteter Irrglaube, dass Dreharbeiten in der ganzen Welt bedeuten, dass er die ganze Welt bereist hat. Das hat er nicht. Er hat überall auf der Welt die gleichen Wohnwagen, Betriebe und Hotelzimmer gesehen, aber er hat nicht oft die Zeit, einen Ort wirklich zu erkunden. Wenn er mit den Dreharbeiten fertig ist, will er oft nur noch nach London oder L.A. zurück, zu dem Essen, das er kennt, den Betten, die er ausgesucht hat, und den wenigen Freunden, die er hat.

Er ignoriert zunächst, dass sein Name gerufen wird. Es ist die Stimme einer Frau, und er befürchtet, dass er entdeckt wurde, dass er höflich reden und ein Foto machen muss. Er versucht, nur fünf verdammte Minuten für sich zu haben. Nur fünf Minuten! Das ist alles, was er will! Aber als er die Stimme wieder hört, erkennt er sie.

»Evie«, sagt er und sieht in ihr offenes, hübsches Gesicht.

»Hey«, sagt sie, ohne dabei wirklich zu lächeln. »Scheint so, als hätten wir dieselbe Idee gehabt.« Sie deutet auf die leeren Straßen.

»Ein Mitternachtsspaziergang, um über die Komplexität des Menschseins nachzudenken«, sagt er, und sie lacht. Er wird ganz stolz. Diesmal hat er nicht einmal versucht, sie zum Lachen zu brin-gen, wie er es früher getan hat. Und trotzdem lacht sie.

»So ähnlich«, antwortet sie und mustert ihn. Jetzt, wo er sie rich-tig sehen kann, stellt er fest, dass es aussieht, als hätte sie geweint. Ihre Augen sind rot umrandet und ihre Wangen fleckig.

»Meine Mutter«, sagt sie und deutet auf ihr Gesicht, als sie merkt, dass er es bemerkt hat. »Ich hasse es, von ihr getrennt zu sein. Ich hatte gerade einen schlechten Moment, wie meine beste Freundin Magda es ausdrücken würde.«

Duke ist so neidisch, dass es schmerzt. Wie muss es sein, wenn man seine Familie so sehr vermisst, dass man weinen muss? Wenn man sogar eine beste Freundin hat? Er fühlt sich schuldig, dass sie von allen, die sie liebt, getrennt ist. Schließlich liegt es an ihm.

»Deine Mutter hat Glück, dass sie eine Tochter hat, der sie so viel bedeutet«, sagt er. »Das ist sehr schön. Und da muss es auch toll sein, pünktlich zu Weihnachten zurück zu sein.«

Sie wechselt das Thema, und Duke nimmt an, dass es irgendwie zu seinem Vorteil ist. Sie zieht einen kleinen silbernen Flachmann aus der Manteltasche, nimmt einen Schluck und hustet dann.

»Das ist gutes Zeug!«, johlt sie und hält Duke den Flachmann hin. »Kommt mit Empfehlung«, fügt sie hinzu. Er überdenkt seine frühere Einschätzung. Vielleicht waren die Augen rot vom Weinen, aber die fleckigen Wangen stammen vielleicht vom Alkohol. Er will nicht urteilen.

Er nimmt den Flachmann, trinkt, und sie sagt ihm, dass die Aussicht von dem Hügel, von dem sie gerade kommt, fantastisch ist.

»Soll ich es dir zeigen?«, fragt sie, und die Art, wie sie es sagt, klingt wie ein Friedensangebot. Sie haben sich den ganzen Tag nicht gesehen – Duke hat nicht einmal bemerkt, ob sie am Set war oder nicht –, und als sie sich nach ihrem Date Gute Nacht gesagt haben, war es kurz und knapp. Beinahe unfreundlich. Sobald sie wieder im Hotel waren, wollte Duke sich nicht mehr verstellen. Auf eine weitere joviale Freundschaftsumarmung konnte er getrost verzichten. Er weiß ja jetzt, woran er ist.

»Das musst du nicht«, sagt er. »Ich sollte wahrscheinlich sowieso zurück ins Hotel gehen.«

»Willst du keine Augenringe riskieren?«, witzelt sie, und Duke verzieht das Gesicht, als wolle er sagen: *Tja, was kann man da schon machen?*

Sie sieht ihn an – sie sieht ihn wirklich richtig an. Duke fühlt sich unwohl dabei. Was denkt sie? Hat sie irgendwie Mitleid mit ihm? Sie ist eine derart harte Nuss! Es ist höchst komisch: Er will unbedingt gesehen werden, und sie ist eine Expertin im Verstecken.

»Komm schon«, sagt sie, »eine weitere halbe Stunde wird dich nicht umbringen. Es ist die späte Schlafenszeit wert, das verspreche ich dir. Außerdem will ich es.«

Sie nimmt noch einen Schluck Whiskey und reicht ihm wieder den Flachmann.

»Entweder Schlafentzug oder Kater«, sagt Duke lächelnd. »Beides geht nicht.« Sie steckt den Flachmann wieder in ihre Tasche. Sie gehen weiter.

Evie hat recht mit der tollen Aussicht. Sie wandern schweigend, steigen eine steile Treppe hinauf, biegen um eine Ecke und schlängeln sich zwischen größeren, luxuriöseren Häusern hindurch, bis sie auf einer Lichtung neben einem kleinen Steinplatz mit einer Reiterstatue stehen. Es gibt eine Mauer, und Duke nimmt an, dass auf der anderen Seite ein steiler Abhang ist, denn das Nächste, was er sehen kann, ist der Fluss, weit unten – die Promenade ist mit schmiedeeisernen, bernsteinfarben leuchtenden Laternen beleuchtet –, und auf der anderen Seite des Weges ist gerade noch so ein weitläufiges, gewundenes Straßennetz sichtbar. Es ist ruhig, und das ist ein Trost für Duke. Normalerweise rast sein Gehirn, aber in diesem Moment, mit einem Schuss Bourbon in den Adern und einer Lunge, die nach dem Aufstieg schwer arbeitet, dringt die Ruhe durch seine Ohren und in seinen ganzen Körper. Er atmet tief durch.

»Geht mir auch so«, sagt Evie leise und stützt sich mit den Unterarmen an der Mauer ab. Duke tut es ihr gleich.

Schließlich fragt Duke: »Bist du okay? Was deine Mutter angeht?«

»Oh, ja«, antwortet sie, »mir geht es gut. Mir geht es so gut.«

Duke grinst. »Das sagt jeder wohlerzogene Mensch in diesem Land. Ich kaufe dir ja so was von ab, dass es dir super geht.«

»Okay, nicht gut«, gibt Evie zu. »Sie ist in einem Heim. Sie hat Alzheimer. Meistens weiß sie gar nicht, wer ich bin, und ich rufe an, um zu hören, wie es ihr geht, und die Antwort lautet: nicht gut. Sie ist unruhig, will sich nicht einfügen. Auch wenn ich dort wäre, könnte ich nichts tun. Ich würde trotzdem weinen. Ich wünschte, ich wäre stärker.«

Duke spürt, wie ihn eine Welle des Mitgefühls überkommt. »Uff …« Er nickt. »Es tut mir leid. Das muss sehr schwer sein.«

»Es ist, wie es ist«, sagt sie und winkt mit der Hand ab. »Wie ich schon gesagt habe: Das Leben ist scheiße. Zumindest die meiste Zeit über.« Sie genießt die Aussicht, und Duke folgt ihrem Blick.

»Ja«, seufzt er. »Und dann gibt es eine Aussicht wie diese.«

»Und dann gibt es eine Aussicht wie diese«, wiederholt sie.

16

EVIE

Die Wahrheit über ihr Leben rutscht ihr Duke gegenüber leicht heraus. Sie wollte ihm nicht von ihrer Mutter erzählen – die Alzheimer-Erkrankung ist ein weiteres Geheimnis, das sie hütet; selbst Magda kennt nicht das ganze Ausmaß der Krankheit ihrer Mutter. Er hört ihr freundlich zu, das heißt, er unterbricht sie nicht und fühlt mit ihr mit, ohne Lösungen anzubieten oder so zu tun, als ob er ihr Held sein könnte. Sie hat nicht erkannt, dass sie genau das braucht: jemanden, der einfach nur alles bezeugt. Sie braucht niemanden, der sie rettet, Gott, nein. Mit Duke ist jetzt einfach ein anderer Mensch in ihrer Nähe, der sie besänftigt. Seine Anwesenheit hilft. Dass er einfach neben ihr steht, während sie sich ihre Wahrheit eingesteht, ist … auf eine merkwürdige Weise heilsam.

Sie ist sich nicht sicher, was gerade passiert. Sie tun ja nur so, als würden sie daten, und sie hat ihn gehasst … Aber je mehr sie sich darauf einzulassen scheint, nur so zum Spaß, desto mehr zieht er sich zurück als hätte er Angst, dass sie nicht versteht, dass das alles nur ein Spiel ist. Evie sieht kein Problem darin zu versuchen, wenigstens ein Fünkchen Spaß zu haben, da sie bereits so viele persönliche Vorbehalte überwunden hat, um an diesen Punkt zu gelangen. Sie ist sozusagen im *Yolo*-Modus. Sie hat sich heute größtenteils vom Set ferngehalten und mit ihrer Agentin telefoniert, um sich über Buchverkäufe und Filmoptionen zu informieren (die Kurzversion: Es geht aufwärts, und zwar beängstigend gut.) Aber sie war heute Abend unruhig, und es tut ihr nicht leid, dass sie am selben Ort gelandet sind. Sie hasst es, in seiner Nähe zu sein, aber noch mehr hasst sie es, nicht in seiner Nähe zu sein.

»Was ist mit dir? Stehst du deiner Familie nahe?«, fragt sie ihn plötzlich. Sie will auf dieser Welle plötzlicher Gesprächsintimität reiten, da er gerade offen dafür zu sein scheint.

»Kein Kommentar«, antwortet er und schüttelt den Kopf.

»So schlimm, ja?«, drängt sie.

»Du hast ja keine Ahnung«, sagt er. »Im Ernst.«

»Alle Beweise sprechen dagegen«, entgegnet Evie. »Falls du es schon vergessen hast, meine Mutter weiß nicht mehr, wer ich bin, und damit du alles weißt: Mein Vater ist ein Fremdgänger-Arschloch, das mich verlassen hat. Seinetwegen habe ich sieben Halbgeschwister, die ich nie kennengelernt habe.«

»Oh«, sagt Duke. »Das ist ja furchtbar. Es tut mir leid, dass du auch zum Shit-Dad-Club gehörst.«

Evie dreht sich um, sodass sie nicht mehr mit dem Gesicht zur Mauer steht, sondern sich an die Mauer lehnt. Sie überkreuzt ihre Füße und steckt die Hände in die Taschen.

»Sollen wir uns T-Shirts machen lassen ...?«, scherzt sie, und als sie sich in die Augen sehen, ist da ein gewisses Knistern. Es ist wirklich ein ganz besonderer Club, denkt Evie. Das ist einem nicht klar, bis es einem klar wird. »Du scheinst jedenfalls bemerkenswert gut damit klarzukommen«, fügt sie hinzu. »Mein Kompliment an deine Therapeutin.«

»Ha.« Duke lächelt. »Ich werde es Phoebe ausrichten.«

»Phoebe?«, wiederholt Evie. »Das klingt nicht nach einem Therapeutennamen. Patrice oder Monica, das sind Therapeutennamen.«

»Jonathan.«

»Jonathan!«, ruft Evie aus. »Ja. Vielleicht sollten sie gemeinsam mit ihren Diplomen auch einen anderen Namen bekommen. Einem Jonathan würde ich vertrauen. Obwohl ich, oje, nicht weiß, wie sie es schaffen, sich den ganzen Tag das Gejammer anderer Leute anzuhören. Ich würde mich aus dem Fenster stürzen. Sollen wir weitergehen? Langsam friere ich mir den Arsch ab.«

Sie beschließen, nachzusehen, ob es auf der anderen Seite auch einen Weg zurück ins Zentrum gibt, und ermutigen sich gegenseitig, die Gegend zu erkunden.

»Therapeutin steht also nicht mehr auf deiner Liste der Jobalternativen, nehme ich an?«, erkundigt sich Duke, als sie einen sehr schwach beleuchteten Durchgang finden, der sie entweder genau dorthin führen könnte, wo sie hinmüssen, oder aber zu ihrem vorzeitigen gemeinsamen Tod durch einen Axtmörder.

»Im Moment bin ich absolut nicht beschäftigungsfähig«, scherzt Evie. »Wer gibt schon einer Frau einen Job, die ihn in eine Romanhandlung einfließen lässt?«

»Muss ich vorsichtig sein mit dem, was ich sage?«, fragt Duke über die Schulter hinweg. Er geht voran. Evie reckt sich in der Dunkelheit, um einen guten Blick auf seinen Hintern zu erhaschen, bevor sie sich wirklich bewusst ist, was sie da tut. Sie ertappt sich selbst. Warum schaut sie hin? Es ist ja nicht so, dass sie in ihn verknallt wäre oder so.

»Immer.« Sie lacht. »Ich kann für nichts garantieren.«

»Notiert.« Duke kichert, und Evie hat das Bedürfnis, etwas klarzustellen.

»Damit du mich verstehst«, sagt sie, »ich meine es absolut ernst. Als Schriftstellerin weiß ich, dass es zwei Dinge gibt, die wahr sind. Erstens: Selbst wenn du als Autorin etwas, was deine Figur sagt, nicht glaubst, werden die Leute annehmen, dass es deine Wahrheit ist, und entsprechend handeln. Wenn dein Protagonist denkt, dass *Leben, Lachen, Lieben* die grundlegenden Gebote sind, nimmt jeder an, dass du das genauso siehst und zudem eine hochnäsige Zicke bist. Wenn dein Antiheld Oliven hasst und glaubt, dass jeder, der sie auf einer Party serviert, ohne Geschmacksnerven geboren wurde, wird dir niemand jemals wieder eine entsteinte Kalamata anbieten. Die wenigsten Leute können das Buch von der Autorin oder dem Autor trennen, und das kotzt mich an.«

Duke kichert wieder, und Evie ist nicht entgangen, dass sie gerade dabei ist, ihn zum Lachen zu bringen. Es tut ihr gut, ihn zu amüsieren.

»Was ist das Zweite?«, fragt er.

»Dass ich mir nicht vornehme, eine Elster zu sein oder in den Kadavern der Geschichten anderer Leute herumzustochern, sondern dass es einfach so passiert. Ich schreibe über Menschen, und ich habe auch täglich mit Menschen zu tun. Na ja ...« Sie überlegt. »Meistens täglich.« Wenn ein Abgabetermin naht, bleibt sie oft tagelang zu Hause, ungeduscht, und macht nur Pausen, um den Hund in den Garten zu lassen. Aber abgesehen davon findet sie es hilfreich, in Cafés zu schreiben und die Gespräche anderer Leute zu belauschen oder nach dem Sport in der Umkleidekabine zu verweilen und den Small Talk mitanzuhören.

»Mein Schwarm aus der siebten Klasse taucht in einem meiner Romane auf, mir ist aber erst nach der Veröffentlichung klar geworden, dass ich ihn mir als Erwachsenen vorgestellt und alle seine Eigenschaften verwendet hatte. Die Eigenarten meines Friseurs habe ich auch schon verwendet. Oder das schlechte Benehmen von Verflossenen ...«

Daraufhin dreht er sich um. »Was ist mit Fake-Ex-Freunden?«, fragt er. »Wenn aus unserer Fake-Romanze eine Es-ist-vorbei-Romanze wird, wirst du dann darüber schreiben?«

Evie rollt mit den Augen. »Nimm dich in Acht vor dem Mann, der dich direkt fragt, ob du über ihn schreiben wirst«, sagt sie, meint es aber freundlich. Das ist ihre Art, Nein zu sagen. Ehrlich gesagt, wird sie es nicht tun, wenn sie es verhindern kann. Es ist ihr zu peinlich. Irgendetwas sagt ihr, dass es nicht gut bei ihm ankommen würde, wenn sie das sagt, also schweigt sie lieber.

»Was ist mit dir? Irgendwelche ungelebten Leben?«

Sie sind jetzt wieder auf ungefährlicherem Terrain angekommen. Gerade als Evie sich fragt, wie spät es ist – es ist zu mühsam, ihre

Handschuhe auszuziehen und den Reißverschluss ihres Mantels zu öffnen, um ihr Handy herauszuholen –, schlägt eine Kirchenglocke dreimal. 3 Uhr morgens. Sie läuft schon seit Stunden.

»Eine Zeit lang dachte ich, ich könnte etwas Wissenschaftliches machen – ich liebe es, herauszufinden, wie und warum Dinge funktionieren. Aber ich habe kein Stipendium an der Uni bekommen, weil unser Haushaltseinkommen theoretisch zu hoch war, obwohl ... nun ja, Mum trinkt. Bitte sag es niemandem, denn ich will nicht, dass es in den Zeitungen landet. Ich wollte dieses Leben haben, sie nicht. Aber ja. Theoretisch waren wir eine Mutter-Sohn-Familie aus der Mittelschicht, also brauchte ich auf dem Papier keine Hilfe, aber hinter verschlossenen Türen funktionierte sie kaum, konnte nicht mit Geld, den ganzen Rechnungen und so weiter umgehen. Meine Schauspiellehrerin in der Sekundarschule meinte, ich könnte es mit Vorsprechen versuchen, um dann vielleicht als Statist für ein paar lokale Projekte etwas Geld zu verdienen. Und damit fing alles an. Sobald ich begriffen hatte, dass man seinen Lebensunterhalt damit verdienen kann, vor der Kamera Texte zu sprechen – ich meine, mal ehrlich, das ist doch völlig surreal –, wollte ich nichts anderes mehr machen. Nach meinem ersten Auftritt in dieser BBC-Serie, in der ich der Freund des Hauptdarstellers war, schien meine Mutter eine Zeit lang weniger zu trinken. Ich war vielleicht neunzig Sekunden lang zu sehen, in vier Folgen, aber es war das erste Mal, dass sie so tat, als wäre sie stolz auf mich. Sorry. Ich rede zu viel, nicht wahr? Ich mochte Monologe schon immer.«

Evie merkt, dass es ihm plötzlich unangenehm ist, wie viel er preisgegeben hat, also drängt sie ihn nicht. Die kleinen Seitenstraßen gehen in breitere Straßen über, die sie zurück ins Zentrum führen, und die Lichter lassen das feuchte Kopfsteinpflaster glitzern, denn es ist leicht glitschig.

»Aaah!«, kreischt Evie, als sie auf einem Stein ausrutscht. Sie richtet sich verlegen auf. »Da sucht jemand nach Aufmerksamkeit«, scherzt sie. »Nein, Entschuldigung. So meine ich es nicht, ich wollte nur sagen, dass ich deinem Monolog gebannt zuhöre. Ich fühle mich geehrt, dass du mir vertraust. Und du kannst es wirklich. Ich weiß, was ich vorhin gesagt habe, aber ich kann schweigen wie ein Grab, wenn es sein muss.« Sie verschließt ihre Lippen mit einem imaginären Schlüssel und wirft ihn dann weg. Er kichert.

»Ich glaube dir«, sagt er. »Viele würden das nicht tun.«

Evie strahlt und klimpert mit den Wimpern.

»Um meine traurige Geschichte zu beenden ...«, setzt er wieder an, und sie gehen jetzt näher beieinander, nun ist mehr Platz auf den Straßen. Wenn sie als Fake-Liebespaar unterwegs wären, wäre Evie versucht, ihre Hand in seine gleiten zu lassen. Ihr ist aufgefallen, dass er große Hände hat, mit langen, kräftigen Fingern und perfekt abgerundeten, kurzen Nägeln. »... Überraschenderweise hat das mit meiner Mum nicht angehalten. Aber Gott, ich glaube, ich habe meine ganze Karriere dem Versuch gewidmet, sie so zu beeindrucken, dass sie wieder mit dem Trinken aufhört. Und, Überraschung Nummer zwei: Es war bisher eine absolute Zeitverschwendung.«

»Duke ...«, sagt Evie leise und hält inne. Sie berührt seinen Arm, und er sieht erst auf ihn hinunter und dann wieder zu ihr hinauf. Sie vergisst, was sie eigentlich sagen wollte. Es scheint nicht fair zu sein, dass er so viel Schmerz mit sich herumtragen muss. Wenigstens hat sich Evies Mutter um sie gekümmert, solange sie noch konnte – aber vielleicht macht es das noch schlimmer. Wenn sie eine schreckliche Mutter gewesen wäre, würde es vielleicht nicht so wehtun, sie zu verlieren. So aber fühlt es sich an wie ein Tod ohne Leiche, die man zu Grabe trägt. Manchmal fragt sich Evie mitten in der Nacht, ob sie nicht nur darauf wartet, dass ihre Mutter stirbt, damit sie beide aus dem Fegefeuer entlassen werden.

Sie stehen jetzt still, Evie und Duke, und sie hat ihre Hand nicht von seinem Arm genommen. Sie ist sich nicht sicher, wer den

Abstand zwischen ihnen hat schrumpfen lassen, aber die Lücke hat sich geschlossen. Sie sind vielleicht eine Handbreit voneinander entfernt, und ihr war vorher nicht bewusst, was für eine Tiefe seine Augen haben, wie sie wortlos so viele Geschichten erzählen. Sie könnte mit diesen Augen verschmelzen. Sie könnte noch viele Tage lang nichts anderes tun, als in diese Augen zu schauen. Ist das zu viel? Es ist ihr egal. Er ist schön. Er ist nicht nur gut aussehend, sondern schön. Und sie hat ihn falsch eingeschätzt. Sie hat angenommen, er hätte alles, dieser schicke Schauspieler in der Hauptrolle der Verfilmung ihres Buches, sie dachte, seine Wege seien mit Gold gepflastert. Sie war ungerecht. Sogar mit dem Fake-Dating war sie ungerecht, denn es scheint ihn irgendwie zu belasten. Das kann sie jetzt sehen. Es ist nichts als eine weitere Rolle, die ihm von anderen vorgeschrieben wurde.

Sie ist sich zu neunundneunzig Prozent sicher, dass sie nicht in seiner Liga spielt, aber sie denkt in diesem Moment, als sie sich Millimeter für Millimeter immer näher kommen, dass sie ihn küssen könnte. Also beugt sie sich vor, schlägt die Vorsicht in den Wind und ergreift die Chance, alles zu riskieren, und sie schwört, dass er sich ebenfalls vorbeugt. Er ist nicht abgestoßen von ihr, er hasst sie nicht. Es könnte tatsächlich sein, dass er das auch will …

Die Kirchenuhr schlägt wieder, und Evie springt, plötzlich zur Besinnung gekommen, einen Schritt zurück.

Was hat sie sich nur dabei gedacht?

Sie kann sich nicht in ihn verlieben, sie kann ihn nicht küssen und nichts von alledem fühlen.

»Wir sollten zurückgehen«, verkündet sie und räuspert sich. Duke runzelt die Stirn, nur ein klein wenig, und murmelt dann Zustimmung.

»Okay«, sagt er, und sie gehen ab jetzt schweigend zum Hotel, wie sie es schon ein paarmal getan haben.

»Kaffee«, sagt Evie. »Ich kann diesen Tag nach einer schlaflosen Nacht nicht ohne Kaffee überstehen.«

Sie kommen erst um 5 Uhr morgens wieder im Hotel an. Evie kann nicht glauben, dass die Zeit so schnell vergangen ist. Selbst als sie eine falsche Abzweigung genommen haben und eine Schleife in die entgegengesetzte Richtung gegangen sind, haben sie sich unterhalten und gelacht. Aber jetzt sind sie angekommen, sie haben schließlich den Weg gefunden. Alle müssen wohl erst später ans Set als Duke, denn es ist ruhig. Evie hatte damit gerechnet, neugierigen Blicken und unverschämten Fragen ausweichen zu müssen, aber wie so viele Sorgen war auch diese unnötig. Der Ort ist menschenleer.

»Ich werde einen dreifachen brauchen«, stimmt Duke zu und sieht sich um, als hätte auch er die unheimliche Ruhe bemerkt. »Ich glaube, ich habe seit der Emmy-Verleihung 2015 keine Nacht mehr durchgemacht.«

»Sagt er beiläufig«, spöttelt Evie und rollt mit den Augen.

»Guten Morgen, Mr Carlisle, Ms Bird«, sagt die Barista hinter der Theke. »Ich dachte, Sie wären schon mit den anderen weggefahren.«

Evie verlangt bereits nach einem doppelten Latte, als Duke sagt: »Wie bitte, was? Die anderen sind schon weg?«

»Ja«, sagt die Barista, eine hübsche Frau mit langen braunen Haaren, die zu einem Pferdeschwanz zurückgebunden sind, und zarten, elfenhaften Gesichtszügen. »Die Schauspielerin hat gesagt, es habe eine dringende Programmänderung gegeben, glaube ich. Letzte Nacht.«

Duke sieht Evie an, die merkt, dass sich seine Wirbelsäule aufgerichtet hat und seine Schultern breiter aussehen.

»Ich nehme den Kaffee zum Mitnehmen«, sagt sie der Barista. »Und einen für ihn, bitte.« Aber sie hat ihn schon verloren. Er holt sein Handy heraus, und sein Gesichtsausdruck bedeutet wohl, dass etwas passiert ist.

»Sie sind ohne uns gefahren«, sagt er, schüttelt den Kopf und schaut weiter auf sein Handy. Er blättert durch seine Liste verpasster Anrufe – eine Unmenge von Anrufen, soweit Evie sehen kann – und sagt dann: »Ich war den ganzen Tag am Set, also hat mir niemand etwas gesagt – ich hasse es, wenn ich bei der Arbeit mit An- und Abfahrtsgeschichten belästigt werde. Das lenkt mich ab. Sie haben also meine Sachen gepackt und erwartet, dass ich nach dem Dreh ins Hotel zurückkehre, aber ich bin kurz spazieren gegangen, und mein Fahrer wusste es wohl nicht … Mein Telefon war auf stumm gestellt, und … Habe ich wirklich die ganze Nacht nicht auf mein Handy geschaut?«

Die Barista stellt den Kaffee ab, und Evie holt auch ihr Handy heraus. Sie hat überhaupt nicht darüber nachgedacht, dass sie ihr Handy nicht gecheckt hat. Wenn sie arbeitet, schaltet sie es oft aus und legt es in eine Schublade, sodass es nicht ungewöhnlich ist, dass sie stunden- oder sogar tagelang ohne auskommt. Wenn das Pflegeheim sie braucht, können sie ihre Festnetznummer nutzen und, während sie hier ist, die Nummern der Hotels.

Sie hat auch mehrere verpasste Anrufe von der Produzentin, von Katerina, der Kamerafrau und ihrer Agentin, die wahrscheinlich alle davon ausgehen, dass sie sich aus dem Staub gemacht hat, so wie sie es angedroht hat.

»Hmm …«, murmelt Evie. »Ups …«

»Ja«, sagt Duke. »Ups. Also gut. Ich rufe meinen Fahrer an. Du kommst einfach mit uns mit, ja? Ich meine, dir bleibt ja nichts anderes übrig.«

»Ja, ich würde gerne mit euch mitfahren«, antwortet Evie und nimmt einen Schluck Kaffee, der eine angenehme Trinktemperatur erreicht hat. »Haben sie dich wirklich zurückgelassen?«, neckt sie ihn. Duke sieht sie an. Sie sagt es lächelnd, und sein Gesichtsausdruck zeigt, dass er es auch lustig findet. »Du bist doch viel zu wichtig, um zurückgelassen zu werden.«

»Lass uns einfach den Kaffee trinken. Mir schwirrt der Kopf.«

Um 6 Uhr morgens sitzen sie in Dukes Luxuslimousine, in ledergepolsterten Sitzen, und Evie erscheint das Leder weicher als Butter. Sie konnten beide noch schnell duschen, und Evie hat ihre Koffer selbst gepackt, weil ihr, als unbedeutender Autorin, niemand diesen Job abgenommen hat wie bei Duke. Sie haben ein Frühstückssandwich verschlungen und einen weiteren Kaffee getrunken, während sie darauf gewartet haben, dass Dukes Fahrer tankt, und bis jetzt, wo sie unterwegs sind, hat Duke die meiste Zeit am Telefon verbracht.

»Das Budget …«, murrt er, während sie die Autobahn mit einer Geschwindigkeit hinunterflitzen, die Evie außer im Flugzeug noch nie erlebt hat. Offenbar gibt es in Deutschland keine Tempolimits. »Sie versuchen, die Produktion um zwei Tage zu verkürzen, weil Brad sicherstellen muss, dass er unter einer bestimmten Summe bleibt. Deshalb wurden die Drehpläne und die entsprechenden Drehorte so plötzlich verschoben.«

»Spielt das wirklich eine Rolle?«, fragt Evie und versucht, die Welt aus dem Fenster zu beobachten, hat aber Mühe, ihre Augen an die Unschärfe zu gewöhnen. »Das Budget?«

»Ja, das tut es«, sagt Duke in gereiztem Ton, während er halb aufblickt und anscheinend beschließt, dass sie der Mühe nicht wert ist, und sich sofort wieder seinem Handy zuwendet.

Sein Ton ist scharf, und Evie beschließt, es als eine Mischung aus Verlegenheit und Frustration abzutun. Sie meinte nur, dass zwei Tage wohl kaum einen Unterschied im Budget ausmachen würden, wenn man bedenkt, welche Summen hier im Spiel sind. Aber vielleicht ist das naiv. Was weiß sie schon? Das ist nicht ihre Branche. Alles, was sie weiß, ist, dass sie beim Schreiben von *Auf der Romantischen Straße* viel Zeit damit verbracht hat, all die malerischen Städte und Schlösser zu googeln, und nun das Schaezlerpalais in Augsburg tatsächlich besuchen zu können, ist eine Gelegenheit, von der sie nicht zu träumen gewagt hätte. Es ist das Einzige, worauf sie sich bei der Vertragsunterzeichnung ein bisschen gefreut hat, und wenn sie jetzt schon geblieben ist und sich Mühe gibt, gute Laune zu haben, will sie es auch sehen.

Die Unschärfen vor dem Fenster werden immer deutlicher, und Evie sieht Lastwagen und andere Autos. Zuerst werden sie langsamer, und Duke schaut endlich von seinem Handy auf.

»Viel Verkehr?«, fragt er den Fahrer, und der antwortet: »Ein Unfall, glaube ich.«

Dann halten sie ganz an.

Hinter ihnen leuchten die Blinklichter der Rettungskräfte auf, die alle beharrlich dazu auffordern, eine Rettungsgasse zu bilden.

»Dann muss es sich tatsächlich um einen Unfall handeln«, stellt Evie fest.

»Meinst du?«, fragt Duke und wippt in einem unregelmäßigen Rhythmus mit dem Fuß.

Evie wirft ihm einen Blick zu. »Hey«, sagt sie. »Du kannst dir Sorgen darüber machen, ob wir die anderen einholen, ohne mir gegenüber ein Arschloch zu sein. Reg dich ab.«

Duke seufzt gereizt. »Ich denke, ich kann mir ein wenig Spielraum beim Arschlochsein erlauben«, sagt er. »Schließlich ist es deine Schuld.«

Evie glaubt, dass er nur einen Scherz macht, und lacht, bevor sie sein ernstes Gesicht bemerkt. »Wie, im Ernst jetzt?«

»Es war deine Idee, auf den Hügel zu steigen«, sagt er.

»Und die Waffe, die ich dir an den Kopf gehalten habe, hat dich dazu überredet«, erwidert sie.

»Du hast geweint! Was hätte ich denn tun sollen, dich allein lassen?«

Evies Mund steht vor Verblüffung kurz offen. »Du bist also die ganze Nacht mit mir herumgelaufen, weil du … weil ich dir leidgetan habe?«

Sie schaut ihm in die Augen, kühn und trotzig. Sie braucht sein

Mitleid nicht. Das ist genau der Grund, warum sie den Leuten nichts von ihrer Mutter erzählt. Es geht ihr gut. Sie dachte, er wolle den blöden Spaziergang machen. Sie war schon auf dem Weg zurück ins Hotel, als sie ihn gesehen hat. Sie wollte nur die Wogen glätten und sich versöhnen; sie hätte sich die Mühe sparen können.

»Und?«, drängt sie, als er nicht sofort antwortet.

»Vergiss es«, sagt er, wendet seine Aufmerksamkeit nach draußen und reckt den Hals, um zu sehen, was los ist.

Sie warten, und zwischen ihnen ist ganz viel Groll. Evie ist sich nicht sicher, was das jetzt wieder für eine Wendung ist, aber sie weiß mit Sicherheit, dass sie gerade eine Seite von Duke Carlisle sieht, die ihr nicht gefällt. Je schneller sie nach Augsburg kommen, desto besser. Zwischen ihnen ist es nicht annähernd so, wie sie dachte. Seine Launen sind tückisch. Liegt es daran, dass er es immer schön angenehm und leicht hat? Wie heißt es so schön – man lernt viel über einen Menschen, wenn man weiß, wie er reagiert, wenn sein Gepäck verloren geht oder er von einem plötzlichen Regenschauer erwischt wird. Offensichtlich kann Duke nur charmant sein, wenn alles gut läuft – und das ist nicht das wahre Leben.

Mehr Blaulichter blinken, mehr Autos fahren auf den Standstreifen, um sie durchzulassen, und sie warten zehn, fünfzehn, dreißig Minuten, während Evie längst ihre AirPods eingesetzt hat und Duke weiterhin auf seinem Handy herumscrollt.

Vierzig Minuten. Fünfundvierzig. Es beginnt zu schneien. Eine Stunde. Sie stehen immer noch.

Evie sieht, wie der Fahrer sich umdreht, um mit Duke zu sprechen, und zieht einen AirPod heraus, um zuzuhören.

»Was meinen Sie mit geschlossen bis morgen früh?«, hört sie Duke fragen. »Können wir nicht einen anderen Weg nehmen?«

Der Fahrer nickt, um anzuzeigen, dass er die Bitte verstanden hat. »Die kleineren Straßen wären, selbst wenn ich sie erreichen könnte, bei diesem Wetter sehr gefährlich. Das wäre nicht gut. Das ist ein großes Auto, und der Schnee ...«

Sie drehen sich beide um und schauen aus dem Fenster, aus dem der Fahrer gestikuliert. Es ist windig, wirklich windig. Seit sie hier stehen, sind schon einige Zentimeter Schnee gefallen, der jetzt zu einem Schneesturm aufgewirbelt wird.

»Sie haben gerade im Radio durchgegeben, dass man nicht weiterfahren soll«, sagt der Fahrer.

Duke argumentiert, zählt all die Gründe auf, warum das unmöglich ist, warum er ein besonderer Fall ist, den das Wetter nicht beeinträchtigen darf, bietet mehr Geld an, einen kleinen Aufschlag, wenn der Fahrer irgendwie weiterfährt, und Evie kann sehen, dass der Fahrer umso unbeeindruckter wird, je mehr Duke redet. Und, ehrlich gesagt, je mehr Duke redet, desto unbeeindruckter ist auch Evie.

»Duke«, sagt sie schließlich, als er eine Atempause macht. »Niemand kann einen Schneesturm kontrollieren. Er muss einfach vorbeiziehen. Schau!« Sie deutet aus dem Fenster. »Die Leute lassen ihre Autos auf der Autobahn stehen.« Zur Betonung klatscht sie nach jedem Wort. »Ein Aufschlag von zweihundertdreißig Euro kann da nichts dran ändern.«

Duke bläht seine Nasenflügel auf und atmet schwer. Er ist verärgert. So richtig wütend. Evie will nicht andeuten, dass das unverhältnismäßig ist, aber es geht in die Richtung. Sie lässt ihm Zeit, in der Realität anzukommen. Er beobachtet, wie eine Familie auf der anderen Fahrspur ihre beiden Kinder aus dem Auto holt. Jeder Elternteil trägt ein Kind, und alle senken die Köpfe, um sich vor dem Wind und Schnee zu schützen.

»Da vorn ist eine Tankstelle«, sagt der Fahrer. »Wir müssen los.«

Duke sieht Evie zur Bestätigung an, und sie nickt, während er den Reißverschluss seiner Jacke zuzieht.

17

DUKE

Ihm kommt der Gedanke, dass bei einem solchen Schneesturm, bei dem sie ihr Auto stehen lassen müssen, auch keine Dreharbeiten stattfinden können. Das ist im Grunde eine Gnade, man wird ihm nicht die Schuld an den weiteren Verzögerungen geben können. Gott sei Dank!

Duke wünscht sich, er hätte passendere Schuhe an, denn der Schnee braucht nur Sekunden, um in seine Turnschuhe zu sickern und seine Füße in Eisklumpen zu verwandeln. Evie hat daran gedacht, Ersatzsocken, Pullover und ihre Zahnbürste aus ihrem Koffer zu holen und in eine Tasche zu stecken, aber Duke steht mit leeren Händen da. Er fragt sich, ob Tankstellen auch Socken verkaufen.

Sie gehen etwa zehn Minuten, kommen an der Unfallstelle vorbei, zum Glück scheint niemand ernsthaft verletzt worden zu sein, aber zwei Autos blockieren die gesamte Autobahnspur. Der Krankenwagen ist eingeschneit, ebenso das Polizeiauto, und so braucht es nicht viel Fantasie, um sich vorzustellen, dass der Abschleppwagen nicht durch den Schnee gekommen ist.

»So ein Wetter habe ich noch nie erlebt!«, ruft Evie aus, als sie auf dem Parkplatz ankommen. Hier steht ein mittelgroßes, gedrungenes Gebäude, das zum Glück über Strom verfügt. Es gibt ein paar Fast-Food-Restaurants, Toiletten, gebührenpflichtige Duschen und zwei Cafés. Es herrscht eine gedämpfte Atmosphäre, als hätte der Schnee die komplette Lautstärke gedämmt.

»Nein«, sagt Duke und mäßigt vorsichtig seinen Ton, um die Gereiztheit von vorhin auszugleichen. »Ich auch nicht.«

Der Fahrer verabschiedet sich und sagt, er werde Duke eine Textnachricht schicken, sobald er etwas wisse. Evie und Duke bleiben also allein zurück. Sie stehen nebeneinander und begutachten die Möglichkeiten. Nachdem Duke sich ein-, zwei-, zwanzigmal umgesehen hat, will er sagen: »Sollen wir uns ein Plätzchen suchen, wo wir uns aufwärmen können?«, doch in diesem Moment kündigt Evie an: »Ich gehe auf Erkundungstour. Bis später.«

Sie ist weg, bevor er sie aufhalten kann. Verdammt. Er hat es vermasselt; er hätte nicht so schroff sein sollen. Aber er hat es von allen Seiten abbekommen: von der Produktion, von Brad, seinem Team – sogar Daphne hatte eine leicht abschätzige Bemerkung darüber gemacht. Der allgemeine Tenor lautete: *Wer schaut fünf Stunden lang nicht auf sein Handy, nachdem er vom Set verschwunden ist?* Wie kommt es, dass er, während er mit Evie zusammen war, vergessen hat, dass der Rest der Welt existiert, geschweige denn sein Handy? Und dass er es im Grunde nicht bereut?

Er wollte nicht, dass jene Nacht endet. Irgendetwas war anders mit ihr – sie hatte sich endlich geöffnet. Er kennt sie noch nicht lange, aber er weiß genug, um zu verstehen, dass das ein seltenes Ereignis ist. *Was für ein Zufall!* Er war da, und sie war da, und beide hatten das Gefühl, dass es besser war, zusammen als allein zu sein. Also gingen sie spazieren, redeten und lachten, und sie brachte ihn auch zum Nachdenken. Alles, was er für selbstverständlich hält, hinterfragt sie. Er wird sich darüber bewusst, dass er viel mehr Einfluss darauf hat, wann er sich unglücklich fühlt, als er es für möglich gehalten hätte. Sie hat es in einer Nacht geschafft, dass er sich verantwortlicher für sich selbst fühlt – mehr, als seine Therapeutin Phoebe es in sechs Jahren geschafft hat. Evies Blick auf die Welt macht ihm seine eigene Sichtweise klarer.

Er öffnet den Reißverschluss seines Mantels, behält ihn aber vorerst an. Vielleicht gibt es eine Heizung, auf die er ihn legen kann, oder zumindest einen Kleiderhaken. Seine Füße sind eiskalt, also geht er in den Laden, wo er zu seiner Freude eine bescheidene Auswahl an Winterartikeln findet: Socken, Handschuhe, Gummistiefel, kleine Taschenwärmer-Packs. Er deckt sich damit ein, nur für den Fall, dass das hier länger dauert, als ihm lieb ist. Anschließend geht er zum größten Fenster, um zu schauen, wie es mittlerweile draußen aussieht. Es schneit immer noch stark. Verdammt!

Drei Runden durch den Raum und einen Toilettengang später sind seine Füße in den neuen Wandersocken und den furchtbar hässlichen Plastikstiefeln durchgewärmt. Dann sieht er sie in einem der Cafés – mit einem Mann. Das kann sie nicht sein, denkt er auf den ersten Blick, denn sie ist nicht allein – aber sie ist es. Ihr Mantel liegt über der Stuhllehne, ihr Haar ist in den Rollkragen gesteckt, ihre Hände umschlingen einen großen blauen Becher, als sei sie die Schauspielerin, nicht er. Niemand hält eine Tasse so. Was ist denn mit dem Henkel? Sie berührt immer wieder ihre Wange und lacht. Nein, sie lacht nicht, sie kichert. Der Typ ist vielleicht Anfang vierzig, hat sehr schicke Haare und ein markantes Kinn. Duke achtet bei Männern immer auf die Kieferpartie, denn für seine musste er hart arbeiten. Er kaut gummiartige Gewichte, um sie stärker zu definieren. Er hasst diesen Typen jetzt schon dafür, dass er so heiß ist.

Soll er rübergehen? Sie unterbrechen? Er kann sich nicht entscheiden. Evie ist nicht sein Eigentum. Sie kann reden, mit wem sie will, flirten, mit wem sie will. Und doch ist da ein Gefühl in Dukes Unterleib, seinem Bauch, nimmt er an, dem nicht gefällt, was er da sieht, und er will, dass es aufhört. Sie blickt auf, bevor er sich entscheiden kann, was er tun soll. Sie sehen sich in die Augen. Wenn die Panikreaktion Kampf oder Flucht ist, weiß Duke nicht, wohin er tendiert, da er wie festgefroren auf der Stelle steht. Sie hebt eine Hand. Er weiß nicht, ob das bedeutet, dass sie ihn erkannt hat oder dass sie ihn auffordert, dazuzukommen. Sie plaudert wieder mit dem Typen. Duke kann das nicht ertragen, beschließt er. Er will wenigstens erfahren, worüber sie reden, was sie dazu bringt, dem Typen schöne Augen zu machen.

»Du siehst aus, als hättest du dich hier für längere Zeit eingerichtet«, sagt Duke kühl, als er ihren Tisch erreicht. Mit seinem Mantel, den albernen Tankstellenstiefeln und beladen mit Tüten voller reduzierter Ware sieht er lächerlich aus. Der Typ, mit dem Evie zusammensitzt, trägt leichte, flauschige Stoffe und wirkt so entspannt und locker wie Bear Grylls.

»Duke«, sagt Evie. Freut sie sich etwa, ihn zu sehen? »Das ist Markus. Markus meint, dass wir noch ein paar Stunden hier festsitzen werden.«

»Ich arbeite bei einem Nachrichtensender.« Markus lächelt. »Also habe ich einen Meteorologen auf Kurzwahl.« Er hat einen Akzent, spricht aber ansonsten perfektes Englisch.

»Schade, dass du ihn nicht angerufen hast, bevor du heute Morgen losgefahren bist.« Duke lächelt zurück, aber der Humor, den er in den Scherz einbringen wollte, kommt nicht rüber.

»Ja, das habe ich auch gedacht, bis ich Evie getroffen habe.« Er ist glatt und geschmeidig. Zu geschmeidig. Duke wird sie nicht mit ihm allein lassen. Nein. Auf keinen Fall. Also stellt er seine Taschen ab und wendet sich einem leeren Stuhl am Nachbartisch zu.

»Darf ich mich zu euch setzen?«, fragt er, aber er weiß, dass es keine Frage ist. »Noch eine heiße Schokolade für alle?«

Evie schaut ihn aufmerksam an, um einschätzen zu können, was er denkt.

»Was ist?« Duke blinzelt Evie an, denn er wird ihren Streit nicht erwähnen, wenn sie es nicht tut.

»Mit Marshmallows und ohne Schlagsahne«, sagt sie und weicht seiner Aufforderung aus.

»Mit Sahne und ohne Marshmallows«, sagt Markus, statt zum Tresen zu gehen. Duke will verdammt sein, wenn er die beiden noch eine Sekunde länger allein lässt. Also winkt er ein zwölfjähriges Kind heran und fragt: »*Hey, do you speak English?*«

»*Of course*«, sagt das Kind in einem Englisch, das so gut ist wie das aller Deutschen, die Duke bisher getroffen hat.

»Willst du dir fünfzig Euro verdienen?«, fragt Duke, und er weiß, dass es eine dumme Idee ist, aber er gibt ihm einen Hundert-Euro-Schein, und der Junge zieht los, um ihnen ihre Getränke zu holen.

»Du bist unglaublich«, murmelt Evie, aber mit den Augenrändern lächelt sie leicht. Duke weiß, dass er sich auf dem schmalen Grat zwischen exzentrischem Charme und Idiotie bewegt, aber angesichts der Schmunzelfältchen geht er mal davon aus, dass es schon richtig ist.

Sie unterhalten sich freundlich, und Duke hasst es, dass Markus es nicht schlimm zu finden scheint, dass sie in diesem winzigen Boxenstopp mitten im Nirgendwo festhängen, dem letzten Ort, an dem man erwarten würde, den Sexiest Man 2018 des *People Magazine* zu treffen. Er nimmt alles gelassen hin, und wenn er Evie nicht ständig so angaffen würde, würde Duke beinahe sein Kumpel sein wollen. Aber weil Markus Evie so anguckt, will Duke, dass er sich verpisst.

»Was machst du denn?«, zischt Evie ihn an, als Markus sich kurz entschuldigt, um einen Anruf entgegenzunehmen. »Hier gibt es keine Kameras, Duke. Du kannst die Show sein lassen.«

»Ich weiß nicht, was du meinst«, antwortet Duke. »Ich spreche mit unserem neuen Freund. Es gibt doch sonst nichts zu tun, während wir hier warten, oder?«

Sie schüttelt den Kopf. »Was ist mit all den enorm wichtigen Textnachrichten, mit denen du vorhin so beschäftigt warst? Oder mit noch mehr Schmollen? Du bist doch so gut darin, dir so die Zeit zu vertreiben.«

Gott, er findet sie wirklich sexy, denkt er, und dann: *Oh, verdammt. Was? Wo kommt das denn her?* Dann sieht er sie richtig an.

Ihre spitzen Widerhaken, die töten können, ihre geröteten Wangen, das winzige bisschen Kakaopulver in der Nähe ihrer Nase – sie ist umwerfend.

»Hör mal, es tut mir leid wegen vorhin. Ich war … durcheinander. Möchtest du, dass ich auf die Knie gehe und mich auf tausend verschiedene Arten entschuldige? Denn ich kann das.«

»Auf die Knie zu gehen, klingt eigentlich perfekt«, kontert Evie und nimmt ihn beim Wort. Duke atmet tief ein und aus. Nun, wenn es das ist, was die Lady will …

»Oh, Evie!«, schreit er, schiebt seinen Stuhl zurück und lässt sich auf ein Knie zu Boden sinken. Als ein Vater zwei Tische weiter seine Partnerin anstupst, merkt Duke, dass es wie ein Heiratsantrag aussieht, und stützt auch das andere Knie auf den Boden.

»Evie Bird, Bestsellerautorin, Dame des mitternächtlichen Spaziergang-Wissens und der endlosen und verletzenden, aber seltsam provokanten Sticheleien, ich bitte dich aufrichtig um Entschuldigung! Du bist eine holde Maid und ich nur ein unhöflicher, empörter Unhold, und nichts auf dieser Welt wäre gut genug, um mich so bei dir zu entschuldigen, wie du es wahrhaftig verdienst! Evie! Ich flehe um dein Erbarmen! Ich flehe um deine Gnade, oh, Wohlwollende!«

Evie sieht ihn an und sagt mit einem vollkommen unbewegten Gesicht, was umso beeindruckender ist, wenn man bedenkt, dass fast jeder im Café sie ansieht: »Ich vergebe dir. Das war eine sehr gekonnte Entschuldigung. Gut gemacht.«

Duke hatte gehofft, sie zum Lachen zu bringen. Er begnügt sich damit, wieder an seinen Platz am Tisch zurückzukehren.

»Dein nicht ganz so heimlicher Verehrer ist nicht zurückgekommen …«, sagt Duke, und Evie hebt eine Augenbraue.

»Ist das überraschend?«, fragt sie.

Duke schürzt die Lippen. »Ich weiß nicht, was du damit sagen willst«, erwidert er schnell, zu schnell. »Ich finde, ihr beiden passt perfekt zueinander.«

Evie antwortet nicht, sondern ist nur damit beschäftigt, sich Lippenbalsam auf die perfekten Kusslippen zu schmieren und ein Pfefferminzbonbon zu kauen.

»Willst du eins?«, fragt sie, und Duke lächelt. »Ist das eine Anspielung?«

Was er meinte, war, dass der Lippenbalsam und das Pfefferminzbonbon ein Hinweis darauf sind, dass ein Kuss bevorstehen könnte. Sie weiß, dass er das so gemeint hat. Aber sie will ihn lieber auf die Palme bringen und sagt: »Ehrlich gesagt, ja. Du hast Mundgeruch wie ein Abwasserkanal.«

Duke gerät plötzlich in Panik, dass das wahr sein könnte, und reißt ihr praktisch die Pfefferminzbonbons aus der Hand. Er nimmt zwei und lutscht schnell, und als er sie wieder ansieht, sieht er, dass sie lacht. Sehr heftig.

»Du bist ein Witzbold, Mister«, sagt sie.

Er schluckt die Tic Tacs herunter.

»Ist das so?«, fragt er.

»Jawohl.«

»Hmm.«

»Das drückt es ziemlich genau aus«, gackert sie.

Dann fällt der Groschen. Sie wird es ihm nicht leicht machen. Jetzt ist er an der Reihe, den nächsten Schritt zu tun, bei was auch immer das ist. Gestern Abend wirkte es beinahe so, als wollte sie ihn küssen. Konnte das sein? Konnte es sein, dass sie beide an einem Punkt angelangt sind, der vielversprechend ist?

»Evie?«, fragt Duke, der eine verbale Bestätigung braucht. Sie kaut auf ihren Lippen und hebt als Antwort die Augenbrauen. »Ich bin am Zug, nicht wahr?« Er grinst.

Sie grinst zurück, und schon sind sie auf der gleichen – unerwarteten – Seite.

»Oh, ja«, sagt sie. »Und sieh mal zu, dass es ein guter wird.«

»Hey«, flüstert Duke, so nah an ihrem Gesicht, wie er kann, um niemanden sonst zu wecken. »Evie, wach auf … Pssst …«

Sie sah so friedlich aus, dass es fast schon gemein war, sie anzustupsen, aber sie hat den Fehdehandschuh so provokant hingeworfen, dass Duke handeln muss, bevor er den Mut verliert. Er weiß nicht genau, was es mit ihr auf sich hat, warum sie ihn so tief verunsichert. Vielleicht ist es ihre ganz offensichtliche Geringschätzung seiner Arbeit und seines Ruhms. Sie räumt das ein, drängt ihn aber, ihr zu zeigen, was es sonst noch gibt. Das erschrickt und beflügelt ihn. Es ist ein süchtig machender Rausch. Er will wirklich für das geschätzt werden, was er ist, und sie fordert ihn heraus, ihr zuerst zu zeigen, wer er ohne den Ruhm ist.

Er beobachtet, wie Evie den Kopf vom Tisch hebt, auf dem sie ihn abgelegt hatte. Es ist mitten in der Nacht. Sie sind immer noch in der Tankstelle und warten auf die Nachricht, dass es sicher ist, zum Auto zurückzukehren. Der Verkehr in Richtung Norden fließt, aber erst bei Sonnenaufgang werden die Trümmer des Unfalls auf der Straße in Richtung Süden beseitigt sein, und das auch erst, nachdem der Schnee geräumt ist. Mittlerweile hat es zwar aufgehört zu schneien, aber es liegt viel Schnee auf der Straße. Drinnen leuchten nur noch die abgedeckten Kühlschränke mit den Lebensmitteln und die Weihnachtsdekoration. Die Musik wurde abgestellt, damit die Leute sich ausruhen können, als wären sie alle auf einem Flug irgendwo über dem Atlantik und würden von einer lächelnden Stewardess mit nach Zitrone duftenden nassen Handtüchern geweckt, wenn es an der Zeit ist, sich auf die Landung vorzubereiten. Etwa fünfzig Leute sitzen mit ihnen fest, es ist also nicht allzu voll – zum Glück, denn das war der Auslöser für Dukes Plan. So viel Privatsphäre hatte er seit Jahren nicht mehr.

»Hey«, sagt Duke, als sie ihn anschaut. »Bist du okay?«

»War ich«, murmelt sie leise. Sie wischt sich etwas Sabber vom Mund und setzt sich auf. Sie hat Knitterfalten auf der einen Wange.

Duke möchte eine Hand ausstrecken, ihr Gesicht streicheln und ihr Kinn berühren, aber er tut es nicht.

»Ja«, flüstert er zurück. »Tut mir leid, dass ich dich geweckt habe. Ich habe mich nur gefragt, ob du Lust hättest auf ein nicht vorgetäuschtes Date.«

Sie lächelt beinahe. »Was?«, fragt sie. »Jetzt?«

Sie sagt es, als ob sie es für einen Witz hielt, aber Duke nickt. »Ja. Komm schon.«

Er hält ihr die Hand hin, und sie nimmt sie mit einem verwirrten Gesichtsausdruck. Er führt sie zum anderen Ende des Servicebereichs und hinter den Tresen einer der Verkaufsstellen. Mit ineinander verschlungenen Fingern, die Handflächen berühren sich, führt er sie um eine Ecke und zieht einen Vorhang zurück. Er lässt ihre Hand los, tritt zur Seite und zeigt, woran er in den letzten Stunden gearbeitet hat.

»Ta-da!«, sagt er.

Er hat einen kleinen, runden Tisch und zwei Stühle aufgestellt. Ein dunkelrotes Tischtuch mit einem kleinen Weihnachtsstern schmückt den Tisch, um die Stuhllehnen ist Lametta gewickelt. Das Licht kommt von Hunderten von Lichterketten, die unterschiedlich eng um die frei liegenden Balken geschlungen sind, sodass einige Teile tiefer hängen als andere. Auf einer in die Wand eingelassenen Bank stehen Bier, Wasser, eine Auswahl an Wurstwaren, Brot und Käse. Duke findet das Feuerzeug, das er in seiner Hosentasche versteckt hat, um eine einzelne rote Kerze anzuzünden.

»Ich wollte eine offene Flamme nicht unbeaufsichtigt lassen«, erklärt er und wartet darauf, dass Evie etwas sagt.

»Was zum …?«, bringt sie langsam hervor. Er findet, dass es ein gutes »Was zum …?« ist. »Ist das dein Ernst? Duke!«

Sie dreht sich um die eigene Achse, lässt alles auf sich wirken und setzt sich dann, mit großen Augen und halb offenem Mund, hin. »Das ist sehr süß.«

Duke nimmt ebenfalls Platz in ihrer Grotte für zwei. »Nun«, sagt er. »Ich habe auf das gehört, was du gesagt hast. Ich weiß, dass die Show-Romanze …«

»Nicht so toll war«, sagt sie und hält ihm ihr Glas hin, damit er es füllen kann.

»Nicht so toll war, ja«, antwortet er, und nachdem er ihr Bier eingeschenkt hat, füllt er sein eigenes Glas. »Aber ich dachte mir, hier, in dieser total seltsamen deutschen Tankstelle, mitten in der Nacht, wenn alle schlafen, sind wir vielleicht völlig unbeobachtet und haben genug Zeit für uns allein, um es mal normal angehen zu lassen. Als Entschuldigung, vielleicht? Das ist alles sehr viel. Ich weiß.«

»Darauf stoßen wir an, Duke Carlisle«, sagt Evie, und sie stoßen an.

»Nenn mich einfach Duke«, sagt er. »Oder Derrick, wenn du meinen richtigen Namen wissen willst.«

»Oh mein Gott!« Evie lacht. »Duke ist nicht dein richtiger Name? Du heißt *Derrick?!*«

»Derrick Jones«, gibt Duke zu. »Derrick James Jones.«

Sie lässt diese neue Information auf sich wirken. »Wie viele Leute wissen das?«, fragt sie.

»Nicht viele.«

Sie nickt, als ob sie die Tragweite dieser Enthüllung verstehen würde.

»Der Transparenz halber solltest du wissen, dass mein Name tatsächlich Evie ist. Evelyn, genau genommen, wie meine Mutter. Kein zweiter Vorname, nur Evie Bird.«

»Das passt zu dir«, sagt Duke. »Klassisch, mit einem Twist.«

Sie tätschelt ihr Haar wie ein Starlet. »Vielen Dank aber auch«, sagt sie mit einem albernen Akzent. »Ich habe ihn absolut nicht selbst ausgesucht.«

Sie lachen.

»Datest du viel?«, fragt Duke und macht sich auf die Antwort gefasst. Sie hat zwar gesagt, dass sie Single ist, aber das heißt nicht, dass sie nicht vielleicht eine Freundschaft Plus oder etwas anderes am Laufen hat.

»Wer, ich?«, erwidert sie. »Ich, der ungeniert-naive, alberne, verspielte Star?« Sie zieht die Augenbrauen hoch, als hätte er sie gerade gefragt, ob sie lieber in den Vorgarten oder in den Garten kackt. »Nein«, sagt sie. »Nicht mehr. Wie hat Einstein das noch mal ausgedrückt? Immer wieder das Gleiche zu tun und andere Ergebnisse zu erwarten, ist die Definition von Wahnsinn. Nun, ja, hi, hallo. Das war ich, bis ich zweiunddreißig war.«

»Wie alt bist du jetzt?«

»Wie wäre es, wenn du eine Dame nicht nach ihrem Alter fragen würdest?«

»Habe ich nicht, ich habe dich gefragt.«

»Ha, ha.«

Sie trinken.

Duke beschließt, das Gespräch weiter anzukurbeln. »Dir ist schon klar, dass ich jetzt fragen muss, was passiert ist, als du zweiunddreißig warst, oder?«

»Frag, so viel du willst.« Evie grinst und trinkt ihr Bier aus. »Aber wenn du glaubst, dass es eine gute Idee ist, bei einem ersten Date über Ex-Liebhaber zu sprechen, dann kann ich verstehen, warum du immer noch Single bist.«

»Autsch.«

»Irgendjemand muss dir ja Nachhilfe geben.«

Sie starren sich wieder an. Lächeln wieder. Die Atmosphäre wird immer aufgeladener.

»Weiter«, fordert Duke sie auf. »Wenn das vor zehn Jahren gewesen wäre und du immer noch daten würdest …«

»Ich bin nicht zweiundvierzig, du Arsch.«

»Warum nennst du mich ständig so?«

»Weil du dich weiterhin wie einer benimmst!«

Er starrt sie an.

»Was sind akzeptable Gesprächsthemen für ein erstes Date, Ms Bird?«, fragt er dann.

Sie gibt einen Würgelaut von sich. »Oh Gott.« Sie lacht. »Ich weiß es nicht! Ich habe doch gesagt, dass ich schlecht mit Leuten umgehen kann und … Ich weiß es nicht. Ich bin mir bewusst, dass ich kratzbürstig sein kann. So bin ich nun mal.«

»Ich bin begeistert von dir.« Er spricht es mit einem Queen-Akzent aus. Das nimmt der Wahrheit, die sich darin verbirgt, die Schärfe.

»Magda und du also. Die zwei Menschen auf der Welt, die mich interessant finden.«

»Sicherlich nicht.«

»Und meine Mutter«, fügt sie hinzu. »Wenn sie sich erinnert.«

»Willst du darüber reden?«

Wie aus der Pistole geschossen, antwortet sie: »Nein.«

Sie kichern, und sie nimmt die leere Bierflasche in die Hand und zupft am Etikett.

»Ich habe gerade einen Roman gelesen, in dem es um elterliche Demenz geht«, sagt Duke. »Ich kann ihn dir leihen, wenn du willst. Ich habe ihn im Hotel.«

»Danke«, sagt sie. »Gerne. Und danke, dass du nett zu mir bist«, fügt sie hinzu, als Duke beschließt, das Schweigen zuzulassen. Es ist schön, hier mit ihr zu sitzen und ein wenig zu plaudern, ohne dass jemand von ihnen so recht weiß, wo sie sich befinden. Er fühlt sich sicher und wohl. Er überlegt, mit wem er sonst gern zwölf bis achtzehn gestrandete Stunden verbringen wollen würde, aber es fällt ihm niemand ein.

18

EVIE

*D*as ist unglaublich von ihm, denkt sich Evie, als sie einen Blick auf Dukes kantiges Gesicht wirft. Sie liebt es, dass er sich die Mühe gemacht hat, diesen Raum so herzurichten, und sich die Zeit genommen hat, nett zu ihr zu sein. Noch nie war ein Mann so fürsorglich. Ihre Freundinnen, ja. Magda ist im Grunde ihre Ersatzpartnerin, wenn es um Geburtstage, Feiertage und kleine Feiern geht. Magda ist die Person, der Evie eine Nachricht schickt, wenn ihr Flug landet, wenn es Neuigkeiten rund um die Arbeit gibt oder wenn sie sich über einen schlechten Tag beschweren will. Und Magda tut das Gleiche mit ihr. Sie sind zusammen verreist, haben sich für gemeinsame Beste-Freundinnen-Abende herausgeputzt, sich umeinander gekümmert, wenn sie krank waren – aber ein Mann, der sich besonders ins Zeug legt? Nö. Niemals. Deshalb denkt sie sich das alles aus und schreibt es in ihren Büchern auf. Das meinte sie, als sie Duke erzählt hat, dass ihre Geschichten genauso weit von ihrer Realität entfernt sind wie Lichtschwerter und außerirdische Dimensionen. So etwas gibt es einfach nicht, und schon gar nicht bei ihr.

Er ist gerade dabei, eine Geschichte über Jennifer Lawrence zu erzählen, die bei einer Einweihungsfeier in seinem Haus in L.A. voll bekleidet in den Pool gefallen ist. Sie betrachtet ihn. Sie hat ihn falsch eingeschätzt. So viel kann sie zugeben. Sie dachte, er sei ein Egozentriker, ein Schauspieler, der glaubt, die Welt drehe sich nur um ihn. Aber das ist er nicht. Er ist wie der Mond, in dem sich die Strahlen der Sonne spiegeln. Er stellt sich nicht in den Mittelpunkt des Sonnensystems, was von Charakter und Reife zeugt.

Sie krümmt ihren Rücken ein wenig, als ob sie sich nach so langem Sitzen unwohl fühle. Das tut sie nicht, aber sie hat einen Plan. Sie verrenkt den Nacken und rutscht dann auf ihrem Stuhl hin und her, hebt ihn heimlich hoch und bewegt ihn ein paar Zentimeter in Dukes Richtung, nur um zu sehen, wie es sich anfühlt. Es lässt ihn in seiner Geschichte innehalten, als wäre er sich nicht sicher, ob er das richtig versteht. Die Frauen müssen sich ihm doch ständig an den Hals werfen. Er weiß, wie das läuft, denkt sie. Nicht, dass sie einen Schritt auf ihn zumacht, es ist nur … die Nähe zu ihm. Und doch scheint er nervös zu sein, er schluckt schwer, als Evie sich das Haar langsam über die Schulter streicht und sich wieder auf die Unterlippe beißt. Was tut sie da? Fordert sie ihn heraus?

»Entschuldigung«, sagt sie mit sanfter Stimme und festem Augenkontakt. »Ich wollte dich nicht unterbrechen.«

Duke reckt sein Kinn ein wenig vor, und sie hat wieder das Bild eines kleinen Jungen vor Augen. Und dann ist er fast sofort wieder der nervöse, unbeholfene Typ.

»Ja, das hast du«, sagt er mit schwankender Stimme.

»Sorry«, sagt sie.

Und dann werden sie vom grellen Licht einer Taschenlampe begrüßt, quasi die spanische Inquisition. Es ist ein Wachmann.

»Keine Kerzen«, sagt er schroff und fügt hinzu: »Brandgefahr.«

Duke beugt sich vor, pustet die Kerze aus, steht dann auf und sagt: »Tut mir leid. Ich habe nicht nachgedacht. Das stimmt natürlich.«

Ihr besonderer Moment ist verpufft.

Als das Licht wieder angeht, liegen sie in der Haupthalle, zusammen mit den anderen dösend auf dem Boden.

»Guten Morgen«, sagt Duke unbeholfen.

»Morgen«, antwortet Evie ebenso unbeholfen. Die letzte Nacht fällt ihr wieder ein. Wollte sie ihn wirklich küssen? Die Erinnerung daran lässt sie erschaudern. Was für ein unglaublicher Moment des Wahnsinns. Sie beschließt, sich ihm gegenüber besonders normal zu verhalten, damit er nicht auf falsche Ideen kommt.

Sie gehen an Markus vorbei, als sie versuchen, ihren Fahrer ausfindig zu machen, der zwischen ihnen hin- und herschaut und nickt, die Lippen zu einer festen, emotionslosen Linie verzogen.

»Guten Morgen, Mr Carlisle, Ms Bird«, sagt der Fahrer, als sie sich ihm nähern. »Wie Sie sehen, können wir losfahren. Es hat aufgehört zu schneien, die Straßen sind geräumt, und wir sollten in einer Stunde ankommen.«

»Großartig. Vielen Dank«, sagt Duke. »Kaffee für unterwegs?«, fragt er. Evie denkt darüber nach, ob er auf »extra normal« tut, um ihre Dummheit von gestern Abend zu kompensieren. Hat er gemerkt, was sie vorhatte? »Drei Latte?«

»Bitte«, sagt sie mit einem breiten Lächeln, das nicht ganz bis zu ihren Augen reicht.

Sie kaufen noch Gebäck, Wasser und Zahnbürsten zum Kauen. Wer hätte gedacht, dass es so etwas gibt?

Evie klettert in die Limousine und setzt sich ans hintere Fenster, wie gestern schon. Duke steigt hinter ihr ein. Irgendwann fahren sie von der Autobahn ab und nach Augsburg hinein. (»Gegründet von den Römern«, sagt ihr Fahrer. »Im Jahr 15 vor Christus. Das ist die älteste Stadt in Bayern und die zweitälteste in Deutschland.«)

Augsburg hat ähnliche Gebäude, wie sie sie bisher schon auf der Romantischen Straße gesehen haben – alle in verschiedenen Farben, zwei oder drei Stockwerke hoch mit spitzen, schrägen Dächern. Sie fahren an zwei großen weißen Kirchen mit roten Dächern und Türmchen vorbei und halten auf einem großen gepflasterten Platz vor einem langen grauen Gebäude mit Dachfenstern und Fahnen vor der Tür.

»Das Hotel«, kündigt der Fahrer an. »Ms Bird, ich komme mit Ihren Sachen nach.«

Es ist heller als ihr letztes Hotel, in dem viel dunkles Holz verbaut war. Das Maximilian's ist mit polierten Marmorböden und Säulen ausgestattet, sehr luxuriös, und im Aufenthaltsraum, der gleichzeitig als Bar dient, stehen tiefe Sofas und Plüschsessel. Sie checken ein, und der Concierge sagt ihnen, dass sie den Produzenten Bescheid geben werden, dass sie sicher angekommen sind.

»Das ist für Sie«, sagt der Concierge und drückt Duke ein gefaltetes Stück Papier in die Hand. Darin steht, dass um 18 Uhr ein Treffen der Besetzung und der Crew im Restaurant stattfindet und Anwesenheitspflicht besteht.

»Ich geh mal das Buch für dich holen, okay?«, sagt Duke.

»Klar«, sagt Evie. »Ich komme mit, wenn das in Ordnung ist.«

Da ist es wieder. Alles ist normal. Ganz normal.

»Gut«, antwortet er.

Seine Suite liegt im obersten Stockwerk, mit Blick auf die Maximilianstraße und das Schaezlerpalais. Sie betreten sie mit einer Schlüsselkarte und finden sich am Ende einer Reihe von Räumen wieder. Jeder Raum führt über eine in der Wand verschwindende Tür zum nächsten. Der erste Raum ist ein Wohnzimmer mit einem Breitbildfernseher, einem Sofa, einem niedrigen Holzstuhl und einem riesigen gewebten Teppich auf einem Chevronmuster-Holzboden. Dann kommt das Schlafzimmer mit einem Bett, das so groß wie zwei King-Size-Betten sein muss, und der flauschigsten Bettwäsche, die Evie je gesehen hat. Dann das Badezimmer mit glänzenden Messingarmaturen und Marmorabdeckungen, einer riesigen Dusche und ganz am Ende ein begehbarer Kleiderschrank, in dem bereits jemand Dukes Kleidung ausgepackt und seine Designerkoffer fein säuberlich in der Ecke gestapelt hat.

»Wow«, bricht es aus Evie heraus, »so wohnt also die andere Hälfte, was?«, wundert sie sich und nimmt alles genauestens in Augenschein.

»Du sagst das so, als würdest du nicht zu uns gehören«, antwortet Duke und sieht sich ebenfalls um. Er hängt seinen Mantel auf.

»Tue ich ja auch nicht«, sagt sie und sieht zu, wie er seinen Pullover auszieht. Er bemerkt es, und sie wendet sofort den Blick ab.

»Was meinst du?«, fragt er.

»Ich meinte, dass ich mir selbst niemals ein Hotel oder ein Zimmer wie dieses leisten könnte«, erklärt sie, als wäre das selbstverständlich.

»Aber du bist eine Bestsellerautorin«, sagt er. »Ist das nicht auch deine Welt?«

Sie seufzt und denkt, er macht einen Witz. Jeder weiß doch, dass man nicht schreibt, um reich zu werden. »Du weißt schon, dass ich nicht *Harry Potter* geschrieben habe, oder?«, sagt sie. »Die meisten von uns verdienen gerade genug, um über die Runden zu kommen.«

»Oh«, sagt er. »Das wusste ich nicht.«

»Kein Problem, du konntest es nicht wissen«, sagt sie.

»Hmm. Aber wie kann jemand *New-York-Times*-Bestseller schreiben und die Filmrechte an mehreren Büchern verkaufen und trotzdem nicht ...?«

»Reich sein?«, ergänzt sie.

»Du weißt, was ich meine.«

»Warum interessierst du dich so für meine Finanzen?«, fragt Evie in einem nun verärgerten Ton. »Ich dachte, Briten sind sehr verschwiegen, wenn es ums Geld geht.«

»Ich ... Ich war nur neugierig.«

»Neugierige Katzen verbrennen sich die Tatzen.«

»Okay«, sagt er und dreht sich so, dass er sie ansehen kann. »Sorry, dass ich gefragt habe. Mein Fehler.«

Sie zuckt mit den Schultern. Auf keinen Fall wird sie ihm von den Geldflüssen auf ihrem Bankkonto erzählen. Dass sie, je mehr sie verdient, umso mehr ausgibt, meistens für Dinge, die sie gar nicht braucht. Duftkerzen für hundert Dollar das Stück. Handtaschen, obwohl sie nirgendwo hingeht. Jede Saison neue Mäntel, Jacken, Hosen, Kaschmirpullis, die sie im Café oder bei Magda zu Hause trägt, vielleicht sogar tagsüber in einem Restaurant oder einer Bar, und das war's. Die Sachen in ihren Schränken, an denen noch die Preisschilder dranhängen, weil es pro Tag gar nicht genug Gelegenheiten gibt, um sich so oft umzuziehen, um alle mal getragen zu haben. Oder das Auto, mit dem sie in zwei Jahren weniger als zehntausend Kilometer gefahren ist. Ganz zu schweigen von den ganzen Heimtextilien und den Smoothie- und Kaffeemaschinen. Sie weiß, dass es ein Problem ist, und das schon seit Jahren: Sie fühlt sich, als hätte sie das Geld nicht verdient, und gibt es sofort für materielle Dinge aus. Dinge, die sie ansehen und anfassen kann, die ihr zeigen, dass es ihr gut geht. Sie hat nicht das Gefühl, dass sie irgendetwas gut hinbekommt. Sie hat ein paar hunderttausend Bücher verkauft – na und? Was bedeutet das, wenn sie abends allein ins Bett geht und dem Leben kraftlos begegnet, weil sie müde ist? Evie ist so unfassbar müde. Ja, gut, sie löst die Schecks ein, sie bezahlt das Pflegeheim monatlich – meistens –, und dann wird sie das Geld so schnell wie möglich wieder los. Es ist ein Zwang. Ein dummer, peinlicher Zwang, den Duke sicher nicht verstehen wird. Außerdem hat sie sich versprochen, dass sie mit dem nächsten großen Scheck, wenn das Geld für die Filmrechte eintrifft, das Pflegeheim für zehn Jahre im Voraus bezahlen wird, um weitere Probleme zu vermeiden. Ihre Ausgaben haben in letzter Zeit derart überhandgenommen, dass sie seit Mai überhaupt nicht mehr in der Lage ist, sie zu decken. Sie wird immer übermütiger, und niemand ahnt etwas, weil sie eine Canada-Goose-Jacke und eine schicke Uhr trägt und schöne Fingernägel hat.

»Egal«, sagt sie. »Das Buch?«

»Richtig, ja. Warte mal.«

Duke sucht eifrig nach dem Roman, den er ihr leihen wollte, und

Evie sieht sich im Rest des Zimmers um. Und dann sieht sie es, es ragt aus einem Papierstapel heraus – eine Art Infoblatt über sie.

Sie geht zwei Schritte nach links, um sich von Duke wegzudrehen, und zieht das Papier noch ein Stückchen weiter heraus. Da stehen ihr Name, ein allgemeiner Lebenslauf und etwas, das wie Fakten und Zahlen zu ihren Büchern aussieht. Es dauert einen Moment, aber dann fällt der Groschen: Sie hatte die ganze Zeit recht. Nichts hiervon ist echt.

Duke interessiert sich überhaupt nicht für sie – weder für das, was sie sagt, noch dafür, was sie denkt, oder gar für ihre Bücher. Er hat einen Spickzettel über sie, genau wie sie vermutet hat, als sie ihn kennengelernt hat. Und fast wäre sie darauf hereingefallen! All das Gerede darüber, was ihm ihre Arbeit bedeutet – und sie hatte angefangen, ihm zu glauben. Er muss sie für so dumm halten, einfach nur ein weiteres Groupie, das verzweifelt von ihm begehrt werden will. Argh.

Als er wieder ins Zimmer kommt, nimmt sie ihm schweigend das Buch ab und geht.

»Sehen wir uns später?«, ruft er ihr hinterher.

Plötzlich hofft sie, dass das nicht der Fall sein wird.

19

EVIE

Später am Nachmittag sind sie im Schaezlerpalais, um eine dramatische und wunderschöne Ballsaal-Szene zu drehen, der Höhepunkt für Hermione und George. Sie sind zum Ball eingeladen worden, nachdem sie eine Gräfin und ihren Hund vor einem außer Kontrolle geratenen Fahrrad gerettet haben. Das Äußere ist trügerisch – Evie hat sieben Fenster gezählt und drei Stockwerke, aber das war nur die vordere Fassade. Der Barockpalast erstreckt sich weit nach hinten, was man von der Straße aus nicht sehen kann; es gibt Dutzende Räume, Höfe und Gärten. In einem Faltblatt liest sie, dass der vergoldete Spiegelsaal Ende des 18. Jahrhunderts gebaut wurde und original erhalten ist. Als sie für das Buch recherchiert hat, hat das ihre Fantasie am meisten angeregt: dass es ihn noch gibt. Was für Tänze und Bälle im Laufe der Jahrhunderte hier stattgefunden haben müssen, wie viele Geheimnisse hier ausgetauscht worden sind. Es sieht aus wie eine Kulisse aus *Bridgerton*. Sie entdeckt Duke, der als George verkleidet ist. Er trägt einen maßgeschneiderten marineblauen Anzug mit einem gebügelten weißen Hemd, und es sieht aus wie eine Maßanfertigung, was wahrscheinlich auch stimmt. Daphne trägt ein langes blaugrünes Tüllkleid, ihre Füße stecken in Ugg Boots, um sie warmzuhalten. Ihr Haar ist in dramatischen Locken auf dem Kopf aufgetürmt, ihr Hals ist frei und perfekt.

»Ich wette darauf, dass sie wieder zusammenkommen«, sagt Katerina, die wie aus dem Nichts aufgetaucht ist. »Sieh nur, wie sie sich anstarren. Da ist viel Liebe im Spiel, wenn du mich fragst.«

»Oh … Katerina, hey«, sagt Evie und tut so, als würde ihr die

Bemerkung überhaupt nichts ausmachen. »Läuft heute alles gut? Ich kann es kaum erwarten, den Ballsaal zu sehen.«

»Geht so ...«, seufzt Katerina. »Brad ist wahnsinnig schlecht gelaunt. Das wirkt sich auf das ganze Set aus. Na ja, fast aufs ganze Set. Die Turteltäubchen scheinen sich nicht daran zu stören.«

Evie folgt wieder Katerinas Blick. Die beiden sehen wirklich sehr vertraut miteinander aus. Sie unterhalten sich nur, aber, so wie Duke lacht und Daphne nach seinem Handgelenk greift, ist eine offensichtliche Komplizenschaft zwischen ihnen zu spüren.

»Darf ich einmal durch den Ballsaal gehen, bevor ihr filmt?«, fragt Evie und merkt plötzlich, dass sie sich zu sehr bemüht, so zu tun, als wäre sie ständig auf Filmsets.

»Ja, klar«, sagt Katerina. »Geh einfach da durch. Er ist umwerfend. Die Szene wird aussehen wie aus *Bridgerton*, ehrlich.«

»Das habe ich auch gerade gedacht!«, ruft Evie aus. »Es sieht jetzt schon so aus.«

Evie geht durch mehrere Türen und Räume, in denen Kunstwerke in verschnörkelten Goldrahmen hängen, und dann ist sie da. Der Ballsaal ist wunderschön. Der Boden sieht aus wie eine goldene Bienenstockformation, in der Mitte dunkel und an den Rändern heller, und er ist so gut poliert, dass er fast ein Spiegel sein könnte. Der Raum hat eine doppelte Höhe, auf der einen Seite ist eine Reihe geschwungener Fenster und darüber eine zweite Ebene mit Fenstern, um doppelt so viel Licht hereinzulassen. Die enteneierblauen Paneele an den Wänden sind schmal und mit komplexen Goldschnitzereien versehen, sodass es auf den ersten Blick fast so scheint, als bestehe eine Seite des Raums aus Fenstern und die andere aus Gold.

Als sie sich nähert, erkennt sie die vielen kleinen Details noch besser. Es ist außergewöhnlich. Mehrere Kristallkronleuchter hängen an langen Glasketten, und als sie den Linien nach oben folgt, stockt Evie der Atem. Die Decke ist mit einer Reihe von kunstvollen

Wandmalereien in Lavendel-, Mauve- und Fliedertönen geschmückt, die den Sonnenauf- und -untergang darstellen. Ein paar puderrosa Stühle mit noch mehr Gold an den Rändern stehen herum und in der Ecke ein Klavier aus edlem Walnussholz. Evie fällt zunächst nicht auf, dass ein Mann in einem Anzug am Klavier sitzt. Er fängt an, auf den Tasten zu klimpern, um sich aufzuwärmen. Der Klang hallt theatralisch durch den Raum, und Evie treten unwillkürlich Tränen in die Augen. Sie ist hier. Sie kann nicht glauben, dass sie hier ist. Sie wünschte, sie könnte ihre Mutter anrufen. Magda ist noch nicht wach, aber Evie wird es später bei ihr versuchen müssen. Jemand muss wissen, dass sie das erlebt hat. Sie werden sie daran erinnern müssen, falls sie es jemals vergessen sollte.

Wobei ... Sie ist nicht wirklich sauer auf Magda, aber ein bisschen verschnupft: Es ist untypisch für sie, auf eine Nachricht nicht zu antworten, vor allem, wenn Evie sagt, dass sie den neuesten Stand durchgeben muss, aber ihre letzten drei Nachrichten von gestern sind unbeantwortet geblieben, und Evie fühlt sich vernachlässigt. Dieses Gefühl ist der Beweis dafür, warum es so beängstigend ist, sich zu öffnen und um Hilfe zu bitten, denkt sie. Hätte sie nie gefragt, müsste sie sich jetzt nicht über die Funkstille ärgern.

Es ist faszinierend, ihnen beim Filmen im Ballsaal zuzusehen. Die Außenaufnahmen haben sich so ... groß angefühlt. Draußen, unter freiem Himmel, im Kontext der großen weiten Welt, hatte sie eine gewisse Distanz zu allem und sich nicht recht vorstellen können, wie sich die Szenen auf der Leinwand machen würden. Aber hier, wo alle im selben Raum arbeiten, mit dem Licht und den Mikrofonen und all den Statisten, die tanzen und Kleider tragen, von denen Evie findet, dass sie selbst das schickste Kleid auf dem roten Teppich in den Schatten stellen würden ... Hier ist sie voller Ehrfurcht.

Der Gedanke daran, dass Duke wirklich diesen Spickzettel über sie hatte, macht ihr zu schaffen. Sie hat ihn sich genauer angesehen, als sie in ihrem Zimmer war, eine Liste ihrer Bücher und Auszeichnungen, ein Foto von ihr von ihrer Website und Informationen, die ihre Agentin offensichtlich geschickt hatte (»sarkastisch, aber nett, medienscheu, ein bisschen wie ein einsamer Wolf«). Er hat gesagt, er sei ein echter Fan – und er hat gelogen. Evie ist sich ziemlich sicher, dass sie der Verbindung, die sie aufgebaut haben, vertrauen kann, aber trotzdem schrillen ihre Alarmglocken. Sie erinnert sich daran, dass er vielleicht ein großartiger Schauspieler ist, der einen sehr guten Job macht, aber dass all diese Dinge abseits des Drehs für ihn eben immer noch Arbeit sind. *Vier Wochen im Dezember*. Das war doch die Vereinbarung, nicht wahr?

»Ich verhandle immer noch mit Scott Free und Columbia Pictures«, sagt ihre Agentin Sabrina später am Telefon. »Und du stürmst immer noch die Bestsellerlisten. Die Fotos von dir mit Duke auf dem Weihnachtsmarkt und dieser Mitternachtsspaziergang sind absolut perfekt. Ich weiß, dass du die Boulevardpresse nicht verfolgst, aber kurz gesagt: Es läuft großartig – die Leute lieben eine Liebeskomödie innerhalb einer Liebeskomödie, also geh wieder mit ihm aus, wenn du kannst, oder schick deinem Social-Media-Girl vielleicht ein Foto, das sie auf Instagram posten kann. Es kann ja auch nur für die Storys sein, dann ist es nach einem Tag wieder verschwunden.«

»Wow«, sagt Evie. Sie ist an die frische Luft gegangen. Es ist verblüffend, dass draußen auf der Straße alles so normal ist. Sie hat sich daran gewöhnt, dass draußen Menschenmassen warten, aber heute hat sich die Welt weitergedreht, als ob niemand etwas davon mitbekommen hätte. »Okay. Puuhh …«

»Wir sind jetzt schon im mittleren sechsstelligen Bereich, knapp eine halbe Million.«

»Dollar?«, Evie schreit auf.

»Dollar«, erwidert ihre Agentin. »Ich sage dir: Das ist deine Chance, Liebes. Wir müssen sie nutzen!«

Evie nickt, dann wird ihr klar, dass ihre Agentin sie über die Telefonleitung nicht sehen kann. »Ja, richtig«, sagt sie. »Bisher gab es nichts Vergleichbares wie diesen Deal. Das ist so viel Geld«, sagt sie. »Ich weiß gar nicht, was ich mit so viel Geld machen soll. Bei dem Gedanken daran wird mir sogar ein bisschen schlecht.«

»Zunächst einmal zahlst du dein Haus ab«, sagt ihre Agentin vergnügt. »Und den Rest gibst du aus, Baby. Du hast hart dafür gearbeitet. Du solltest es genießen!«

»Richtig, ja, okay, danke«, sagt Evie, und ihre Brust zieht sich zusammen. Ihr Gesicht und ihr Nacken sind heiß, obwohl die Temperaturen eisig sind. Sie kann das Hotel auf der gegenüberliegenden Straßenseite sehen und merkt nicht einmal, dass sie in diese Richtung geht, bis sie ihre Schlüsselkarte sucht, damit den Aufzug benutzt, in ihr Zimmer huscht, sich Mantel und Pullover vom Leib reißt und dann im BH vor dem Badezimmerspiegel steht und sich verzweifelt mit kaltem Wasser das Gesicht abspritzt.

Sie sieht sich im Spiegel an. Sie kann das Geld nicht haben. Dieses Geld wird sie umbringen. Sie kann keine halbe Million Dollar haben – gerade wenn ihre Agentin weiter Druck macht. Gott allein weiß, wie hoch die Tantiemen sein werden, wenn sie in mehreren Ländern auf den Bestsellerlisten steht und mehrere andere Länder ebenfalls Angebote für Auslandslizenzen abgegeben haben. Das will sie nicht. Das hat sie nicht verdient. Das ist zu viel. Sie kommt immer wieder auf diesen Gedanken zurück. *Es ist zu viel, es ist zu viel, es ist zu viel, es ist zu viel.*

Sie denkt daran, wie ihr Vater gegangen ist, an das Letzte, was er zu ihr gesagt hat: *Das hier reicht mir nicht. Keinem Mann würde das reichen.* Sie denkt an ihre Mutter im Heim. Und jetzt steht sie kurz davor, einen verdammten Lottogewinn für Bücher zu bekommen, die nicht einmal so gut sind. Sie hat einfach Glück gehabt. Aber das ist mehr Glück, als ein Mensch braucht. Ihr Atem wird abgehackter. Duke kommt ihr in den Sinn, aber sie traut ihm nicht. Sie mag ihn, aber sie traut ihm nicht. Sie sieht jetzt, dass sie ganz blass geworden ist. Sie stolpert zum Bett, schaut auf das Hoteltelefon und denkt bei sich: *Aber es gibt niemanden, den ich anrufen kann. Es ist niemand da, der mir helfen kann.*

20

DUKE

Duke holt sein Handy heraus, um zu sehen, wo Evie ist, damit sie ein weiteres Fake-Date starten können, aber als er ihren Namen in die Suchleiste eingeben will, stellt er fest, dass er ihre Nummer gar nicht hat. Er musste sie noch nie benutzen, da sie sich am Set oder im Schneesturm immer in einem Raum oder in der Nähe aufgehalten haben.

Er beschließt, seine überschüssige Energie im Fitnessstudio des Hotels loszuwerden. Vielleicht trifft er sie beim Abendessen oder in der Bar wieder. Er will ihr nicht nachlaufen oder verzweifelt wirken. Er schnappt sich seine Trainingsshorts und ein T-Shirt und geht in den hochmodernen Fitnessraum im Keller. Er hat seine AirPods eingesetzt und scrollt im Gehen durch seine E-Mails. Erst als er fast mit Brad zusammenstößt, schaut er auf und sieht, dass er nicht allein ist. Er zieht einen AirPod heraus. Daphne ist auch da. Sie streiten sich, und er hat sie unterbrochen.

»Oh, hey – tut mir leid«, sagt er und sieht zwischen den beiden hin und her.

»Hey, Mann«, sagt Brad, und Duke braucht einen Moment, um zu begreifen, was er da sieht. Es ist niemand sonst im Fitnessraum, Daphnes Augen sind gerötet, aber sie zwingt sich zu einem Lächeln, und Brad atmet schwer und unregelmäßig, als wäre er aufgeregt. Er ist schon den ganzen Tag über schlecht gelaunt, und Duke versteht, dass er hergekommen ist, um etwas Dampf abzulassen, aber die Art, wie Daphne ihr Handgelenk reibt, wirkt irgendwie nicht okay. Sie sieht, dass er es bemerkt hat, und wendet sich schnell ab, und als Duke zu Brad schaut, tut er dasselbe, als wäre er ertappt worden.

»Ist alles in Ordnung?«, fragt er Daphne, wobei er noch einmal von ihrem Handgelenk zu ihrem Gesicht schaut, diesmal ganz gezielt. *Ich weiß, dass gerade etwas passiert ist,* will er ihr zu verstehen geben. *Lass mich dir helfen. Ich kann das.*

»Es ist nur ein dummer Streit«, sagt sie und macht sich nicht einmal die Mühe, es zu leugnen. »Wir sind beide müde. Es ist schon okay.«

Duke kann an ihrem Tonfall erkennen, dass es nicht okay ist.

»Hast du sie angefasst?«, fragt er Brad mit zusammengebissenen Zähnen und gibt sich große Mühe, ihn nicht einfach am Hals zu packen und an die Wand zu drücken, denn niemand fasst eine Frau auf diese Weise an. Niemand tut einer Frau weh.

»Sie hat mich auf die Palme gebracht«, sagt Brad und sieht Daphne dabei an. »Wir haben uns gegenseitig auf die Palme gebracht. Das ist alles.«

»Du hast also ... was? Hast du Hand an sie gelegt, um sie zu stoppen?«, drängt Duke. Sein Herz klopft wie wild. Brad ist sein Regisseur, und ihm gegenüber die Beherrschung zu verlieren, würde sich für den Rest des Drehs nicht gut auswirken, aber das ist trotzdem kein Grund, es nicht zu tun.

Brad seufzt. Verärgert, dramatisch, missbilligend.

»Von allen Leuten weißt doch gerade du, wie sie sein kann, Mann. Spiel dich nicht als Moralapostel auf. Du hast es verstanden.« Er hält kurz inne, als er Dukes verändertes Gesicht sieht – angespannte Kieferpartie, bebende Nasenflügel –, und spricht leiser, von Mann zu Mann. »Es ist nichts passiert, Alter, okay? Komm, Daphne, lass uns gehen.«

Daphne zuckt leicht zusammen, als Brad sie an der Stelle packt, die sie reibt, als wäre sie besonders empfindlich. Reflexartig, schneller als Licht und Ton, stößt Duke Brads Arm weg, damit er sie loslässt. Es gibt einen kurzen Moment, in dem niemand weiß, was er tun soll. Es war eine gewaltsame, bewusste Bewegung. Duke denkt, dass niemand aufgrund seiner Arbeit sichtbare blaue Flecken bekommen kann, und macht einen schnellen Schritt auf Brad zu, als ob er ihn tatsächlich gleich schlagen würde. Brad weicht vor Angst aus, und das ist erbärmlich. Brad hat Angst vor Duke. Duke muss laut lachen.

»Abschaum«, sagt er und macht einen Schritt nach vorn, mit der Brust voran. »Wage es nicht, ihr jemals – und ich meine jemals – wieder wehzutun. Hast du mich verstanden?«

Brad rollt mit den Augen. Duke macht noch einen Schritt, um die Lücke zwischen ihnen zu schließen, und schreit, lauter, als er seit langer Zeit irgendetwas geschrien hat: »Hast du mich verstanden?!«

Er kann im Spiegel des Fitnessraums sehen, dass er rot geworden ist. Er wartet auf eine Antwort.

»Ja«, sagt Brad. »Ich habe dich verstanden.«

Dann geht Brad weg, und als Daphne ihm folgen will und die Hand ausstreckt, schüttelt er sie ab und sagt: »Nicht jetzt, Daphne. Verpiss dich doch mal für eine Minute, ja?« Daphnes Gesicht fällt in sich zusammen. Sie könnte so tun, als sei es ein Missverständnis, aber jetzt, wo Duke ihn so böse hat reden hören, ist das Spiel vorbei.

»Er ist nur gestresst«, sagt Daphne fast flehend, als wolle sie nicht, dass Duke schlecht über ihn denkt. »Die Verzögerungen, die Produzenten, die ihm im Nacken sitzen, seine Frau, die ihn rund um die Uhr anruft ...« Sie schweift verlegen ab. »Das hat er noch nie gemacht«, sagt sie. »Ich schwöre. Ich würde es nicht dulden.«

Duke sieht seine Freundin an, die Frau, von der er dachte, sie hätte ihm das Herz gebrochen. Er sieht, dass auch ihr das Herz gebrochen wurde und dass es Brad war.

»Du hast etwas Besseres verdient«, sagt Duke.

Daphne nickt. »Ich weiß.«

»Komm her«, sagt er und öffnet seine Arme, als es so aussieht, als würde sie in Tränen ausbrechen. Sie erreicht nicht einmal seine

Brust, bevor sie anfängt zu schluchzen. »Ich weiß, Darling«, gurrt Duke und streichelt ihr Haar. Er schließt die Augen und sagt es noch einmal. »Ich weiß, Darling, ich weiß.«

Duke und Daphne sind der Aufmacher auf TMZ, *Mail Online* und *@DukesLewks*, was bedeutet, dass die Fotos bereits zu Memes geworden und viral gegangen sind. Jemand hat sie gestern am Set lachend fotografiert und dann beim Umarmen im Fitnessraum – Daphnes Gesicht in Dukes Brust vergraben, seine Arme schützend um sie gelegt, die Augen geschlossen. Es gibt viele Spekulationen darüber, ob die beiden wieder zusammenkommen – obwohl eine anonyme Quelle behauptet, dass sie nie wirklich Schluss gemacht haben. Dem Produktionsteam scheint das egal zu sein, solange ihr Film weiterhin Schlagzeilen macht und Klicks bekommt. Solange Duke jemanden datet, sind sie zufrieden.

Duke ist wütend. »Unter uns ist eine Ratte«, sagt er zu Daphne im Frühstückssaal, wo sie sich an einem Tisch in der Mitte gegenübersitzen, um allen, die es interessieren könnte, zu zeigen, dass sie nichts zu verbergen haben. »Das verstößt gegen alle Gesetze am Set. Wir sollten ein Team sein. Am Set sind alle gleich – so sollte es sein.«

Duke schüttelt den Kopf und fühlt sich mitverantwortlich. Hatte Evie nicht gefragt, wer die »Quellen« am Set sein könnten? Und er hat nichts unternommen. Er hat es abgetan, so getan, als sei es erfunden, und das hat er jetzt davon. Die Quelle sitzt in ihrer Mitte.

Daphne sieht müde aus. Duke hat nicht nach ihr und Brad gefragt, weil er weiß, dass sie sich ganz zurückziehen könnte, wenn er sie zu sehr drängt. Sie muss es von sich aus ansprechen, und dann wird er bereitwillig zuhören. Ihm ist aufgefallen, dass Brad nicht im Frühstücksraum ist. Hoffentlich haben sie gestern nicht zusammen in einem Zimmer übernachtet. Duke weiß, dass es auf den Fotos so aussieht, als hätten sie wirklich etwas miteinander, aber all die

Liebe, die er für Daphne empfindet, ist irgendwie, schon nach weniger als einem Monat, seit sie sich getrennt haben, wirklich nur platonisch. Seine Gefühle sind tief und echt, aber sie sind tief und echt im Sinne von Freundschaft. Dafür kann er sich bei Evie bedanken. Ganz gleich, wie sich das mit ihr weiterentwickeln sollte, seine Erwartungen an eine Liebesbeziehung haben sich verändert. Er kann es kaum erwarten, das Thema bei seinem nächsten Therapietermin mit Phoebe anzusprechen: Es geht darum, dass eine größere Verletzlichkeit auch größere Belohnungen mit sich bringt. Bei Daphne hat er das nicht verstanden, denn genau wie sie es gesagt hat, hat er mit ihr die Rolle des Freundes nur gespielt, ohne sich jemals richtig zu öffnen. Aber jetzt hat er es verstanden.

»Vielleicht ist es nicht jemand aus der Crew«, überlegt Daphne und konzentriert sich auf ihren Obstteller. »Es könnte jemand vom Hotelpersonal sein …«

Duke hat das auch in Betracht gezogen, aber das würde die Fotos von ihm und Evie in Würzburg nicht erklären. Es sei denn, das Personal überall entlang der Romantischen Straße macht es sich zur Aufgabe, seine Gäste zu fotografieren, was nach seiner bisherigen Erfahrung mit den Deutschen nicht sein kann. Alle waren freundlich, zuvorkommend und im Allgemeinen unbeeindruckt von ihrem Staraufgebot: Sie boten einfach einen großartigen Service und gingen ihrer Arbeit nach.

Dann sieht er Evie, die quer durch den Raum zur Brotstation geht.

»Evie!«, ruft Duke, und als er winkt, ist es, als ob sie durch ihn hindurchschauen würde. Er entschuldigt sich, um zu ihr zu gehen.

»Ich habe gestern Abend versucht, dich zu finden«, sagt er und stellt sich neben sie, während sie sich eine Scheibe von einem Sauerteigbrot abschneidet und sie auf den kleinen Toaster legt. »An der Rezeption wollte man mir nicht sagen, in welchem Zimmer du wohnst. Man muss diese Hingabe an die Privatsphäre der Gäste einfach lieben.« Er macht einen Witz, aber er kann nicht einmal sagen, ob sie ihn gehört hat.

»Ist alles in Ordnung bei dir?«, fragt er. Sie sieht ein bisschen blass aus.

Sie hebt ein paar kleine Gläser mit Konfitüre hoch und stellt sie wieder ab, legt dann zwei Päckchen gesalzene Butter auf ihren Teller und schaut zu ihrem Toast hinüber.

»Evie?«, insistiert er.

Sie reibt sich die Augen. »Ja«, sagt sie geistesabwesend.

Duke hält inne. »Okay«, antwortet er, als sie den Toast auf ihren Teller legt. »Willst du dich nicht zu uns setzen?«

»Nein, danke«, sagt Evie. »Ich glaube, ich nehme das einfach mit auf mein Zimmer. Ich habe leichte Kopfschmerzen.«

Sie verschwindet.

Das war seltsam, denkt Duke. Er fragt sich, ob er etwas Falsches gesagt hat.

21

DUKE

S ie drehen die feuchtfröhliche Szene, wie Duke sie nennt, eine Außenszene im Naturschutzgebiet Seeholz, einem natürlichen Waldgebiet mit verschlungenen Pfaden und einem kleinen See. Mit dem frischen Schnee bietet es eine großartigere und traumhaftere Kulisse, als selbst der talentierteste Designer sie entwerfen könnte. Sein Kostüm für George ist das wärmste, in das er auf der ganzen Reise gesteckt wurde: Es ist im Grunde eine komplette Skibekleidung. Eine schwarze, wattierte Skihose, Schneestiefel, dicke Handschuhe und eine schwarze Weste über einem schwarzen Fleece-Pullover – so ist ihm mollig warm. Die Sonne scheint, und der Himmel ist blau, sein Lieblingswetter. Er steht vor dem Frisier- und Make-up-Trailer, schnappt etwas frische Luft, lässt alles auf sich wirken … und hält Ausschau nach Evie. Er hat sie vorhin in den Crew-Bus einsteigen sehen, also weiß er, dass sie hier sein muss.

»Duke, hi! Wie geht's dir?«, fragt Katerina, die Kamerafrau. »Abgesehen von den Verzögerungen laufen die Dreharbeiten gut, was?«

Er kennt Katerina nicht gut und hat nicht viel Zeit mit ihr am Set verbracht, außer bei einem kleinen Umtrunk, als sie in Pinewood mit den Innenaufnahmen fertig waren, bevor sie nach Deutschland geflogen sind. Er zermartert sich das Gehirn, um sich an irgendeine Information aus dem Gespräch mit ihr zu erinnern, aber es fällt ihm nichts ein. Pinewood scheint schon so lange her zu sein, und er stand damals völlig neben sich, weil die Nachricht von Daphnes Liaison noch so frisch war. Stattdessen wählt er einen anderen Ansatz.

»Ja, sie laufen super«, sagt Duke. »Und sieh dir das nur mal an! Ist das nicht wunderschön?« Er deutet auf die verschneiten Wiesen und Tannen, ein wahres Winterwunderland.

Sie nickt begeistert. »Na dann …«, sagt Katerina, als klar wird, dass sie sich nichts weiter zu sagen haben, »Hals- und Beinbruch heute.«

»Danke.« Duke nickt. »Dir auch.«

Er nimmt noch ein paar tiefe Atemzüge, und dann stellt sich Willow zu ihm.

»Hey, Duke«, sagt sie. »Ich habe gerade mit dem PR-Chef des Studios telefoniert …«

»Ich liebe es, wenn ein Satz mit diesen Worten beginnt«, witzelt Duke und rollt mit den Augen.

»Ich weiß«, sagt sie. »Wir haben ständig Bitten an dich, und ich fürchte, heute ist es nicht anders. Nur als Vorwarnung: Wir wissen, dass heute Paparazzi hier sind – ich meine, ehrlicherweise könnten wir den Paparazzi einen Tipp gegeben haben, aber das kann ich weder offiziell bestätigen noch dementieren –, und wir wollten dich das nur wissen lassen, wegen Evie … und wegen Daphne …«

»Wie soll es weitergehen?«, fragt Duke.

»Wir werden Daphne und Evie zwischen den Aufnahmen auf einen Spaziergang schicken, damit nicht der Eindruck entsteht, dass sie sich streiten oder um dich kämpfen. Die eine Hälfte des Internets wünscht sich, dass du mit der einen zusammen bist, die andere Hälfte wünscht sich dich mit der anderen, aber das Studio will nicht das Klischee bedienen, tolle Männer seien rar gesät – vor allem, weil Evie zu Protokoll gegeben hat, dass das in ihren Büchern nie vorkommen würde. Ergibt das einen Sinn? Im Grunde können sich die Leute wünschen und vorstellen, was sie wollen, aber wir wollen, dass die Geschichte so lautet, dass kein Mann so mächtig ist, dass er sich zwischen zwei neue Freundinnen drängen kann.«

Duke zieht die Stirn in Falten. »Sind die beiden denn jetzt Freundinnen? Ich glaube, ich habe sie bisher noch nicht einmal wirklich miteinander sprechen sehen.«

Willow zuckt mit den Schultern. »Jetzt sind sie es«, verkündet sie. Als sie weggeht, ruft Duke ihr hinterher: »Hey, übrigens, weißt du, wo Evie steckt?«

Willow zeigt auf sie. »Ist sie das nicht?«

Duke schaut in die Richtung, in die ihr Finger zeigt. Evie steht auf einer Wiese, das Gesicht der Sonne zugewandt, die Augen geschlossen, und sie dreht sich in kleinen Kreisen. Duke lächelt. »Ja.« Er nickt. »Das ist sie.«

Sie scheint nicht zu merken, dass er sich ihr nähert. Duke ist sich nicht sicher, ob sie eine Art Meditation durchführt; sie scheint in einer Art Trance zu sein. Er spiegelt, was sie tut, streckt ebenfalls die Arme aus und versucht dabei, einen Blick auf ihren friedlichen Gesichtsausdruck zu erhaschen. Dann probiert er selbst es richtig aus, er schließt die Augen und wendet sein Gesicht der warmen, tief stehenden Wintersonne zu. Es ist schön. Er atmet durch die Nase ein und kräftig durch den Mund aus. Als er die Augen wieder öffnet, starrt sie ihn mit einer hochgezogenen Augenbraue an.

»Ich habe mich nur gefragt, worum immer so viel Tamtam gemacht wird«, sagt er verlegen.

»Und, was meinst du?«, erwidert sie und grinst nun. Aber ein Grinsen ist ihm lieber als ein katatonisches, glasiges Nichts.

»Du bist seit dem Frühstück aufgetaut«, sagt Duke, schließt wieder die Augen und verschränkt die Arme, um wieder seine meditative Haltung einzunehmen. Er hört, wie sie sich im Schnee bewegt, und sieht durch ein Auge, dass sie auch wieder die Meditationshaltung angenommen hat, und so machen sie weiter und unterhalten sich wie zwei Engel des Nordens, Seite an Seite, mitten im Naturschutzgebiet Seeholz.

»Ich hatte eine miese Nacht«, sagt sie schlicht.

»Das tut mir leid. Bist du verkatert?«

Sie verpasst ihm einen Schlag auf den Arm. »Nein«, sagt sie. »Ich hatte eine Panikattacke. Glaube ich. Oder ich bin ausgeflippt. Oder ich hatte vielleicht einen Nervenzusammenbruch.«

»Oh, verdammt«, sagt Duke. »Kein Wunder, dass du dich heute Morgen schlecht gefühlt hast. Ich …« Er stockt. Soll er es ihr sagen? Er kann ihr doch vertrauen, oder? »Ich weiß, wie sich das anfühlt«, sagt er schließlich. »Nach meinem ersten Marvel-Film ging es bei mir los. Nicht am Set oder auf der anschließenden Pressetour, sondern ganz zu Beginn, als ich erfahren habe, dass ich die Rolle bekomme, und noch bevor ich das ganze Drehbuch vorliegen hatte. Der Gedanke, zum Marvel-Universum dazuzugehören, hat mich …« Ihm fällt das passende Wort nicht ein, also macht er stattdessen ein hupendes Geräusch, in der Hoffnung, dass sie ihn versteht.

»Oh«, sagt sie. »Es tut mir sehr leid, das zu hören. Letzte Nacht war das erste Mal, dass ich das Gefühl hatte, die Kontrolle über meinen Körper zu verlieren, und das war eine heftige Erfahrung, die ich niemandem wünsche.«

»Weißt du, was der Auslöser war?«, fragt Duke, und ihm ist durchaus bewusst, dass man das nicht so einfach beantworten kann. Bei ihm ist es so, dass ihn bestimmte Situationen immer noch triggern können – vor allem Pressetage im Ausland, die siebzehn Stunden dauern, und der Zwang, immer liefern zu müssen, da ein schlechtes Interview unter fünfzig guten dazu führt, dass das Netz nur noch darüber spricht und einen Film zum Scheitern bringt, selbst wenn es der beste ist, der je gemacht wurde. Das ist eine große Bürde für ihn. Aber das Gefühl, dass ihm der Boden unter den Füßen weggezogen wird, kann ihn auch im Auto an einer roten Ampel überkommen oder wenn er sich zu Hause Screener anschaut.

Sie sagt nichts. Er schaut sie wieder an. Ihre Augen sind immer noch geschlossen.

»Ich bin mir nicht sicher«, sagt sie. »Ich hatte ein Gespräch mit meiner Agentin, und alles war in Ordnung, und dann …«

»Bäm!«, ergänzt Duke.

»Ja«, sagt sie. »Es war so ungewohnt. Ich habe gegoogelt und eine Website gefunden, auf der stand, dass man so schnell wie möglich nach draußen gehen sollte, ein ›Naturbad‹ nehmen, wie sie es nennen. Einfach draußen sein, sich von der Natur berieseln und an seinen Platz in der Welt erinnern lassen.«

»Du sagst das mit einem zynischen Unterton.« Duke lacht. »Wie unerwartet.« Offensichtlich meint er das Gegenteil. Zynisch ist ja ihr zweiter Vorname.

Sie schlägt ihm wieder auf den Arm.

»Autsch!«, schreit er. »Kannst du das sein lassen?«

Er kann fast hören, wie sie grinst.

»Eine Frage«, fährt Duke dann fort. »Ist es passiert, nachdem du eine gute Nachricht erhalten hast? Wie bei mir, als ich die Marvel-Rolle bekommen habe?«

»Jep«, sagt Evie. »Das ergibt wirklich keinen Sinn …«

»Oh, doch«, beharrt er. »Es ergibt absolut Sinn. Meine Therapeutin nennt es Akklimatisierung. Wie bei einer Mount-Everest-Besteigung: Die Luft wird dünner, und man braucht Zeit, um sich daran zu gewöhnen. Wenn wir die besten Erfahrungen machen oder unsere Realität sich dramatisch verändert, wird die Luft dünner, und wir brauchen Zeit, um uns daran zu gewöhnen, bevor wir uns darauf einlassen. Physiologisch gesehen kann uns das extrem Gute genauso umhauen wie das Schlechte.«

Sie greift nach seiner Hand. »Danke«, sagt sie. »Einfach nur … danke.«

Als sie zurück zu den Wohnwagen gehen, hält Duke Evie sanft an. »Hey«, sagt er. »Kann ich dir vielleicht bei irgendetwas helfen?«

»Du bist süß«, sagt sie abweisend.

»Schieb mich nicht weg«, sagt er, darauf hinweisend, dass sie genau das tut. »Ich meine es ernst. Mir zu sagen, was los ist, wenn ich dich danach frage, ist eine Sache, aber es fällt dir nicht leicht, aktiv um Hilfe zu bitten, nicht wahr?«

Sie verzieht das Gesicht.

»Evie«, sagt er, »du musst nicht gerettet werden, das weiß ich. Und ich weiß auch, dass du mich hassen würdest, wenn ich versuchen würde, dich irgendwie vor deinen eigenen Gefühlen zu retten. Aber, *meine Liebe* ...?« Er spricht jetzt mit einer ganz albernen Stimme, als ob er wüsste, dass sie ihm nur zuhören kann, wenn er die emotionale Schwere weglässt. »Du musst deine eigenen Worte benutzen, um anderen Menschen zu sagen, wie sie für dich da sein können, während du damit beschäftigt bist, mit diesen Gefühlen klarzukommen. Okay?«

Sie kichert, was ihm zeigt, dass sie weiterhin von dem Thema ablenken will.

»Und?«, drängt Duke. »Kann ich irgendetwas tun?«

Sie hält inne, offensichtlich überlegt sie. »Ich glaube nicht«, sagt sie. »Aber du hast recht – ich sollte öfter mal um Hilfe bitten. Ich habe gerade gedacht, ich wünschte, Magda wäre hier. Vielleicht kann ich ihr schreiben und sie fragen, ob wir ein bisschen über FaceTime sprechen können, damit ich ihr erzählen kann, was alles passiert ist.«

Duke lächelt. »Mehr FaceTime mit Magda, das klingt sehr machbar.«

»Ja«, sagt sie. »Ich schreibe ihr gleich, vielleicht hat sie heute Abend Zeit.«

22

EVIE

Den ganzen Vormittag über begleitet Evie Willows und Dreams Redaktionsteam und steht auch selbst ein wenig vor der Kamera. Sie spricht über die Idee für das Buch und darüber, wie es sich anfühlt, zuzusehen, wie es zum Leben erweckt wird. Dann werden Duke, Daphne und Brad interviewt, während im Hintergrund die Kameras und die Ausrüstung für diesen Nachmittag aufgebaut werden. Sie sprechen über ihre Rollen und darüber, wie aufregend es ist, dass sie alle zusammenarbeiten. Am Ende lachen die drei darüber, dass sie es eilig haben, noch vor Weihnachten fertig zu werden, damit sie nach Hause zu ihren Familien fliegen können. Als Dream aber erwähnt, sie habe schon alles, was sie braucht, verziehen sie die Gesichter, ihr Lächeln schwindet, und der Regisseur kann gar nicht schnell genug wegkommen.

»Brad …«, sagt Daphne, aber er hat sich schon weggedreht.

»Nein, danke!«, ruft Brad über die Schulter, und Evie runzelt fragend die Stirn. Es geht sie nichts an, aber …

»Stress«, sagt Daphne zu ihnen allen: zu Evie, Dream und Willow. Aber die Art, wie sie mit Duke Blicke austauscht, verrät sie. Es ist nur ein winziger Augenblick, eine halbe Sekunde lang, aber Evie hat es gesehen. Irgendwie stecken sie unter einer Decke.

»Verständlich«, erklärt Evie. »Ich nehme an, es ist seine Aufgabe, das Ganze am Laufen zu halten.« Duke blickt zu Boden, und Daphne setzt sich mit dem schlechtesten falschen Lächeln überhaupt hin. Alles klar. Da ist definitiv etwas im Gange.

»Duke!«, ruft dann einer der Produzenten, und als er weg ist, heißt es, dass jetzt ein guter Zeitpunkt für Evies und Daphnes Spaziergang wäre.

»Und wenn ihr fotografiert werdet, dann werdet ihr fotografiert.« Dream-oder-Willow zuckt lächelnd mit den Schultern. »Alles klar?«

Evie und Daphne sehen sich an.

»Alles klar, ich habe heute sonst nichts vor«, sagt Evie und lacht. Zumeist findet sie es immer noch lächerlich, dass man sie einfliegt und in all diesen Hotels unterbringt, nur damit sie zwischen Wohnwagen und Monitoren hin und her geht und nichts anderes tut, als gelegentlich dem Team zuzunicken und zu sagen: »Was für ein Traum.« Das ist so unnötig. Wenn Duke sie treffen wollte, hätte er sie einfach auf einen Kaffee einladen sollen. Obwohl, wenn sie ehrlich ist, hätte sie wahrscheinlich abgelehnt. Hmm. *Gut gespielt, Duke.* Sie findet es zwar immer noch unangemessen, dass er seine Macht auf diese Weise eingesetzt hat, aber jetzt, wo sie Gefallen daran gefunden hat, ist sie weniger wütend.

»Alles klar«, sagt Daphne. »Dann mal los.«

Gleich um die Ecke vom Set ist ein breiter, ziemlich gerader Weg, der von schneebedeckten Bäumen gesäumt ist. Sie gehen zunächst schweigend und vorsichtig, bis sie sich auf dem verschneiten und zum Teil vereisten Terrain sicher fühlen.

»Hier«, sagt Daphne, als sie ihren Rhythmus auf der linken Seite findet. »Schau mal.«

Evie folgt ihren Fußspuren, bis sie nebeneinanderstehen, beide in Daunenmänteln, mit Mützen, Schals, Handschuhen und Sonnenbrillen zum Schutz vor der grellen Sonne. Zugegeben, Daphne sieht achtzig Mal glamouröser aus, weil ihr Outfit noch ihr Hermione-Kostüm ist, während Evie in ihrem Bemühen, sich warmzuhalten, eher wie ein kleiner Junge aussieht, der sich in aller Eile angezogen hat. Daphne hakt sich bei Evie unter, als wären sie Freundinnen auf dem Weg zu einem Cocktail. Sie ist sehr stark. Evie hatte angenommen, dass eine so winzige Frau zerbrechlich sein würde wie ein kleiner Spatz, aber sie hat einen Griff wie ein Schraubstock und lenkt Evie zielstrebig.

»Das ist ein gutes Training«, sagt sie, als sie im Gleichschritt sind. »Im Schnee zu gehen, ist, wie auf Sand zu laufen – man merkt gar nichts, und danach hat man einen Muskelkater.«

Evie nickt vollkommen emotionslos. »Auf Sand laufen. Davon habe ich gehört, ja.«

Daphne lacht. »Duke hat schon gesagt, dass du witzig bist.«

»Hat er das?«, stichelt Evie. Er redet über sie?

Daphne grinst, als sie sie ansieht. »Willst du mich nicht fragen, was er noch gesagt hat?«, neckt sie sie.

»Nein.«

»Ich würde es dir sagen.«

Evie hebt eine Augenbraue. »Dann erinnere mich daran, dir *meine* Geheimnisse nicht zu verraten«, sagt sie, und Daphne lacht wieder.

»Du bist nicht witzig«, spottet sie, und dann hört Evie, wie ein Kameraauslöser gedrückt wird. *Klick, klick, klick.* Der Typ versucht nicht einmal, sich zu verstecken – obwohl, um ehrlich zu sein, wo sollte er es auch tun? Es ist nicht derselbe Mann wie vorhin, der, von dem Duke gesagt hat, er heiße Clive. Das ist jemand anderes.

»Hallo, Ladys«, sagt er mit einem britischen Akzent. »Beachtet mich gar nicht.«

Evie ist überrascht, als Daphne sagt: »Hallo, Billy. Pass auf, dass du meine Schokoseite erwischst, okay?«

Evie lernt gerade, dass sie in diesem Business nichts überraschen sollte, und dennoch braucht sie eine Sekunde, um zu begreifen, dass Daphne den Fotografen *selbstverständlich* kennt, so wie Duke auch ein paar kennt. Was hatte er gesagt? Dass er sie manchmal braucht und es am besten ist, man arbeitet einfach mit ihnen zusammen? Magda wird so schockiert sein, wenn sie ihr erzählt, dass in diesem

Business einfach alles *fake* ist. Natürlich müsste Magda dafür erst ans Telefon gehen – Evie hat ihr jetzt schon drei Nachrichten hintereinander geschickt, und sie sind alle unbeantwortet geblieben. Die letzten Schultage müssen einfach die Hölle sein.

Sie gehen etwa achthundert Meter weiter, und Evie weiß nicht, wann das Klicken aufhört, aber irgendwann ist es so weit, und der Paparazzo ist auf so mysteriöse Weise, wie er aufgetaucht ist, wieder verschwunden.

»Also, jetzt mal im Ernst«, sagt Daphne, als sie an einer schneebedeckten Mauer anhalten und die Weite der weißen Felder und Wälder bewundern. »Du und Duke? Ich bin begeistert.«

Evie verzieht das Gesicht. »Anscheinend geht es nur der einen Hälfte des Internets so«, sagt sie. »Die andere Hälfte will dich und ihn.«

Daphne winkt ab. »Wir passen nicht zusammen«, erklärt sie. »Wir kennen uns schon seit Jahren, wir haben dasselbe Management. Ich glaube, sie hätten sich gewünscht, dass wir so eine Art Brangelina-Powerpaar werden, aber das wäre nicht echt gewesen. Er dachte, er liebt mich, aber, ganz ehrlich? Er hat mich noch nie so angesehen, wie er dich ansieht. Und, um die ganze Wahrheit zu sagen, ich habe ihn nie so angesehen, wie du ihn ansiehst.«

»Äh, was?«, sagt Evie verblüfft. »Wenn du von den Fotos sprichst …«

»Das tue ich nicht«, beharrt Daphne. »Ich spreche vom echten Leben.«

»Hmm«, sinniert Evie. »Okay.«

»Okay was?«

»Ich meine … na ja … Wir verstehen uns, das stimmt. Am Anfang war das nicht so. Aber mittlerweile sind wir … aufgetaut. Ich habe keinen Hehl daraus gemacht, wie schwer mir das alles hier fällt …«, sie gestikuliert um sich herum und meint damit *Hollywoodland,* »und ich war bereit, ihm eine Chance zu geben, aber …«

»Aber was?«, fragt Daphne.

»Das hört sich jetzt vielleicht so an, als ob ich traurig wäre, dass er kein Fan meiner Bücher ist, aber das ist es überhaupt nicht«, beginnt Evie, und Daphne runzelt fragend die Stirn. »Er hat gesagt, dass er meine Romane sehr gern mag, aber dann habe ich einen Zettel bei ihm gefunden mit so allgemeinen Informationen über mich, und ich habe das Gefühl, dass er nur so getan hat, als ob er sie mag. Ich glaube, in Wirklichkeit wurde er einfach von seinen Leuten gebrieft. Und jetzt habe ich das Gefühl, dass ich ihm nicht vertrauen kann. Obwohl ich es möchte …«

»Ein Briefing?«, fragt Daphne und errötet leicht. »Wie ein Informationsblatt?«

»Genau.« Evie nickt. »Ja.«

Daphne legt ihre Hand auf Evies Unterarm.

»Ich gebe das nur ungern zu«, sagt sie zu Evie, »aber das war mein Zettel. Ich war es, die nach Infos über dich gefragt hat. Ich kannte deine Bücher vorher nicht. Aber ich weiß sicher, dass Duke sie alle quasi inhaliert hat. Ehrlich, er hat nicht gelogen.«

Evie denkt darüber nach. Deckt Daphne nur ihren Freund?

»Wenn du das sagst …«

»Es stimmt!«, betont sie.

Evie sagt nichts weiter dazu und wechselt das Thema.

»Wann hast du mit der Schauspielerei angefangen?«, fragt sie Daphne. »Ich habe natürlich nicht erwartet, dass du meine Bücher gelesen hast, aber ich gebe zu, dass ich dich in ein paar Filmen gesehen habe – in dem mit Olivia Colman zum Beispiel, und ich fand dich als Jeanne d'Arc wirklich großartig. Das war der Wahnsinn! Am Ende haben ein paar Leute im Kino – einschließlich mir – applaudiert!«

Sie lacht wieder. »Danke«, sagt Daphne. »Ja, der Film war erste Sahne, ich habe ihn sehr gemocht. Die Arbeit daran hat mich sehr bereichert, und das ist wirklich das Einzige, was ich mir wünsche.

Ich möchte bei jedem Projekt etwas Neues über mich und meine Fähigkeiten als Schauspielerin lernen. Beim Schreiben muss das ganz ähnlich sein, oder? So stelle ich mir das jedenfalls vor.«

Ein Vogel stürzt im Tiefflug herab und stößt fast mit ihnen zusammen.

»Boah!«, schreit Daphne.

»Mein Gott!«, sagt Evie. »Das hat sich angefühlt, als würde er genau auf mich zufliegen, mit voller Absicht! Hast du das gesehen?«

»Wenigstens hat er nicht auf uns geschissen«, sagt Daphne. »Die Kostümleute waren eh nicht begeistert, dass ich im Hermione-Kostüm spazieren gehe, aber im Winter wird einem doch noch viel kälter, wenn man sich ständig umzieht. Ich hab den beiden gesagt, dass ich sie später auf Social Media tagge und ihnen als Dankeschön ein paar Follower schenken werde.«

»Ahh, Bestechung, das klappt immer.« Evie seufzt.

»So geht's mir ständig«, sagt Daphne. »Es gibt ein paar echt edle Menschen in dieser Branche, aber die meisten wollen etwas oder alles.«

»Das hat Duke auch so gesagt«, nickt Evie. »Ich bin mir sicher, dass es in der Verlagsbranche auch so sein kann, aber ich versuche, mein winzig kleines Leben in Salt Lake City für mich zu behalten.«

»Die Leben, die wir klein nennen, können die größten sein«, stellt Daphne fest. »Und, wenn ich das noch anmerken darf: Diesmal warst du diejenige, die Duke erwähnt hat.«

Evie streckt ihr die Zunge heraus.

Am nächsten Morgen werden die Fotos von Evies und Daphnes Spaziergang veröffentlicht – zwar nicht überall, aber doch auf mehreren feministischen Websites, die genau das sagen, was Willow-oder-Dream gehofft hatte: dass kein Mann es wert ist, zwei

Frauen auseinanderzubringen. Einige »anonyme Quellen« berichten, wie lustig die beiden Frauen es finden, dass ihre angebliche Dreiecksbeziehung in den Medien so breitgetreten wird, während hinter den Kulissen zwischen ihnen beiden eine echte Beziehung besteht, und zwar eine freundschaftliche. »Im Ernst«, so die Quelle, »außerhalb der Dreharbeiten sitzen sie normalerweise zusammen an der Bar, trinken Cocktails und reden darüber, wie sie die Welt verbessern können.« *The Cut* titelt sogar: »Das einzige Paar in dieser Produktion sind die Autorin und der weibliche Star«, und Evie hasst nicht einmal das Foto, das sie ausgewählt haben. Sie lacht darauf ungezwungen und aus ganzem Herzen, und es sieht wirklich so aus, als seien Daphne und Evie die besten Freundinnen.

Ihre Agentin schickt ihr den Link und erzählt ihr von zwei weiteren Angeboten für Auslandslizenzverkäufe – Polen und Brasilien. Es handelt sich zwar nicht um viel Geld, aber es trägt dazu bei, dass die Begeisterung für Evie und ihre Arbeit immer größer wird und die Summe, die laut ihrer Agentin aussteht, immer weiter steigt. Sie atmet tief durch. *Es ist okay, dass all das geschieht,* sagt sie sich, während sie ihr Haar zu zwei französischen Zöpfen flicht, die unter einen Hut passen. *Nicht wahr?*

Sie arbeitet an diesem Selbstwertgefühlding.

»Das ist schön«, sagt Duke beim Frühstück anerkennend über ihre Frisierkünste. »Du siehst aus wie Heidi.«

Er trägt seine Freizeituniform – ein hautenges T-Shirt und eine tief sitzende graue Jogginghose. Evies Blick fällt auf den Hosenbund, der lässig genau auf seinem Schambein sitzt.

»Ich frage mich, was der heutige Tag bringt«, sagt er, und sie wendet ihren Blick schnell ab, beschämt über ihre schmutzigen Gedanken.

»Hmmm«, antwortet Evie, während sie auf einem Rosinenbrötchen kaut. »Mehr schwelendes Scheinwerferlicht und vielsagende

Blicke für dich und mehr abwartendes Beobachten deiner schwelenden und vielsagenden Blicke für mich, könnte ich mir vorstellen«, sagt sie. »Und vielleicht Nudelsalat zum Mittagessen.«

»Deine Fantasie ist grenzenlos«, erwidert Duke, während er sich den Teller mit Wassermelone volllädt. Evie steht daneben und sieht zu. »Ich verstehe jetzt, wie du es geschafft hast, als Geschichtenerzählerin Karriere zu machen.«

»Deine Komplimente klingen so ehrlich.« Evie grinst. »Und ich verstehe, wieso du als Schauspieler Karriere gemacht hast.«

»Autsch«, sagt Duke, lächelt und legt eine Hand aufs Herz, als ob ihre Frechheit ihn genau dort getroffen hätte. »Erwischt.«

Sie schaut auf die Uhr an der Wand. »Nun«, sagt sie und schiebt sich das letzte Stück Brötchen in den Mund. »Du mich nicht. Daphne hat mich um 8 Uhr an die Rezeption bestellt.«

»Wie kommt es, dass Daphne deine Nummer hat und ich nicht?«, fragt er und macht einen Schmollmund.

Evie lächelt frech und sagt ihm, als sie schon halb aus der Tür ist: »Weil du nie danach gefragt hast.«

In der Lobby sucht Evie nach Daphne. In ihrer Nachricht stand nicht, worüber sie mit ihr reden wollte, sondern nur, dass Daphne sich freuen würde, wenn Evie mit ihr einen Kaffee trinkt – *und es ist kein Fototermin. Versprochen!*

Sie sucht sich einen Platz in der Ecke aus: einen kleinen runden Couchtisch mit zwei großen, gemütlichen Ledersesseln. Perfekt als kleine Leseecke, sagt sich Evie. Uff. Lesen. Wenn sie ans Lesen denkt, muss sie ans Schreiben denken, und das lässt sie an ihr MacBook denken, das unangetastet in ihrem Zimmer liegt. Evie braucht noch 100 000 Wörter, und das bereitet ihr große Qual. Sie hat noch nie in ihrem Leben um eine Fristverlängerung gebeten. Wird sie es nun bei diesem Buch tun? Ihre Lektorin wird nicht begeistert sein. Wenn man sein Manuskript nicht rechtzeitig abliefert, kann man nicht jedes Jahr im Frühjahrs- und Winterprogramm veröffentlichen. Und obwohl sie sich einen klaren Arbeitsplan gemacht hat, scheint es so viele interessante Ablenkungen zu geben, dass es ihr schwerfällt, sich dem Schreiben zu widmen.

Sie hört jemanden sagen: »Oh, nein, keine Sorge, ich habe es«, und es klingt wie Magda. Ihr Herz sehnt sich nach ihrer besten Freundin – sie kann sich nicht erinnern, wann sie das letzte Mal so lange getrennt waren.

Evie lehnt sich im Sessel zurück, verspricht sich selbst, dass sie ihr später wieder schreiben wird, und bewundert geistesabwesend die Lobby. Und dann sieht sie sie, wie sie vor der automatischen Tür steht und darauf wartet, dass Evie sie entdeckt.

»Magda?«, fragt Evie, zu verblüfft, um aufzustehen.

Sie winkt. »Ich dachte, es wäre an der Zeit, einen kleinen Ausflug zu machen«, sagt sie und grinst. »Um die Gegend hier ein bisschen aufzumischen.«

Evie kreischt auf, schreit dann aus Leibeskräften, steht auf und stürzt sich auf ihre Freundin.

»Wie zum Teufel?!«, ruft sie aufgeregt. »Du bist hier? Wie kommst du denn hierher? Warum hast du denn nichts gesagt?«

Die Freundinnen umarmen sich, und es ist so heftig, so voller Liebe, dass Evie es tatsächlich schafft, Magda zu Boden zu stoßen, was sie beide wieder aufschreien lässt, und dann liegen sie lachend auf dem Teppichläufer des Fünf-Sterne-Hotels und kichern und kichern. Evie schaut sich um.

»Ich kann nicht glauben, dass du hier bist«, sagt sie, und bevor Magda etwas erwidern kann, sieht sie Dukes Gesicht, das amüsiert über ihnen schwebt.

»Wie ich sehe, hast du meine Überraschung bekommen«, sagt er zu Evie. »Du musst Magda sein«, fügt er hinzu, und Magda kreischt noch einmal als Antwort.

Evie und Magda sitzen in der Ecke, die Evie vorhin ausgesucht hat, je zwei leere Kaffeetassen stehen vor ihnen auf dem Tisch, und keine von beiden zeigt Anzeichen dafür, dass sie in nächster Zeit mit dem Reden aufhören wird. Evie kann immer noch nicht glauben, dass ihre allerbeste Freundin auf der ganzen Welt ihr gegenübersitzt, in der Lobby eines bayerischen Hotels, und ihr erzählt, dass Duke sie hat herfliegen lassen.

»Ich dachte wirklich, es wäre ein Witz«, sagt Magda. »Er hat dieses blaue Häkchen auf Instagram, also dachte ich mir, okay, es ist kein Fan-Account, aber vielleicht wurde sein echter Account gehackt? Oder vielleicht habe ich alles falsch verstanden? Aber seine Assistentin hat ihn dazu gebracht, ein Video aufzunehmen, in dem er mir sagt, dass er gerne möchte, dass ich herkomme, weil er weiß, wie sehr du das alles hier mit mir teilen möchtest.«

»Stimmt«, sagt Evie. »Das habe ich ihm gesagt.«

»Sie haben ein Auto geschickt, und im Flugzeug bin ich nach links abgebogen, was übrigens der Wahnsinn ist. In der ersten Klasse haben sie ja richtige Gläser! Und ich habe auf diesem KLM-Flug besser gegessen als in den meisten Restaurants! Und dann habe ich mir die ganze Zeit über ungläubig gesagt: *Das alles hat Duke Carlisle bezahlt.*«

»Ich fange an zu kapieren, dass er wirklich nett ist«, sagt Evie. »Es tut mir leid, dass er nicht bleiben konnte. Er kann über seinen Terminplan nicht selbst bestimmen, aber wir können heute Abend alle zusammen essen gehen … Also vielleicht, wenn sie rechtzeitig fertig sind.«

Magda winkt ab. »Wenn er hier wäre, könnten wir nicht über ihn reden«, flüstert sie verschwörerisch. »Und ich will unbedingt über ihn reden.«

»Komm«, schlägt Evie vor, »lass uns deine Sachen in mein Zimmer bringen und uns die Sehenswürdigkeiten anschauen. Hast du schon mal Dampfnudeln probiert? Denn, ganz ehrlich, wenn ich tot bin, musst du mich mit einer riesigen Portion Dampfnudeln begraben. Sie sind einfach himmlisch.«

Die Frauen schlendern durch die Stadt, plaudern und kichern, und während sie am Perlachturm und am Augsburger Dom vorbeikommen, rufen sie abwechselnd: »Ich kann nicht glauben, dass das gerade echt ist!« Nach dem Mittagessen machen sie sich auf den Weg zum Drehort, wo Duke und Daphne eine Kussszene von George und Hermione filmen, nachdem ein halbes Buch lang die Spannung aufgebaut wurde, ob es dazu kommen wird oder nicht. Nachdem sie ihre Passierscheine erhalten und sich auf den Weg in den dafür vorgesehenen Bereich gemacht haben, sehen sie zu, wie sich die Szene entfaltet – erst wird geprobt, dann kommt die erste Aufnahme.

»Wenn das eines Tages im Fernsehen läuft, können wir sagen, dass wir live dabei waren, als es gefilmt wurde«, staunt Magda im Flüsterton. »Das ist so cool!«

Sie sehen sich ein paar Takes an, bevor Brad erklärt, dass sie es geschafft haben, und Magda schüttelt beeindruckt den Kopf. »Duke kommt rüber. Sehe ich gut aus? Habe ich Sauerkraut zwischen den Zähnen?«

»Ja, hallo.« Duke lächelt, als er sich nähert. »Habt ihr eine gute Zeit zusammen?«

Magda öffnet den Mund, um ihm zu antworten, aber Duke streckt die Hand aus, um ein verirrtes Haar hinter Evies Ohr zu streichen, und die Zärtlichkeit, mit der er das tut, überrascht selbst Evie. Sie lässt ihr Herz im Stechschritt schlagen und ihre Wangen erröten. Sie tauschen ein verschämtes Lächeln aus. Evie ist sich bewusst, dass ihre beste Freundin sie mit offenem Mund anstarrt.

23

DUKE

Duke findet, dass Evies beste Freundin die lustigste Person ist, die er je getroffen hat – und er hat schon fünf Wochen mit Jack Black am Set verbracht.

»Magda, oh mein Gott!« Evie wirft ihrer besten Freundin einen strengen Blick zu, nachdem sie ihren dritten Witz über Oralsex gemacht hat, und wendet sich dann an Duke und Daphne. »Bitte entschuldigt das dreckige Mundwerk meiner besten Freundin«, sagt sie, und Duke versucht, herauszufinden, wie jemand, der so ernst und fokussiert ist wie Evie, mit jemandem befreundet sein kann, der so ungefiltert und witzig ist wie Magda.

»Ich liebe das dreckige Mundwerk deiner besten Freundin.« Duke lacht und zuckt mit den Schultern.

»Ich irgendwie auch«, erwidert Daphne.

»Verräterin«, schimpft Evie und schaut erst zu Daphne, dann zu Duke. »Du auch, Mister.« Sie zeigt anklagend auf ihn, und Duke hebt die Hände, als sei er unschuldig ins Kreuzfeuer geraten.

»Ich bereue nichts«, sagt er.

»Genau das ist dein Problem«, schimpft Evie.

Sie hätten im Restaurant essen können, das zum Hotel gehört, was in Ordnung gewesen wäre, es ist ein großartiges Lokal, aber Magda hat von einem kleinen Bistro etwas abseits gehört und hat darauf bestanden, dorthin zu gehen. Es interessiere eh niemanden, wer sie sind, und sie würde sie beschützen, wenn man sie belästigt. Ihre Begeisterung ist ansteckend. Sie haben eingewilligt.

»Das macht Spaß«, sagt Daphne und lächelt. »Ich wollte schon längst ein bisschen die Gegend erkunden, aber ich bin nach den

Dreharbeiten immer so müde, und Brad wollte nie etwas unternehmen ...« Sie verstummt, und Duke fragt sich, ob das der Moment ist, da sie ihnen sagen wird, dass sie sich getrennt haben – nicht, weil er sie zurückhaben will, sondern weil Brad so ein männlicher Abschaum zu sein scheint.

Es ist ihm nicht entgangen, dass Daphne gerade die Vergangenheitsform benutzt hat, um über ihn zu sprechen. Er sieht Evie an. Hat sie es auch gemerkt? Seit ihrem Fotoshooting wirken sie vertrauter miteinander, vielleicht hat Daphne ihr davon erzählt. Frauen öffnen sich einander leicht, nicht wahr?

»Ich bin gerade rechtzeitig gekommen, um ein bisschen Leben hereinzubringen, oder?«, scherzt Magda. »Scheint anstrengend zu sein, den ganzen Tag am Set.«

»Ja«, sagt Daphne. »Man muss viel warten und frieren, und am Ende sind wir zwar auf der Leinwand zu sehen, aber in Wirklichkeit sind wir nur ein Rädchen in einer großen Filmmaschinerie. Um ehrlich zu sein, haben wir nicht einmal besonders viel Macht – das Gefühl habe ich jedenfalls, ich weiß nicht, wie es bei dir ist, Duke.«

Duke nickt. »Ja«, stimmt er zu. »Ich glaube, die Studiobosse haben die meiste Macht.«

»Wie das?«, fragt Evie.

»Sie halten die finanziellen Fäden in der Hand.« Er zuckt mit den Schultern. »Und wenn man über das Geld bestimmt, dann bestimmt man auch über alles andere am Film – sowohl über die Produktion als auch über die Vermarktung. Ein großartiger Film, der nicht gut vermarktet wird, zieht das Publikum nicht an, aber mit einem richtig cleveren Marketing kann man einen mittelmäßigen Film erfolgreich machen. Und als Studiochef bist du derjenige, dem alle Rechenschaft ablegen müssen, also hast du die meiste Macht.«

»Ich hätte gedacht, dass das die Regisseure sind«, meint Evie, während die Hauptgerichte kommen.

»Die tun auf jeden Fall so, als seien sie die Puppenspieler«, sagt

Daphne. »Ich meine, nicht immer. Manchmal. Und eher die Männer, um ehrlich zu sein.«

Duke zuckt mit den Schultern. »Ich entschuldige mich für meine Geschlechtsgenossen.«

»Darauf trinken wir«, sagt Magda und hebt ein Glas. Sie stoßen an und trinken.

»Ich hätte nichts dagegen, es zu versuchen«, fügt Daphne hinzu. »Regie zu führen. Wenn ich meine eigene Produktionsfirma gegründet habe, vielleicht.«

»Wow, Ehrgeiz ist so sexy.« Magda zwinkert. »Sehr schön für dich.«

Sie essen, trinken und amüsieren sich, und beim Nachtisch versucht Magda, alle davon zu überzeugen, auf einen Schlummertrunk in eine Bar zu gehen.

»Kommt schon, nur einen«, sagt sie und trommelt mit den Fingern auf den Tisch. »Nur einen!«

Duke kommt in Versuchung. Er hatte viel Spaß – es war so erfrischend, einfach nur zu plaudern, sich zu amüsieren, unter Menschen zu sein und etwas so Normales zu tun wie an einem öffentlichen Ort zu essen. Und Magda hatte recht: Niemand hat sie erkannt. Oder wenn doch, dann hat man sie in Ruhe gelassen, was wunderbar ist. Duke findet die Augsburger sehr cool.

»Oh, sieh mal«, unterbricht sich Magda dann plötzlich. »Entschuldigung«, verkündet sie, »ich habe mich mit der Frau da drüben am Flughafen unterhalten. Sie hat mir in der Ankunftshalle ein Taschentuch gegeben, nachdem ich mein Getränk auf meine Klamotten verschüttet hatte. Und sie hat mir auch von diesem Restaurant erzählt. Ich will nur kurz Hallo sagen.«

Duke redet weiter, während sie weggeht, und sagt Daphne und Evie, dass er für heute Schluss machen muss.

»Ist das okay für dich, wenn ich jetzt gehe? Oder bist du lieber in Gesellschaft eines großen, kräftigen Mannes?«

»Eigentlich ja.« Evie kichert. »Kennst du einen?«

Erst als er mit den Augen rollt, wendet er seinen Blick vom Tisch ab, und obwohl er sich einredet, dass sie auf keinen Fall hier sein kann, nicht hier, nicht in Deutschland, nicht in diesem Restaurant mit diesen Leuten, weiß er, dass sie es ist. Er weiß nicht, wie oder warum sie da ist, nur, dass sie es ist. Sie gestikuliert mit den Händen und legt lachend den Kopf in den Nacken, als Magda auf ihren Tisch zeigt und sie hinüberschaut und ihre Blicke sich treffen. Sie sieht strahlender aus als sonst, als würde sie funktionieren, und ein Mann ist bei ihr. Ein unscheinbarer Mann – er hat Augen, eine Nase, einen Mund, trägt einen Pullover, eine Hose und einen Mantel. Dann sagt sie etwas zu ihm, Magda schaut hinüber, und dann steht Duke auf.

»Hallo«, sagt sie zu ihm, während sie sich dem Tisch nähert.

Er blinzelt. Vielleicht ist er kurz davor zu weinen. Vielleicht weint er auch schon.

Er schluckt. »Hallo, Mum.«

Es stellt sich heraus, dass der unscheinbare Mann Roger ist, ihr neuer Freund.

»Wir haben uns bei den Anonymen Alkoholikern kennengelernt«, sagt sie, während sie sich in der Ecke der Hotellobby niederlassen, in der Magda und Evie heute schon getratscht haben. Mittlerweile fühlt es sich aber so an, als sei ein Jahr seitdem vergangen. Die letzten zwanzig Minuten – das Bezahlen im Restaurant, der Entschluss, zurück in die Privatsphäre des Hotels zu gehen, das Ausziehen der Mäntel – haben sich wie eine Woche angefühlt. Seine Mutter ist hier? In Deutschland? Um ihn zu sehen?

»Er ist immer so nett zu mir. Sehr geduldig. Er hat selbst zwei Kinder, aber zu einem hat er keinen Kontakt mehr. Ich habe ihm gesagt, dass ich weiß, wie das ist.«

Wenn das ein Versuch sein soll, Verbundenheit zu signalisieren, kommt es bei Duke nicht gut an. Er tut das, was er so oft mit Phoebe geübt hat: atmen, sich seine Antwort aufsparen, bis er ganz genau weiß, wie sie lauten soll, sich auf die Fakten konzentrieren, die eindeutig wahr sind, und nicht hysterische, erfundene Sorgen aus seiner Fantasie.

Das ist seine Mutter. Sie ist hier. Sie ist nicht betrunken. Sie hat einen Freund.

Seine Mutter sieht ihn erwartungsvoll an. Eine Zeit lang hat er sie bei ihrem Vornamen genannt, Anna, um zu verdeutlichen, dass sie für ihn keine Mutter ist. Er hat ihr das niemals direkt gesagt, aber er hat es in Therapiesitzungen oder gegenüber Freunden gesagt. Dann aber fühlte es sich gezwungen an, als ob er versuchen würde, wütender zu sein, als er war. Meistens war er einfach nur traurig über sie. Traurig, verloren und verletzt.

»Ich bemühe mich gerade, einiges zu verstehen, Mum«, sagt er, als sie zufrieden seufzt, als wäre sie überglücklich, hier und mit ihm zusammen zu sein. Roger hat sich entschuldigt, um auf die Toilette zu gehen, aber er ist schon lange weg. Vielleicht lässt er ihnen etwas Freiraum. »Woher wusstest du, dass ich hier bin? Wie bist du überhaupt hergekommen? Warum hast du mir nicht gesagt, dass du kommst?«

Sie nickt zustimmend, als ob sie verstehen würde, warum er verwirrt ist.

»Hmm, also, na ja ...«, sagt sie. »Du warst oft in der Zeitung, und es hieß, du würdest in Deutschland drehen. Als ich danach gegoogelt habe, gab es eine Fanseite, auf der spekuliert wurde, welche Drehorte es wohl sein könnten – ist es eine Buchverfilmung? Einige Websites haben Hinweise aus einem Buch herangezogen. Und du gehst nicht mehr ans Telefon, wenn ich anrufe, und ich weiß, warum das so ist. Ich weiß, dass ich dir keine gute Mutter gewesen bin, Schatz, wirklich. Aber ich bin bei den Anonymen Alkoholikern. Ich bin seit fast dreihundert Tagen trocken. Und ich bin gekommen, um mich zu entschuldigen. Ich habe die Reise von dem

Geld bezahlt, das du geschickt hast. Normalerweise gebe ich es nicht aus – alles, was du mir schickst, liegt auf einem Konto, damit ich es dir zurückzahlen kann. Ich brauche dein Geld nicht, nicht mehr. Jetzt ist alles anders.«

Duke nickt. Er hat dieses Gespräch schon Tausende Male in seinem Kopf durchgespielt: die Vorstellung, dass er eine Entschuldigung zu hören bekommt. In seiner Fantasie springen sie aber an dieser Stelle auf, umarmen sich und sagen, dass sie sich nie wieder streiten werden, und seine Mutter schwört, dass sie die sein wird, die sie schon immer hätte sein sollen, und Duke sagt, dass ihm das sehr gefallen würde. Aber hier, in der Realität, hat er keine Lust, irgendetwas davon zu sagen. Er hat überhaupt keine Lust, irgendetwas zu sagen.

»Wo wohnst du?«, fragt er, und sie holt die Visitenkarte eines Drei-Sterne-Hotels in ein paar Kilometern Entfernung heraus. »Hier«, sagt sie und reicht sie ihm. »Hier wohnen wir.«

Duke nickt.

»Kennst du deine Zimmernummer?«

»Zweihundertzwölf.«

Er nickt wieder. »Ich rufe dich morgen an«, sagt er. »Morgen früh. So gegen 8 Uhr, okay? Jetzt muss ich ins Bett.«

Seine Mutter steht auf, als er aufsteht, und Duke sieht, dass Roger sich nähert, und winkt ihm kurz zu.

»Schön, dich kennengelernt zu haben«, sagt Duke und geht auf sein Zimmer. Er holt sein Handy aus der Tasche und steckt es dann wieder ein. Er ist sich nicht sicher, ob er darüber sprechen will, dass seine Mutter hier ist, um es so richtig zu begreifen, oder ob er ins Bett gehen, die Augen schließen und so tun soll, als ob es nicht passiert wäre. Das Hoteltelefon auf seinem Nachttisch klingelt.

»Hey.«

Sie ist es. Evie.

»Kannst du hochkommen?«, fragt er.

Sie braucht keine drei Minuten. Er öffnet ihr die Tür, und sie sieht ihn an, und es ist kein Mitleid in ihrem Blick, denkt er. Sie schaut nicht so, als würde er ihr leidtun. Es ist echte, wirkliche Sorge.

»Ich werde nicht fragen, ob es dir gut geht«, sagt sie, öffnet ihre Arme weit und bittet damit um Erlaubnis, ihn umarmen zu dürfen. Er lässt sie gewähren. Sie riecht nach Wassermelone und grünem Apfel. Zitronig. »Wusstest du, dass sie kommt?«, fragt sie, hält seine Hand und führt ihn zu einem Stuhl in der Ecke. Er setzt sich auf den Stuhl, und sie setzt sich auf den gewebten Teppich zu seinen Füßen, legt die Arme über seine Beine und schaut ihn neugierig an.

»Nein, überhaupt nicht«, sagt er. »Ich habe sie Weihnachten vor drei Jahren das letzte Mal gesehen, und das auch nur, weil sie wegen Trunkenheit am Steuer in der Unfallambulanz gelandet ist. Ich war so wütend auf sie, Evie. Sie hätte jemanden umbringen können. Ich meine, sie kann sich ja zu Tode saufen, aber es hätte ein Kind treffen können oder den Onkel, Vater oder die Schwester von jemandem … Sie sagt, sie sei jetzt trocken.«

Evie nickt. »Glaubst du ihr?«

Duke seufzt. »Ich würde es wirklich gern«, sagt er, »aber ganz ehrlich, ich weiß nicht, wie viel Hoffnung ich noch aufbringen kann, wenn es um sie geht.«

Er geht zum Bett und lässt sich erschöpft nieder.

»Okay. Du hast mich vor Kurzem gefragt, ob du mir irgendwie helfen kannst. Jetzt bin ich an der Reihe, dich das zu fragen … Was brauchst du? Was kann ich tun?«

»Ich … weiß nicht.«

»Wie wäre es, wenn ich meinen Laptop hole und hier sitze und schreibe? Wenn du mich brauchst, bin ich da, und wenn nicht, ist's auch kein Problem.«

Er nickt. »Das ist nett von dir«, sagt er.

»Sehr gern«, sagt sie. »Du kannst sogar einschlafen, wenn du willst. Ich werde einfach nur in der Nähe sein.«

Das ist die Evie, von der Duke dachte, sie sei immer so. Er wusste, dass sie irgendwo in ihr drin war. Nicht eine Evie, die sich um ihn kümmert, sondern eine nachdenkliche, umsichtige Evie. Eine Evie ohne einen Panzer. Dadurch kann Duke auch mehr von sich preisgeben. Es fühlt sich menschlich an. Empathisch.

Duke erinnert sich, wie er sich damals gefühlt hat, als er auf der letzten Seite von Evies Roman angelangt war, den ihm Adele während des gemeinsamen Urlaubs geliehen hatte. Er hat sich auf der Sonnenliege ausgestreckt, seine Augen haben sich mit Tränen gefüllt, er hatte einen Kloß im Hals, der sowohl von der Traurigkeit herrührte als auch von der Hoffnung. Evies Worte bewegten sich auf einem schmalen Grat. Er hatte ihre Danksagung gelesen, sie war kurz und bündig, und auf der Innenseite des Umschlags war ihr Foto abgebildet. Er betrachtete die großen Augen und geschwungenen Augenbrauen, das Beinahe-Lächeln auf ihren Lippen und ihren ernsten, festen Blick. In der Kurzbiografie darunter stand schlicht und einfach: *Evie Bird ist eine Schriftstellerin aus Utah. Sie wurde sechsmal für den Romantic Writers' Award nominiert und hat ihn dreimal gewonnen.* Nichts kann uns stoppen *ist ihr achter Roman. Zurzeit schreibt sie an ihrem neunten Roman.*

Er googelte sie, aber es kam nicht viel dabei heraus. Er fand eine Website mit ihren Buchcovern und den Links zum Online-Kauf, aber da war nirgends eine Kontaktseite oder E-Mail-Adresse, an die man hätte schreiben können, und zur Social-Media-Seite gab es die Info, dass sie von einer Social-Media-Managerin betrieben wurde. Er nahm das Buch mit nach London, stellte es in sein Regal und bestellte ihre vorherigen Romane. In den darauffolgenden Jahren hatte er alle ihre Novitäten automatisch bestellt, und als *Auf der Romantischen Straße* herauskam, kurz vor einem weiteren Weihnachten, an dem seine Mutter im Krankenhaus lag, wusste er, dass es verfilmt werden und sie irgendwie daran beteiligt werden musste. Ihre Worte hatten ihn gerettet, aber sie wusste nichts davon.

Evie geht in ihr Zimmer, um ihren Laptop zu holen, und als sie zurück ist, verspürt Duke einen Anflug von Dankbarkeit.

»Hey«, sagt er und erinnert sich plötzlich an etwas, das Daphne erwähnt hatte.

»Hmmmm?«, fragt sie.

»Ich wollte nur sagen … Daphne hat erzählt, dass du bei mir ein Infoblatt über dich gefunden hast. Es war wirklich ihres. Ich möchte nicht, dass du denkst, ich hätte mich verstellt, ich hätte nur so getan, als würde ich deine Romane mögen …«

Sie sieht ihn an und lächelt. Sie scheint zufrieden zu sein.

»Okay«, sagt sie. »Ich glaube, ich glaube dir.«

»Du glaubst?«

Sie zuckt mit den Schultern. »Zu achtundneunzig Prozent, ja.«

Duke schüttelt den Kopf. »Du bist unmöglich.«

»Ganz genau«, sagt sie und lächelt wieder. »Wie auch immer. Magst du einen Tee? Oder soll ich was zu essen bestellen …?«

Er schüttelt den Kopf. »Nein, danke, alles gut«, antwortet er, und dann denkt er an seine morgigen Szenen und daran, dass er wahrscheinlich furchtbar aussehen wird. Es ist schon sehr spät. »Vielleicht kannst du mir einfach nur eine Wasserflasche aus der Minibar geben …« Er sollte wenigstens darauf achten, genug zu trinken.

Sie reicht ihm eine Flasche, nimmt sich selbst auch eine und setzt sich auf einen Stuhl.

»Soll ich reden oder tippen?«, fragt sie und gähnt dann. »Entschuldigung«, fügt sie hinzu.

»Ich habe gerade daran gedacht, wie ich dich gegoogelt habe, nachdem ich *Nichts kann uns stoppen* gelesen hatte, und so gut wie keine Informationen über dich gefunden habe. Ich war so neugierig zu erfahren, wer sich hinter dieser Geschichte verbirgt.«

Sie zuckt mit den Schultern. »Na ja«, sagt sie. »Jetzt weißt du es.«

»Ja«, sagt er. Er ist sich sicher, dass sie darauf wartet, dass er mehr über seine Mutter erzählt. Aber was soll er dazu noch sagen?

»Ich werde meine Mutter morgen früh anrufen«, sagt Duke. »Ich meine, ich habe es angekündigt, also habe ich nicht wirklich das Gefühl, dass ich eine Wahl habe.«

Evie nickt. »Na ja, du hast immer eine Wahl.«

»Habe ich die? Sie ist bis hierhergekommen, den ganzen langen Weg. Sie sagt, sie ist trocken. Sie hat einen Freund. Also, es sieht so aus. Ich war vorhin zu überrascht, um ihr all die Fragen zu stellen, die ich stellen wollte. Wenn sie schon hier ist, will ich auch, dass sie mir einiges beantwortet.«

Evie neigt den Kopf und hört sich aufmerksam an, was er sagt.

»Also, du willst mit einem Alkoholiker-Elternteil ein klärendes Gespräch führen … weil du hoffst, dass du dann endlich mit deiner Vergangenheit abschließen kannst … Ich sage es nur ungern, aber das ist ziemlich selten von Erfolg gekrönt.«

Ah, ja, natürlich. Evies Vater hat getrunken. Sie hatte es beiläufig erwähnt.

»Erinnert dich das alles an …?«, setzt Duke an, aber Evie hält eine Hand hoch.

»Nein«, sagt sie. »Es geht hier nicht um mich. Aber ja, wenn mein Vater hier auftauchen würde, würde ich auch zuhören, was er mir zu sagen hat. Soll ich dich begleiten, um dich moralisch zu unterstützen?«

»Danke, das wird schon«, sagt er und denkt sich: *Allein schon die Tatsache, dass du fragst, hilft mir.* Aber irgendetwas hindert ihn daran, das laut auszusprechen. »Ich werde jetzt versuchen zu schlafen.«

»Guter Plan. Ich bin hier am Fußende, wenn du etwas brauchst.«

Er fällt fast augenblicklich in einen traumlosen Schlaf.

24

DUKE

Auf seine Bitte hin holt ihn seine Mutter in seinem Hotel ab, damit sie einigermaßen Privatsphäre haben können, wenn sie sich unterhalten. Niemand fragt ihn, wer die ältere Frau mit den grauen Haaren an den Schläfen ist, aber es ist wohl offensichtlich: Sie haben die gleiche Nase, die gleichen Hände, die gleichen Katzenaugen. Daphne geht mit Katerina vorbei, dann Brad, der abgelenkt zu sein scheint, weil er jemanden am Telefon anschreit. Duke stellt sie nicht vor. Niemand spricht sie an. Man sieht ihnen wohl an, dass die Stimmung angespannt ist.

»Ich danke dir hierfür«, sagt seine Mutter, nachdem sie sich gesetzt und einen Tee bestellt hat. Duke kann jetzt nichts essen. Sein Magen ist wie verknotet, aus lauter Angst windet er sich um sich selbst. Als sein Wecker heute Morgen geklingelt hat, war Evie nicht mehr da, aber auf dem Couchtisch lag ein Zettel, auf dem sie ihm Glück gewünscht hat. Er hat im Internet recherchiert, wie man sich am besten gegenüber einem Elternteil verhält, das seit Kurzem trocken ist, aber schon während er die Frage in die Suchleiste eingetippt hat, konnte er kaum glauben, dass das stimmt. Er will, dass sie es ihm beweist. Er ist hier, um ihr in die Augen zu schauen und zu sehen, ob sie so glasig sind, wie er sie in Erinnerung hat. Es gab in seiner Kindheit so viele Tage und Nächte, in denen es sich so angefühlt hat, als ob niemand sich für ihn interessieren würde, als ob sie sogar glücklich wäre, wenn er aus der Tür ginge und nie wiederkommen würde. Warum konnte er sie nicht glücklich machen?

Nichts, was er getan hat, war genug, also muss er das Problem gewesen sein.

»Ich weiß, dass ich dich überfallen habe«, fährt sie fort, als der Tee gebracht wird. »Wie schon gesagt, ich wusste nicht, was ich tun sollte. Und ich wusste nicht, ob das klappt, aber ich musste es versuchen. Ich kann irgendwie nicht glauben, dass wir in demselben Restaurant waren …«

Duke blinzelt. Er kann sich nicht dazu durchringen, ein freundliches Gespräch zu führen, aber warum sollte er auch? »Ja«, sagt er. »Ist das Schicksal nicht lustig?«

Seine Mutter beißt sich auf die Unterlippe, weil sie seinen Unterton versteht. Sie nippt an ihrem Tee. Duke beobachtet sie.

»Ich bin süchtig«, sagt sie. »Und ich kann mir nicht vorstellen, wie schwer das für dich gewesen sein muss.«

Duke sieht sie weiter an. Er atmet schneller und merkt, dass er das schnelle Heben und Senken seines Brustkorbs im peripheren Blickfeld sehen kann.

»Es gibt keine Entschuldigung für das, was ich getan habe. Ich werde nicht versuchen, Gründe dafür zu finden, dass ich dich enttäuscht habe, und ich erwarte nicht, dass du sagst, dass alles in Ordnung ist oder dass du mir vergibst. Ich habe dein Vertrauen über Jahre hinweg missbraucht, und wenn du dich jemals dafür entscheidest, mich versuchen zu lassen, es wieder aufzubauen, werde ich mich für den Rest meines Lebens dafür einsetzen. Es heißt, dass ein Rückfall jederzeit möglich ist, aber ich werde nicht zu dem zurückkehren, was ich war. Wirklich nicht. Du musst nichts für mich tun, du musst mir da nicht durchhelfen. Es geht mir gut. Ich habe die Anonymen Alkoholiker und Roger und jetzt auch einen Job. Ich bin so froh, dass du heute Morgen überhaupt angerufen hast, dass ich dich sehen kann, dein hübsches Gesicht, Liebling … Meine Liebe war nicht groß genug«, sagt sie, und ihr kommen die Tränen. Sie schaut zur Decke, als ob das ihre Tränen irgendwie aufhalten könnte. »Aber meine Liebe zu dir ist alles, was ich habe. Also … werde ich es versuchen, okay?«

Sie bricht ab und greift nach ihrer Handtasche, um nach Taschentüchern zu suchen. Duke schließt die Augen und seufzt tief. Kann das wirklich wahr sein? Seine Mutter hat sich einfach so verändert? Es fühlt sich dumm an, ihr zu vertrauen, dumm und naiv. Und unreif. Er musste schnell erwachsen werden, mit einer Mutter, die den Schnaps mehr geliebt hat als ihn. Er ist an ein Leben ohne Mutter gewöhnt. Und doch …

»War es meine Schuld?«, fragt er dann mit beinahe gebrochener Stimme. Er hasst sich selbst dafür, dass er hören will, dass sie Nein sagt, dafür, dass er ein siebenunddreißigjähriger Mann ist, der Mami braucht, um ihn in den Arm zu nehmen. Er ist so gut ohne sie zurechtgekommen. So, so gut. Vielleicht hat er es sogar *wegen* ihr so gut geschafft, wenn nicht sogar trotz ihr. Sie konnte ihn nicht lieben, aber jetzt liebt ihn die ganze Welt. Aber … das reicht nicht. »Wenn ich besser gewesen wäre«, drängt er. »Wenn ich ein besserer Sohn gewesen wäre, besser in der Schule oder mehr im Haushalt gemacht hätte …« Jetzt weint er ganz offen. Mist. Mist, Mist, Mist. Seine Mutter reicht ihm ein Taschentuch.

»Nein, Derrick«, sagt sie und benutzt seinen richtigen Namen. »Nein. Denkst du das wirklich …?« Und jetzt fließen bei ihr die Tränen, heftig und schnell, und sie streckt eine Hand über den Tisch aus, und Duke sieht sie erst an und nimmt sie dann. Er drückt sie fest, dann steht er auf, um sie zu umarmen, denn auch wenn er ihr nicht vertrauen kann, glaubt er an diesen Moment. Sie ist wirklich da, ist gekommen. Er hat das so sehr gebraucht, dass sie da ist. Besser spät als nie. Vielleicht. Er weiß nicht, was als Nächstes kommt, in der Zukunft, aber er kann sie jetzt umarmen, wenn das das Einzige ist, was sie haben.

Sie verharren in dieser Haltung, seine Mutter sitzend, Duke über den Tisch gebeugt, die Arme umeinandergeschlungen, und sie weinen und lassen alles raus. Sie ziehen wahrscheinlich einige Blicke auf sich, aber was soll's? Gefühle lassen sich nicht planen oder kontrollieren.

Sie bleiben etwa fünf Minuten lang so, vielleicht sind es auch zehn oder fünfzehn. Irgendwann lässt das Weinen nach. Duke setzt sich wieder hin und nimmt einen großen Schluck Wasser. Er fühlt sich erleichtert. Und müde.

»Ich weiß nicht, was als Nächstes passiert«, sagt er. »Ich weiß nicht, was ich mir wünsche.«

Seine Mutter nickt. »Das ist in Ordnung«, sagt sie.

»Du kannst nicht einfach … plötzlich … ein Teil meines Lebens sein, nur weil du beschlossen hast, dass es an der Zeit ist, dich zusammenzureißen. Das verstehst du doch, oder?«

Sie nickt und zuckt ein wenig zusammen, als würde es sie besonders treffen, ihn das sagen zu hören. Aber was soll's?, denkt sich Duke. Er ist seit Jahrzehnten verletzt.

»Ich weiß«, sagt sie. »Und ich werde es wirklich beweisen, die Dinge sind jetzt anders. Deshalb habe ich so lange gewartet, um sicherzugehen – fast zehn Monate. So lange war ich noch nie trocken, und das nur, weil ich mir vorgenommen habe, dich zu besuchen, wenn ich es schaffe. Ich will dich kennenlernen, Derrick. Ich kann dir gar nicht sagen, wie sehr ich mich schäme«, und sie fängt wieder an zu weinen und schluchzt diesmal zwischen den Worten. »Wie sehr ich mich dafür schäme«, wiederholt sie und holt zittrig Luft, »dass ich meinen Sohn nicht sehe. Ich möchte dich kennenlernen. Ich weiß, dass ich kein Recht mehr darauf habe, aber ich hoffe, dass es eines Tages vielleicht wieder anders sein wird.«

Duke nickt. »Okay«, sagt er. »Lass uns einfach sehen, okay?«

»Okay«, sagt seine Mutter und wischt sich noch einmal mit einem feuchten Taschentuch über die Augen.

25

EVIE

O je«, seufzt Magda bei einem traditionellen bayerischen Frühstück mit Weißwurst, Brezel und Bier. »Ich meine, Duke scheint ein cooler, ausgeglichener Typ zu sein, aber kannst du dir vorstellen, dass deine erst seit Kurzem trockene Mutter aus heiterem Himmel auftaucht, während du bei der Arbeit bist? Und ich will mich nicht zur Hauptfigur stilisieren, während ich höchstens eine Randfigur bin, aber ist es nicht verrückt, dass ich sie am Flughafen getroffen habe?«

Evie schüttelt den Kopf. »Wegen solcher Dinge glaube ich an das Schicksal«, sagt sie. »Wir waren in diesem Restaurant, weil sie dir davon erzählt hat. Aber wie groß war die Wahrscheinlichkeit ...?«

»Unendlich gering«, stimmt Magda zu. »Ich frage mich, was sie vorhatte, wie sie vorgehen wollte – wollte sie sich einfach erkundigen, wo das nächste Filmset ist und ... warten?«

Evie zuckt mit den Schultern und taucht ihre Brezel in scharfen Senf. Sie ist nicht verkatert, aber nachdem sie so lange mit Duke wach war und dann so früh aufgestanden ist, fühlt sie sich durch den Schlafentzug ein bisschen so. Tatsächlich kommt sie auf dieser Deutschlandreise auf ein noch geringeres Schlafpensum als zu Unizeiten. Sie ist zu alt für so etwas. Und es gibt nicht genug Antifaltencreme auf der Welt.

»Ich glaube, Fans machen das so«, sagt Evie. »Sie bekommen Wind davon, in welcher Stadt wir sind, teilen die Info online, auf Blogs oder was auch immer, und hängen dann herum und warten darauf, einen Blick auf alle erhaschen zu können.«

»Eine andere Welt«, seufzt Magda. »Obwohl, wenn ich in den Siebzigern geboren wäre, wäre ich bestimmt ein Groupie geworden. Ich hätte versucht, mit Bowie oder den Beatles oder wem auch immer zu schlafen, und wäre ihnen von Auftritt zu Auftritt gefolgt.«

»Dafür hättest du in den Siebzigern ein Teenager sein müssen«, scherzt Evie, »und dann hättest du die Achtziger nicht überlebt.«

Magda zuckt mit den Schultern. »Dann hätte ich wenigstens eine tolle Zeit gehabt.« Sie lächelt. Dann wechselt sie das Thema und sagt: »Und, hey, ich wollte nur mal fragen, wie du dich wegen deinem Vater fühlst, nachdem Dukes alkoholkranke Mutter hier aufgetaucht ist. Wir müssen nicht darüber reden, wenn du nicht willst, aber ich muss dich das fragen. Geht es dir gut?«

Evie denkt darüber nach. Sie hat viel über ihren Vater nachgedacht, seit sie wieder in seiner Welt ist, der Welt des Films, und seit in jenem Artikel stand, dass er ihr Vater ist. Jegliche Hoffnung, die sie hatte, dass er sich eines Tages schon melden würde, hat sich zerschlagen, falls es sie überhaupt gab. Aber ja, er war in letzter Zeit viel präsenter in ihren Gedanken als sonst.

»Ich schätze, ich habe ein bisschen an ihn gedacht, ja«, gibt Evie zu. »Mehr aus einer mitfühlenden Perspektive heraus. Also so: Was würde ich tun, wenn mein Vater hier auftauchen würde, wie Dukes Mutter es getan hat?«

»Und?«, bohrt Magda nach.

»Ich glaube nicht, dass er das tun würde. Ich existiere für ihn nicht. Er hat eine neue Familie, aber ich weiß nicht, ob er jetzt trocken ist oder nicht … Ich meine, wenn seine anderen Kinder wissen, dass es mich gibt, geben sie mir sicher Bescheid, wenn er stirbt oder so. Aber abgesehen davon …«

Magda nickt. »Und … ist das so in Ordnung für dich?«

Evie hebt eine Augenbraue. »Ich habe keine Lust auf ein großes Wiedersehen bekommen, wenn du das meinst«, sagt sie ehrlich. »Wenn Duke sich mit seiner Mutter versöhnen kann, freue ich mich für ihn, aber nein, ich verspüre dabei keine Lust, meinen Vater zu suchen. Ich glaube, er will sowieso nichts von mir wissen.«

»Hmm«, sagt Magda. »Das ist interessant, nicht wahr? Ihr seid beide Kinder von Alkoholikern und geht beide einer Arbeit nach, durch die ihr besonders in der Öffentlichkeit steht. Ihr bringt euch gegenseitig zum Lachen, du bist sehr entspannt in seiner Gegenwart ...«

»Worauf willst du hinaus?«

»Ihr habt viel gemeinsam.«

»Stimmt.«

Magda starrt sie an und weigert sich, noch mehr dazu zu sagen, bis Evie ihr ein paar mehr Informationen liefert.

»Sollen wir zahlen und dann ein bisschen shoppen gehen?«

Magda schüttelt den Kopf, als hätte Evie einen besonders unlustigen Witz erzählt.

»Unglaublich.« Sie lacht. »Ich sag dir mal was: Ich habe keine Angst, dass du unter Folter meine Geheimnisse an die Regierung verraten könntest. Dir rutscht nie etwas heraus, über das du nicht auch wirklich reden willst.«

Evie lacht auch. »Und das ist neu für dich?«

Als sie das Café verlassen, stoßen sie mit einem wütenden, schreienden Mann zusammen, der in der Kälte ohne Mantel auf und ab geht; die Atemwolke, die ihm beim Schreien entfährt, ähnelt dem Feuer eines Drachen.

»Meine Güte«, sagt Magda, »amerikanische Touristen sind die schlimmsten, nicht wahr? Schade, dass die Deutschen so gut Englisch sprechen. Der Typ sollte mal ein bisschen chillen.«

Evie schüttelt den Kopf angesichts der Fluch-Suada, die der Typ von sich gibt. Sie kann nicht einmal sagen, mit wem er spricht: mit seinem Partner oder seiner Partnerin, einem Kollegen oder einem armen Kundenbetreuer. Und dann dreht er sich so weit um, dass sie erkennt, dass es Brad ist, der Regisseur.

»Boah«, sagt Evie, senkt den Blick und zupft an Magdas Ärmel. »Hör auf, ihn anzustarren. Es ist der Regisseur.«

Die beiden eilen über den Platz und um die Ecke von ihrem Café und dem Hotel, und damit weg vom Trubel der Filmleute. In einer kleinen, mit Lichterketten geschmückten Seitenstraße, an deren Ende ein großer Weihnachtsbaum steht, sagt Evie: »Wahnsinn, wie aufbrausend er ist. Er tut so supernett, wenn man mit ihm spricht, er macht so richtig einen auf Hollywood, auf Showbiz. Am Anfang war er ganz okay am Set, aber dann ist irgendwas zwischen ihm und Daphne vorgefallen …«

»Sie sind zusammen, oder?«, fragt Magda. »Sie war mit Duke zusammen, sie hat Duke betrogen, du wurdest in einer vorgetäuschten Liebesgeschichte mit Duke fotografiert, damit sie ein bisschen in Ruhe gelassen wird …«

»Ja.« Evie nickt. »Das stimmt zwar alles, aber ob Daphne und Brad noch zusammen sind, das weiß ich nicht. Duke hat mir nie erzählt, was in der Nacht passiert ist, als sie fotografiert wurden, während sie sich umarmt haben. Aber irgendetwas ist passiert. Seitdem ist es eiskalt am Set …«

Magda bleibt stehen und guckt in ein Schaufenster, in dem zwei Winteroutfits an kopflosen Schaufensterpuppen hängen. »Der Pullover gefällt mir«, sagt sie und zeigt auf ihn, woraufhin Evie anerkennend summt.

»Rot lässt sich aber schwer kombinieren«, sagt sie.

»Dazu braucht man rote Lippen«, stimmt Magda ihr zu. »Dann hat man auf einer Weihnachtsfeier Lippenstift an den Zähnen …«

»Oder man trägt dieses Zeug auf, um den Lippenstift zu fixieren, und hat am Ende Lippen, die trockener sind als eine Wüstenlandschaft«, stimmt Evie ihr zu.

»Da bleibt man doch lieber bei natürlichen Lippen und einer neutralen Kleiderpalette.« Magda lacht. »Im Grunde finde ich den Pullover auch gar nicht so gut.«

Sie gehen weiter, und Magda hakt sich bei Evie unter.

»Du glaubst doch nicht etwa …?«, beginnt Magda, und Evie spürt sofort, wie sich der Tonfall ändert.

»Was?«, fragt sie ängstlich.

Magda kräuselt die Nase, als wollte sie sagen: *Evie, du kannst mir nicht böse sein, ich bin doch so reizend.*

»Mit Daphne ist es definitiv aus, oder?«

»Für Duke?«

»Ja.«

»Ich bin mir ziemlich sicher, ja. Was meinst du?«

Magda zuckt mit den Schultern. »Na ja, die Fotos, auf denen sie sich umarmen …«

Evie versteht nicht, worauf Magda hinauswill. Denkt sie, dass Daphne und Brad nur ein kurzes Zwischenspiel in der anhaltenden Liebe von Daphne und Duke waren? Und geht das Evie etwas an?

»Nun«, sagt Evie, »ich weiß es zu schätzen, dass du dich um mich sorgst, da du anscheinend denkst, dass Duke und ich … wobei … Ich weiß ja gar nicht, was du denkst.«

»Ich versuche nur, eine gute Freundin zu sein«, wirft Magda ein. »Ich vergewissere mich, dass jeder in dieser Geschichte klare und gute Absichten hat. Du scheinst ihn vielleicht … möglicherweise … zu mögen. Und du hast niemanden mehr richtig gemocht, seit …«

»Wenn du Bobbys Namen aussprichst, führe ich dich zum nächsten Gewässer und stoße dich hinein.«

»Warum darfst du seinen Namen aussprechen und ich nicht?«

»Aus demselben Grund, aus dem ich meinen Vater als Bastard bezeichnen darf und du nicht – es ist meine Sache.«

»Okay«, sagt Magda. »Gut. Und trotzdem …«

»Wirst du als meine beste Freundin diese Grenze überschreiten?«, fragt Evie.

»Du hast es erfasst!«, erwidert Magda. »Das ist Teil der Job-beschreibung. Grenzen sollten nicht überschritten werden, aber wenn es die Situation erfordert …«

»Und du denkst, dass diese Situation es erfordert?«

»Wir sind nur Normalsterbliche auf einer Pauschalreise nach Hollywood. Nichts hiervon ist normal. Ich weiß nicht, wie ernst ich die Leute hier nehmen soll – weißt du es? Der Regisseur, der da hinten durchdreht, die Person, die dich heimlich fotografiert, dieses vorgetäuschte Liebesdings und die heimlichen Umarmungen, ganz zu schweigen davon, dass Daphne und Duke zwei sehr gut ausse-hende Menschen sind. In der realen Welt bist du eine solide Zehn, das bist du wirklich – aber hast du Daphnes Haare gesehen? Sie wirken so, als stünde immer ein Leuchtkasten hinter ihr. Sogar im Restaurant hat sie geleuchtet. Und ihr Busen? Ist dir ihr toller Busen aufgefallen?«

Evie wirft ihrer Freundin einen fragenden Blick zu. »Klingt, als würdest du *sie* mögen, ganz zu schweigen von Duke.«

»Sie sind nicht in meiner Liga«, sagt Magda lachend. »Genau das wollte ich ja unterstreichen.«

»Yeah!« Evie kichert. »Danke, Babe.«

»Was hältst du von *dem* Pulli?«, fragt Magda und nickt in Rich-tung eines anderen Schaufensters. »Der sieht nach Cameron Diaz in *Liebe braucht keine Ferien* aus, oder?«

»Ja«, sagt Evie. »Der würde dir gut stehen.«

Die beiden schieben sich durch die Tür der Boutique und lachen immer noch so laut, dass die Verkäuferin aufschaut.

»Guten Morgen«, grüßt die seriös anmutende Mittdreißigerin mit blassrosa Haaren und einem funkelnden Nasenstecker.

»Guten Morgen«, erwidern die Freundinnen und unterdrücken ihr Kichern. Sie gehen durch den Laden, treffen eine Auswahl, ge-ben anerkennende Laute von sich, während die Verkäuferin sie von hinter der Theke beobachtet.

»Evie?«, fragt Magda von der anderen Seite des Regals. »Wie wäre es mit diesem Rotton? Der schmeichelt mehr, oder? Könnte ich den tragen?«

»Sicher.« Evie nickt. »Ja. Weißt du, ich habe gestern Abend im Restaurant eine Frau gesehen, die einen Seidenschal zu einem Pulli mit hohem Kragen getragen hat, und ich fand, das sah so chic aus. Vielleicht suche ich auch nach so etwas.«

»Brauchen Sie Hilfe?«, fragt die Verkäuferin.

»Ähm«, überlegt Evie. Irgendwie hat sie Angst vor der Frau. Sollten Verkäuferinnen nicht sympathischer sein? »Ja, bitte«, sagt sie schließlich. »Haben Sie Pullover mit hohem Kragen, wie den, den meine Freundin in der Hand hält? Vielleicht in Creme oder Grau?«

Die Frau nickt und eilt geschäftig durch den Laden. Als sie Evie genau das gibt, wonach sie gefragt hat, in beiden Farben, sagt sie: »Sie sind Evie Bird, oder?«

Evie ist so verblüfft, in diesem winzigen Laden erkannt zu werden, dass sie nur nickt. Da stellt sich Magda neben sie und übernimmt das Sprechen. »Die berühmte Schriftstellerin? Ja, das ist sie!«, sagt sie.

»Oh mein Gott! Meine Freundinnen werden es nicht glauben!«, ruft die Frau plötzlich, und ihr aufgeregtes Gesicht steht in direktem Kontrast zu der Strenge von vor ein paar Sekunden. »Wir lieben Sie! Wir haben alle Ihre Bücher gelesen. *Die Sonne in meinem Himmel* ist mein absolutes Lieblingsbuch. Ich kann nicht glauben, dass Sie hier sind, in meinem Laden. Darf ich ein Selfie von uns machen?«

»Oh …«, stammelt Evie, weil sie nicht sicher ist, was sie antworten soll. Sie will nicht kindisch sein, aber sie hasst so etwas.

»Ja, selbstverständlich«, sagt Magda, wohl wissend, dass Evie es nicht mag, aber es bedeutet der Frau zu viel, um abzulehnen. Wer wird es schon sehen?

Sie machen das Foto, und Evie kauft die Pullover, dazu zwei Hosen, ein T-Shirt und drei Paar Ohrringe, und als sie gehen, fühlt sie sich seltsam.

»Das hast du gut gemacht! Dass du die Anerkennung zugelassen hast. Ich weiß, du magst das nicht.«

»Ich finde es einfach so unangenehm«, gibt Evie zu. »Es … sind doch nur Romane.«

»Romane, die den Menschen etwas bedeuten. Hast du nicht gesagt, Duke hätte deine Romane gelesen, bevor er dich kennengelernt hat? Und dass er es gut findet, wie du die Welt siehst?«

»Ja«, sagt Evie. »Das sagt er. Was willst du damit andeuten?«

»Wann fängst du endlich an, deinen Erfolg zu genießen? Du verkriechst dich in deinem Haus, gehst nicht zu Presse- oder anderen Events … Meine Güte, eines deiner Bücher wird gerade verfilmt, und wie es aussieht, werden es bald mehr … Ich … Ich verstehe es einfach nicht.«

Evie schweigt. Sie dachte, ihre Freundin würde sie verstehen.

»Ich … Ich verdiene diesen Erfolg einfach nicht«, sagt Evie schließlich. »Ich verdiene ihn wirklich nicht. Ich bin nichts wert. Ich bin es nicht wert, hier zu sein. Nichts davon ist echt, und man wird eh von allen verlassen. Wahrscheinlich wird das alles bald zu Ende sein. So wie alles.«

»Nein«, gurrt Magda. »Ich verlasse dich nicht.«

»Dann eben alle außer dir«, räumt Evie ein. »Ich schätze, der Punkt ist: Wenn ich keine Erwartungen habe, kann ich mich nicht ärgern, dass sie nicht erfüllt werden. Also … Ich erwarte nichts, von niemandem, niemals, nicht einmal von netten Leuten, die Geld für meine Geschichten bezahlen. Ich vertraue nicht einmal ihnen. Die meiste Zeit traue ich nicht einmal mir selbst.«

Magda schüttelt den Kopf, als könne sie nicht glauben, was Evie sagt. »Das ist das Traurigste, was ich je gehört habe«, sagt sie. »Das müssen wir in Ordnung bringen.«

»Ich habe es versucht«, sagt Evie, ihr Gesicht ist ernst und teilnahmslos. »Ich bin kaputt. Die Lady ist nicht zu reparieren. Lass mich einfach mit meinem Leben weitermachen.«

»Hmm«, sagt Magda besorgt. »Ich glaube nicht, dass ich das kann.«

»Du siehst furchtbar aus«, sagt Evie zu Duke, als er ihr die Tür seines Wohnwagens öffnet. »Ich wollte sehen, wie es dir geht, aber ...«

»Aber du wolltest lieber etwas Salz in die Wunde streuen? Wunderbar. Vielen Dank.« Er lächelt nicht gerade, als er das sagt, aber es klingt unbeschwert. Allerdings sieht er furchtbar aus, mit dunklen Augenringen und einer Traurigkeit, die sich in seine Gesichtszüge gegraben hat. Als wäre er erschöpft und würde etwas Schweres mit sich herumtragen – was er, wie Evie denkt, auch tut. »Komm rein«, fügt er hinzu.

Sein Wohnwagen ist in Cremetönen gehalten, mit einem großen Sofa, ein paar Vasen mit frischen Blumen und einer kleinen Küche mit Kaffeemaschine und Wasserkocher.

»Kann ich mir einen machen?«, fragt Evie und zeigt auf die Kaffeemaschine.

»Ich übernehme das«, bietet Duke an, und Evie bedankt sich, während sie den Mantel ablegt und sich hinsetzt.

»War es schlimm?«, fragt Evie.

»Nein«, antwortet Duke und lacht dabei seltsam. Evie ist verwirrt.

»Ich weiß, das ergibt keinen Sinn«, fährt er fort, als er ihren Gesichtsausdruck bemerkt. »Obwohl, vielleicht ergibt es doch Sinn. Ich weiß es nicht. Alles fühlt sich heute so an, als sei ich unter Wasser. Alles ist verschwommen und ein bisschen langsam. Selbst wenn man mit mir spricht, habe ich das Gefühl, dass es von weit her kommt, als ob ich nicht einmal richtig hören könnte.«

Evie trinkt ihren Kaffee. »Das muss ein großer Schock sein«, sagt sie. »Ich habe Magda gesagt, dass ich mir nicht vorstellen kann, dass mein Vater mich jemals aufspürt, geschweige denn, dass er bei mir auftaucht, aber, ehrlich gesagt, wenn er es täte ...« Sie muss den Satz nicht beenden. Es ist klar, dass sie sagen will, dass das ein riesengroßes Chaos in ihr auslösen würde.

Sie tauschen einen vielsagenden Blick aus.

»Kann ich irgendetwas tun?«, fragt sie und ahnt, dass die Antwort Nein lauten wird, aber verdammt noch mal, er ist so gut aussehend und freundlich und so unglaublich verloren ... Es kommt nicht oft vor, dass Evie sich geerdeter, verwurzelter oder besser sortiert fühlt als die Person, die ihr gegenübersitzt, aber heute, in dieser Situation, kann sie es ganz deutlich sehen: Duke ist ziemlich angeschlagen.

Ihm schießen die Tränen in die Augen. »Was für ein Mist«, sagt er und wischt sich mit dem Handrücken über die Augen. »Uff. Entschuldigung.«

»Nein, bitte entschuldige dich nicht«, beharrt Evie. »Weine! Lass es raus!«

»Kayla wird mich umbringen. Meine Augen werden unmöglich aussehen.«

»Scheiß auf Kayla«, sagt Evie, und beide müssen lachen, weil sie so derb war. »Auf die netteste Weise«, mildert sie ab.

Sie setzen sich, und Duke lässt den Tränen freien Lauf, und schließlich sagt Evie: »Ich fühle mich geehrt, dass du mir vertraust.«

Er sieht sie an. Er hat Fragen an sie, aber sie kommen ihm nicht über die Lippen.

»Was?«, fügt Evie hinzu.

Er schüttelt den Kopf. »Ich mag dich«, sagt er, und Evie wird ein bisschen schummerig zumute. Sie sehnt sich verzweifelt nach der Bestätigung, dass das, was passiert, wert ist, ernst genommen zu werden. Aber zugleich fühlt sie auch Furcht und Panik in sich aufkommen. Den Drang, einen Witz zu machen.

»Du bist in Ordnung«, sagt sie zu ihm und zuckt mit einer Schulter. »Vermute ich mal.«

Jetzt trinkt er auch seinen Kaffee und weint nicht mehr. Sie bietet ihm einen Kaugummi an, und er nimmt ihn.

»Ich bin wütend auf sie«, gibt Duke zu, während er kaut. Ein paar Tassen Kaffee und ein bisschen flirten, und er hat sich entspannt und fängt an zu erzählen. Evie nimmt das als Kompliment. »Weil sie sich entschieden hat, in ihrem Leben aufzuräumen, war das Frühstück nett. Sie hat nicht einmal erwartet, dass ich bezahle – ich weiß gar nicht, wann es zuletzt vorgekommen ist, dass jemand, der mir nahesteht, die Rechnung übernommen hat.«

»Das Mittagessen in der Tankstelle geht also auf mich«, sagt Evie, und er rollt mit den Augen.

»Darf ich fortfahren?«

»Ich bitte darum. Entschuldigung. Ich versuche immer noch, herauszufinden, welche emotionale Wellenlänge heute angesagt ist.«

»Das gilt für uns beide«, fährt Duke fort. »Die Sache ist die, wir sitzen da, ein erwachsener Mann und seine Mutter, und ich höre ihr zu, wie sie all die Dinge sagt, die ich mir immer von ihr gewünscht habe. Und zwar alle! Und dann denke ich, die Hälfte meines Lebens ist schon vorbei, und sie taucht erst jetzt darin auf? Sie ist meine Mutter, um Himmels willen. Sie sollte nicht erst bei der verdammten Halbzeitshow auftauchen – sie kann nicht so verdammt abwesend gewesen sein und plötzlich ihr Verhalten ändern, wenn es ihr gerade passt. Das ist weder nett noch verzeihlich, aber der Siebenunddreißigjährige in mir kann das einigermaßen akzeptieren. Nur gibt es dann noch den fünfjährigen Jungen, der an seinem Geburtstag allein ferngesehen hat, und den Fünfzehnjährigen, der sie ins Bett bringen musste, nachdem sie sich auf dem Sofa eingenässt hatte – und die Liste geht immer weiter. Im Namen der Letzteren möchte ich einen Tisch umwerfen und schreien und nicht mehr aufhören zu schreien. Wie kann sie es wagen? Weißt du, was ich meine? Wie kann sie es wagen?«

Er redet lange, als hätte sich das alles in ihm aufgestaut, und dadurch, dass Evie gefragt hat, kann er es nun endlich herauslassen.

»Ich weiß«, sagt Evie und schüttelt den Kopf. »Kein Kind sollte so etwas tun müssen, Duke. Das weißt du doch, oder?«

Er sagt nichts.

»Und du weißt, dass es nicht deine Schuld ist, oder? Es ist eine Krankheit, Duke. Es ist genauso wenig deine Schuld, dass sie Alkoholikerin ist, wie es deine Schuld wäre, wenn sie Krebs hätte.«

Er schüttelt den Kopf. »Das ist es ja, das glaube ich einfach nicht«, sagt er. »Denn wenn ich daran denke, eine Familie zu gründen, wenn ich mir meine eigenen Kinder vorstelle, wann auch immer das sein wird, dann glaube ich nicht eine Sekunde, dass ich zulassen würde, dass meiner Bindung zu ihnen irgendetwas im Wege steht. Sie hat so oft die Flasche mir vorgezogen, und es ist mir egal, ob sie krank ist« – er spricht das Wort krank so aus, als ob es in Anführungszeichen stünde –, »sie hat es nicht einmal versucht. Und heute Morgen haben wir geredet und uns umarmt, und dann bin ich weggegangen und hatte das Gefühl, ich wollte …«

Evie hält den Atem an. Was wollte er denn tun? »Sprich weiter«, fordert sie ihn auf.

Er atmet tief ein. »Ich hasse es, dass ich mich wegen jemandem so schlecht fühlen kann«, sagt er. »Ich möchte ihr verzeihen, weil ich sie nicht hassen möchte – ich möchte meine eigene Mutter nicht hassen. Das ist Gift. Aber ich kann nicht vergessen, was sie mir angetan hat, und deshalb … Ich weiß nicht. Vielleicht will ich sie nicht in meinem Leben haben.«

Evie nickt. »Ich verstehe das«, sagt sie. »Und was immer du für das Richtige hältst, ist absolut das Richtige für dich.«

»Ja?«, fragt er und sieht sie hoffnungsvoll an.

»Natürlich«, sagt Evie. »Aber ich denke, du solltest ihr das alles sagen. Nicht wegen ihr, sondern für dich. Ich will nicht die Alzheimer-Karte ausspielen, aber wenigstens ist deine Mutter bei Bewusstsein. Ich will hier wirklich keinen Elends-Wettbewerb eröffnen …« Evie bemerkt Dukes verwirrtes Gesicht, als wüsste er nicht, was sie meint. »Ich meine, ich möchte nicht den Preis für ›Bei mir ist es schlimmer‹ bekommen, ich ziehe nur Vergleiche zu meinem Leben, um dir vielleicht eine andere Perspektive auf deines zu ermöglichen, aber …«

»Aber wenigstens kann meine Mutter verstehen, was ich sage«, ergänzt Duke, und Evie nickt.

»Eine alkoholkranke Mutter zu haben, ist ein unfaires und ungerechtes Schicksal«, sagt Evie. »Aber es liegt an dir, wie du damit umgehst. Was ich damit meine, ist: Sag es ihr ganz offen. Entzieh dich nicht, und ignoriere nicht ihre Anrufe. Sie muss hören, was du mir gerade gesagt hast – es wird nichts sein, was sie sich nicht selbst schon eingestanden hat. Es wird wahrscheinlich eine Erleichterung für sie sein, dich das sagen zu hören, denn dann ist es raus: Du bist wütend auf sie und weißt nicht, ob du es jemals nicht mehr sein wirst. Und wenn du das getan hast, wenn du ihr die volle Wahrheit darüber gesagt hast, was und wie du fühlst, damit du es loslassen kannst, dann wirst du besser in der Lage sein zu entscheiden, was du als Nächstes tun willst. Ob du eine Beziehung zu ihr haben willst, ob ihr es nur bei einem jährlichen Weihnachtsgruß belassen solltet oder ob du dir eine Familienberatung wünschst. Es fängt damit an, dass du ehrlich zu dir selbst bist – was du, Kompliment, wunderbar machst –, und es dann der Person sagst, die es hören soll. So, das war mein Monolog für heute.«

Sie fühlt sich jetzt peinlich berührt, als hätte sie das Gespräch an sich gerissen, zu viel gesagt und sich eingemischt. Das Gefühl verstärkt sich, je länger Duke auf den Boden starrt, blinzelt und den Kopf hin und her bewegt, gerade genug, um zu zeigen, dass er nicht völlig erstarrt ist, aber nicht genug, um damit etwas auszudrücken. Ja? Nein? Vielleicht?

»Duke?«, fragt Evie schließlich, weil sie es nicht mehr aushält. Es sieht fast so aus, als sei er mit offenen Augen eingeschlafen.

»Es ist nur …«, sagt Duke und lässt seinen Blick über den Boden schweifen, als würde er von einem Teleprompter zu seinen Füßen lesen. »Das ist genau das, was ich mit der Weisheit in deinen Büchern meinte. Du bist eine Prophetin, Evie. Und ich kann nicht glauben, dass ich dich im wirklichen Leben kennenlernen darf.«

Und dann sieht er sie an, und sie weiß, was passieren wird. Sie spitzt die Lippen und holt tief Luft, während ihre Zungenspitze langsam über ihre Lippen fährt. Er schenkt ihr ein halbes Lächeln, aber er ist ernst. Ernst und wunderschön. Er macht einen Schritt auf sie zu.

»Evie«, sagt er, und dann sind seine Hände in ihrem Haar, und ihre Münder treffen aufeinander, und sie küssen sich und küssen sich und küssen sich.

26

DUKE

Duke fühlt sich besser, nachdem er mit Evie gesprochen hat. Okay, vielleicht liegt es auch am Küssen. Oder an beidem. Es hat sich gut angefühlt, diese Dinge über seine Mutter zu sagen, die Anspannung loszulassen. Und es war, als ob er dabei plötzlich etwas sehen konnte, das vor ihm lag: sie. Die eigensinnige, großmäulige, nervige, lustige, freundliche und weise Evie Bird.

Wider Erwarten hat er heute gute Laune, und da ist wieder diese Magie, dieses Gefühl, das seinen ganzen Körper zum Leuchten bringt, wenn die Kameras laufen. Umso überraschender ist es, als Brad »Schnitt« schreit und den schlimmsten Wutanfall bekommt, den Duke in seinem ganzen Arbeitsleben erlebt hat.

»Was zum Henker soll das?! Ihr seid ein Haufen inkompetenter Amateure! Nein, nein!« Brad geht so zielstrebig auf Duke und Daphne zu, dass Duke nicht klar ist, ob er rechtzeitig anhalten wird. Brad marschiert direkt an ihnen vorbei, macht auf den Fersen kehrt und fängt an zu brüllen. Er brüllt nicht im Sinne von laut schreien, er brüllt, wie ein Kind es tun würde, wenn es mit gruseligen Dinosauriern spielt. Er brüllt, als wäre das die einzige Möglichkeit, die Gefühle aus seinem Körper herauszulassen, und er tut es so lange und so laut, dass das ganze Set absolut still wird, alle stehen völlig still und sind geschockt von dem, was passiert. Sie werden Zeugen des Zusammenbruchs eines erwachsenen Mannes um die fünfzig, der im Grunde genommen für diesen Film verantwortlich ist.

Brad brüllt und brüllt und brüllt, und dann, in einem abrupten Wechsel, sagt er ganz leise mit zum Boden gerichteten Gesicht: »Ich gehe zu meinem Wohnwagen. Ich will nicht gestört werden.«

»Was war das denn?«, flüstert Daphne, als Brad außer Sichtweite ist. Die Farbe ist aus ihrem Gesicht gewichen, und Duke fragt sich, ob sie ihn schon einmal so erlebt hat. Nach dem, was er damals im Fitnessraum gesehen hat, und der Tatsache, dass sie nicht mehr zusammen zu sein scheinen, ist Duke plötzlich sicher, dass das, was er gesehen hat, kein Einzelfall war.

»Hey«, sagt er und geht auf sie zu. »Bist du okay?«

»Ja«, sagt sie leise, als wolle sie sich vor allem selbst davon überzeugen. »Ja, und du?«

Duke schüttelt den Kopf. »So etwas habe ich in meinem ganzen Leben noch nie gesehen«, sagt er. »Was sollen wir tun? Soll ihm jemand nachgehen?«

»Ich glaube, sie beraten sich schon darüber«, sagt sie und deutet in eine Ecke, und Duke sieht, dass sie auf ein paar sehr panisch aussehende Produzenten deutet. Sie schaut sich um. »Ich glaube, das war's dann für heute«, sagt sie zur Crew, die daraufhin noch einen Moment am Set verweilt, für den Fall, dass doch noch etwas passiert.

Eine Viertelstunde später gesellen sich Evie und Magda zu ihnen. »Hey! Seid ihr beide okay? Wir haben gerade gehört, was passiert ist.«

Evie sieht Duke an. Der Blickkontakt lässt sein Herz schneller schlagen. Er lächelt schüchtern. Sie schenkt ihm ein halbes Lächeln, und vielleicht bildet er sich das nur ein, aber er spürt, wie Magda zwischen ihnen hin und her schaut. Er erinnert sich an ihren Kuss, an das Gefühl, sie in seinen Armen zu halten, an ihren erröteten, aufgeregten Gesichtsausdruck, als ein Klopfen an der Tür seines Wohnwagens sie unterbrochen und den Zauber nicht gebrochen, sondern in etwas anderes verwandelt hat: ein neues Geheimnis, das nur sie beide teilen.

Duke nickt und erwacht aus seiner Erstarrung.

»Ja«, sagt er. »Er ist einfach ausgerastet. Das war völlig irre.«

»Wir haben ihn gestern in einer ähnlichen Verfassung gesehen. Er scheint ein sehr aufbrausender Mann zu sein«, kommentiert Magda und setzt ihre flauschigen Ohrenschützer auf, um sich gegen die Kälte zu wappnen.

»Was meinst du?«, fragt Daphne. »Wann habt ihr ihn gesehen?«

»Nach dem Frühstück, in der Nähe des Hotels«, sagt Magda. »Stimmt's, Evie?«

Evie nickt und schaut zwischen Daphne und Duke hin und her, als wolle sie nicht beim Tratschen erwischt werden. »Ja«, gibt sie zu. »Er war am Telefon. Ich meine, ich bin hier nur eine Außenstehende«, fügt sie hinzu, »aber ich habe das Gefühl, dass es im Laufe der Produktion immer schlimmer wird mit ihm ...«

Duke nickt. Er hat das auch schon gedacht. Als sie letzten Monat in Pinewood mit den Innenaufnahmen begonnen haben, war Brad sehr charmant und hat großartige Hinweise und Anweisungen gegeben. Nach einer Woche kam heraus, dass Daphne mit ihm zusammen war, und Duke wurde klar, dass er überkompensiert hatte, um es zu verbergen, was er auch weiterhin getan hat, und zwar auf eine Art und Weise, die Duke irgendwann abgetan hat, weil er einfach nur die Dreharbeiten hinter sich bringen wollte, um nicht mehr in Daphnes Nähe sein zu müssen. Aber dann hatte er Evie getroffen, hier in Deutschland, und wenn Duke jetzt darüber nachdenkt, so hat Brad hier angefangen, sein wahres Gesicht zu zeigen. Seine Launen haben die Stimmung am Set diktiert, und sie ist mit der Zeit immer eisiger geworden.

»Ich dachte, er stünde nur unter Druck«, beginnt Daphne, fast so, als wolle sie sich für ihn entschuldigen. »Aber jetzt frage ich mich, ob mehr dahintersteckt ...«

Die vier lassen die Frage im Raum stehen. Keiner weiß etwas, und es ist kalt, also beschließen sie, zu Dukes Wohnwagen zurückzugehen und dort heiße Schokolade zu trinken. Daphne und Duke warten darauf, dass man sie womöglich zurück ans Set ruft, und

Magda und Evie wollen lieber hierbleiben, um die ganze Erfahrung des Filmemachens zu machen, anstatt wieder shoppen zu gehen.

»Nicht, dass es keine Shoppingmöglichkeiten mehr gäbe«, spöttelt Magda im Gehen. »Auch wenn wir schon bis zum Umfallen eingekauft haben.«

»Wirklich?«, fragt Duke, und er schwört, dass Evie ein wenig errötet. »Hey«, fügt er hinzu. »Das muss dir nicht peinlich sein. Als ich das letzte Mal in Rom war, habe ich im Gucci-Laden so viel Geld ausgegeben, dass ich auch noch ein Gucci-Kofferset kaufen musste, um das Zeug nach Hause schleppen zu können. Ich bin der Letzte, der so was kritisiert.« Er nimmt die Hände in die Höhe.

»Ich habe zwei Pullover gekauft«, murmelt Evie, und Duke beschließt, nicht noch weiter über Shoppinggeschichten zu sprechen, denn das scheint seltsamerweise ein wunder Punkt zu sein. Sie erreichen seinen Wohnwagen, und er bleibt zurück, um den Frauen den Vortritt zu lassen, erst Daphne, dann Magda, dann Evie. Duke kann nicht anders – er streckt eine Hand aus, um Evies Fingerspitzen zu berühren.

»Hey«, sagt er.

»Hey«, antwortet sie mit einem schüchternen Lächeln. Wie gerne würde er sie wieder küssen. Er traut sich nicht, etwas anderes zu sagen, aber er genießt es, das Glitzern in Evies Augen zu sehen. Er fühlt sich ein bisschen wie ein Schuljunge, der zum ersten Mal verknallt ist.

»Das ist also das Innere eines Hollywood-Wohnwagens?«, fragt Magda, als sie sich alle ihrer Mützen, Mäntel und Handschuhe entledigt und sie auf einem Stuhl in der Ecke gestapelt haben. »Ich will nicht unhöflich klingen«, fährt sie fort, »aber ich hätte gedacht, dass es ...«

»Glamouröser ist?«, ergänzt Daphne, und Magda verzieht das Gesicht. »Ich auch«, fährt sie lachend fort. »Aber wenn ich das sage, heißt es, ich sei eine Diva.«

»Gott, ich weiß nicht, wie du das machst«, sagt Evie, während Duke seiner Assistentin eine Nachricht wegen der heißen Schokolade schickt. Er hat hier nichts, womit er sie zubereiten könnte, und von einem richtigen kleinen deutschen Café oder einem Marktstand schmeckt sie sowieso besser.

»Was, in einem miesen Wohnwagen hausen?«, stichelt Daphne.

»Nein.« Evie lacht. »Dich ständig selbst zu kontrollieren, nur damit du keinen schlechten Ruf bekommst.«

»Oh«, sagt Daphne mit einem tiefen Seufzer. »Du weißt nicht einmal die Hälfte. Obwohl ich besser damit klarkomme als du, nicht wahr, Duke?« Dann korrigiert sie sich selbst. »Nun, nicht besser. Ich meine – du hast mehr damit zu kämpfen. Du magst es nicht, oder?«

»Nein«, sagt Duke. »Aber dafür gibt es ja Therapeuten.«

»Richtig«, stimmt Daphne ihm zu und nimmt zur Kenntnis, dass er nicht wirklich darüber reden will.

»Glaubst du, dass Brads Zusammenbruch die Dreharbeiten verzögern wird?«, fragt Evie, die die Andeutung ebenfalls verstanden hat. »Es ist so kurz vor Weihnachten …«

»Nein«, sagt Daphne und schüttelt den Kopf. »Schon allein wegen der Kosten. Die Produzenten werden ihn schon wieder hinbekommen. Obwohl, Duke, bei diesem Tempo werden wir alle Szenen in einem Take machen müssen, wenn wir den Zeitplan einhalten wollen.«

»Nun«, sagt Duke und nutzt die Gelegenheit, um ihr ein Kompliment zu machen. »Ich wollte schon lange sagen, wie sehr ich es genieße, das mit dir zu teilen. Ich kann nicht glauben, dass es erst einen Monat her ist, dass …« Er unterbricht sich. Sollte er das wirklich sagen? Wahrscheinlich nicht, wenn man bedenkt, dass Evie anwesend ist. Aber, zu spät, die Worte sind schon ausgesprochen.

»Dass ich erst vor einem Monat auf deinem Herzen herumgetrampelt bin, und jetzt sind wir wieder Freunde?«, fährt Daphne fort, und Duke lächelt.

»So ähnlich, ja.«

Duke sieht Evie an, ohne es zu wollen. Sie hält seinen Blick, als wäre es okay, dass er das gerade geklärt hat, dass sie versteht, dass er und Daphne Freunde sind. Er spürt, wie ihm heiß wird.

»Das habe ich gesehen«, sagt Magda und grinst.

»Was?«, fragt Evie und hebt den Blick.

Magda sieht Duke an und wartet darauf, dass er es erklärt, und Duke wartet darauf, dass sich ein Loch im Boden auftut, damit er darin verschwinden kann. Er will nicht darüber reden, was zwischen ihm und Evie entstehen könnte. Noch nicht. Er ist sich nicht einmal selbst sicher.

»Sagen wir einfach«, sagt Magda zu Evie, »dass sich meine kleine Theorie von gestern als falsch erwiesen hat. Die beiden sind wirklich beste Freunde, glaube ich. Unser Freund Duke ist in jemand anderen verliebt, würde ich sagen.«

»Magda!« Evie schreit auf, und Duke will sich verteidigen, aber angesichts des Schreckens, den Evies Schrei zum Ausdruck bringt, kann er das nicht.

Daphne fragt Evie: »Warte, du dachtest, da läuft etwas zwischen uns?«

»Nein«, antwortet Evie hastig. »Nicht ich. Magda.«

»Tut mir leid«, sagt Magda. »Es ist nur … Ihr seid beide sehr attraktiv und wart vor zehn Minuten noch zusammen, und außerdem stimmt die Chemie vor der Kamera und so weiter.«

»Das nennt man Schauspielen«, sagt Duke, und es kommt ein bisschen sauer rüber. Aber er ist auch sauer. Er ist wütend, dass Magda Evie gegenüber so etwas behauptet – der Person gegenüber, die er wirklich mag. Tatsächlich ist Evie der Grund, warum er mit Daphne so freundschaftlich umgehen kann. Daphne hatte die ganze Zeit recht: Als Freunde passen sie viel besser zueinander, und er war eher in seine Vorstellung von ihr verliebt als in sie. So etwas wie jetzt, mit Evie, hat er sicher nicht empfunden … Es war nur ein Kuss. Aber, meine Güte, war das ein toller Kuss!

»Ja, sorry«, sagt Magda und stimmt zu. »Ich lag falsch. Evie hat es gestern schon gesagt.«

Duke sieht Evie an. Warum hat er plötzlich das Gefühl, dass dies eine schlechte Oberstufenparty ist und alle über ihn reden?

»Klopf, klopf!«, ertönt eine Stimme, und Duke nimmt an, dass es die heißen Getränke sind, aber es ist nicht seine Assistentin. Es ist die Produktionsleiterin, Marnie.

»Hey«, sagt Duke und steht auf, um ihr die Hand zu schütteln.

»Hey«, sagt Marnie, schüttelt Dukes Hand und winkt den drei Frauen zu. »Hört mal«, drängt sie. »Könnten wir vielleicht kurz nur zu dritt sprechen? Tut mir leid, Evie und …« Sie stockt, weil sie nicht weiß, wer Magda ist.

»Ein Gast von mir, Magda«, sagt Duke, und Marnie nickt höflich, weil sie offensichtlich etwas Heikles besprechen will.

»Wir gehen in das Café an der Ecke«, kündigt Evie an. »Wir räumen das Feld, Hals- und Beinbruch!«, fügt sie hinzu und kramt in dem Mäntelberg, um ihren zu finden. »Wenn man das überhaupt so sagt … Also gut. Na ja. Was auch immer … Tschüss.«

Es ist das erste Mal, dass Duke sie aufgeregt erlebt und unfähig, sich richtig zu artikulieren.

»Okay«, sagt Marnie, nachdem die beiden gegangen sind. Duke sieht sie an. Sie ist eine ruhige Frau mit einer freundlichen und geduldigen Art, sodass es beängstigend ist, sie schwitzen und vor Nervosität mit dem Fuß wippen zu sehen. Es muss schlimm sein.

»Geht es Brad gut?«, fragt Daphne langsam, und Duke sieht sie an. Daphne ist auch noch mitfühlend, wenn jemand sich unhöflich und schwachsinnig verhält.

»Körperlich?«, fragt Marnie. »Ja. Psychisch? Nein, um ehrlich zu sein. Er ist aus dem Projekt ausgestiegen. Und der Regieassistent auch.«

Duke ist schockiert. »Ausgestiegen? Auf halber Strecke? Das ist doch unmöglich! Das ist hart.«

»Ich weiß …«, fährt Marnie fort und deutet auf einen leeren Stuhl. »Darf ich?«

»Ja«, sagt Duke. »Natürlich.«

Sie sehen ihr zu, wie sie es sich bequem macht, tief einatmet und dann ruhiger weiterspricht: »Unter uns und im Vertrauen … Es gab Anschuldigungen.«

»Was für Anschuldigungen?«, fragt Daphne, und Duke kann die Besorgnis in ihrer Stimme hören.

»Sexuelle Belästigung«, sagt Marnie. »Einschüchterung. Mobbing.«

Daphnes Gesichtszüge verhärten sich. Duke fragt sich kurz, ob sie die Anklägerin ist. Dann lässt er den Gedanken wieder fallen. Wenn sie es ist, geht es ihn nichts an, es sei denn, sie sagt es ihm direkt.

»Und was geschieht jetzt?«, fragt Duke. »Wird jetzt alles abgebrochen?«

»Nein«, sagt Marnie. »Finanziell können wir das einfach nicht machen. Die Geldgeber beharren darauf. Aber jetzt, so kurz vor Weihnachten, jemanden zu finden …«

»Wir machen es«, sagt Daphne. Duke sieht sie an. Sie erwidert seinen Blick nicht. »Wir führen selbst Regie.«

Marnie nickt. »Das wollte ich gerade vorschlagen.«

»Wir machen es«, bekräftigt Daphne. »Nicht wahr, Duke?«

Bevor Duke antworten kann – Regie führen? – bei einem Film? – sie selbst? –, fügt Marnie noch etwas hinzu.

»Eines muss ich aber klarstellen«, sagt sie. »Wir können das nicht publik machen. Wir können uns etwas anderes ausdenken als Entlohnung – eine First-Look-Vereinbarung für zukünftige Rollen, einen Entwicklungsvertrag oder so etwas. Daphne, ich weiß, dass du auch am Produzieren interessiert bist, vielleicht können wir da etwas machen. Aber zum Wohle des Films – der Presse und alldem – müsst ihr uns erst einmal behilflich sein, dann sind wir euch später auch behilflich.«

Daphne nickt. »Ihr werdet ja nicht vergessen, was wir getan haben, oder?«, stellt sie klar.

»Ich werde das nicht so schnell vergessen«, antwortet Marnie. »Das kann ich euch versichern.«

»Duke?«, fragt Daphne.

Duke nickt leicht.

»Heißt das Ja?«, fragt Marnie.

Duke nickt wieder, diesmal deutlicher. Daphne japst.

»Ja«, sagt Duke. »Aber wir machen nichts, bevor wir nicht schriftlich haben, was du gerade gesagt hast. Daphne bekommt ein offizielles Regiedebüt, und ich bekomme eine First-Look-Vereinbarung oder einen Entwicklungsvertrag.«

»Ich werde mich sofort darum kümmern«, sagt Marnie. »Einen Moment, bin gleich wieder da ...«

Sie geht, und einen Moment lang starren sich Daphne und Duke nur an. Schließlich sagt Duke: »Wahnsinn!«

Und dann lachen sie los.

27

DUKE

Duke und Daphne machen bis zum Frühstück keine Pause und arbeiten die Nacht durch. Sie haben einiges nachzuholen, und auch wenn Duke unbedingt wieder mit Evie allein sein möchte, ist jetzt nicht der richtige Zeitpunkt dafür.

»Ich habe mich noch nie so lebendig gefühlt«, sagt Daphne und lehnt sich von Dukes MacBook Pro zurück. »Mein Herz pumpt schneller, ich schwöre es. Ich fühle mich energiegeladen, weil ich energiegeladen bin. Verstehst du, was ich meine?«

Duke lacht, weil er genau weiß, was sie meint. Sie haben sich die groben Schnitte angeschaut, die bereits an den Innenaufnahmen vorgenommen wurden, und überlegt, was noch gedreht werden muss, wie das geschehen soll und sich auf einige Regeln und Grenzen für die Zusammenarbeit geeinigt. Es gibt noch drei weitere Drehorte – Pfaffenwinkel, Schwangau und Füssen, die alle sehr schnell aufeinanderfolgen –, und deshalb müssen sie messerscharf planen und sich über ihre Vorgehensweise im Klaren sein.

»Ich mache mir keine Sorgen«, sagt Duke. »Ich denke, wir werden das schon hinkriegen. Das wird ein Heidenspaß. Das ist eine tolle Chance für uns beide.«

»Das denke ich auch«, sagt Daphne und schlägt die Beine übereinander. Sie hebt einen Arm an und riecht an ihrer Achselhöhle. »Urgh«, sagt sie. »Okay. Ich gehe jetzt duschen. Wir treffen uns in einer Stunde in meinem Wohnwagen, okay?«

»Abgemacht«, sagt Duke. »Und, Daphne? Gut gemacht.«

»Ebenfalls«, sagt sie lächelnd, und als sie weg ist, überlegt Duke, ob er Evie auf ihrem Zimmer anrufen soll, aber es ist noch früh, und er will sie nicht wecken. Es ist das erste Mal, dass er an etwas anderes als an den Film denkt. Und darauf muss er sich konzentrieren: Er darf es nicht vermasseln. Das ist er sich selbst und Daphne schuldig. Es gibt viel zu tun – die Regiearbeit, die bis ins neue Jahr hinein andauern wird, mit der Postproduktion nach den Dreharbeiten, dem Schnitt und der Tontechnik und allem, und dann ist auch noch seine Mutter da …

Aaahhh …

Sie hat ihm eine Nachricht geschickt, und er hat nicht geantwortet.

Er weiß nicht, was er ihr sagen soll. Evie hat ihm kluge und weise Ratschläge gegeben, aber er weiß, dass bei allem, was er seiner Mutter erklären will, eine ganze Bandbreite an Gefühlen hochkommen wird. Und schließlich wird er weinen, wie er es immer tut. Er weint wirklich ziemlich viel. Und für hinterher muss er sich eine Bewältigungsstrategie überlegen. Seit er mit Phoebe arbeitet, hat er seine Unterernährung und seinen übermäßigen Sport in den Griff bekommen, und glücklicherweise hat er gerade wegen seiner Mutter selten mehr als zwei Drinks pro Abend getrunken und nimmt nie Drogen.

Nachdem er geduscht und sich umgezogen hat, ruft Duke seine Mutter im Hotel an.

»Mum«, sagt er, als sie abnimmt. »Es tut mir leid. Ich habe die ganze Nacht gearbeitet. Ich wollte dich nicht hängen lassen.«

»Kein Problem«, sagt seine Mutter. »Ich weiß, dass du arbeiten musst, Schatz. Das ist schon in Ordnung. Wir waren unterwegs und haben uns die Sehenswürdigkeiten angeschaut.«

»Okay«, sagt er und macht eine Pause. »Ich bin heute auch den ganzen Tag am Set«, sagt er. »Wir übernehmen einige Regiearbeiten, es gibt also viel zu tun.«

»Das ist schön, mein Lieber. Ich gratuliere.«

Duke ist sich nicht sicher, ob sie es ernst meint. Das vermeintliche Kompliment klingt irgendwie hohl.

»Geht es dir gut?«, fragt er.

»Ja, ja«, sagt sie. »Mir geht es gut. Ich habe mich nur gefragt …«

Und da ist es. Duke spürt den Schlag, bevor er kommt.

»Ich denke, wir sollten lieber nach Hause fahren. Du hast zu tun, und ich habe gesagt, was ich sagen wollte …«

Duke schweigt erst. Sie will wieder nach Hause? Sie ist doch erst seit zwei Tagen da.

»Ja, richtig«, sagt Duke, und sein Herz klopft, als würde er von innen getreten werden. »Nun, das ist deine Entscheidung.«

Erneutes Schweigen.

»Mum?«, drängt er. Plötzlich merkt er, dass sie weint. »Mum«, wiederholt er, diesmal kräftiger.

»Ich habe es mir anders vorgestellt«, sagt sie, und ihre Stimme schwankt. »Es ist meine Schuld. Ich habe zu viel erwartet. Roger sagt, er hasst es, mich so zu sehen, wie ich am Telefon sitze und auf deinen Anruf warte.«

»Oh, Roger gefällt das nicht? Nun, das tut mir sehr leid für Roger«, sagt Duke, und es klingt hart. Er zügelt sich nicht. Er ist sehr wütend darüber, dass sie das gesagt hat, und sie sollte sich glücklich schätzen, dass er nicht noch ausfälliger geworden ist, denn das könnte leicht passieren. Der verdammte *Roger?!* Was hat der denn mit allem zu tun? Meine Güte!

»Er sorgt sich um mich«, entgegnet seine Mutter, und die Art, wie sie es sagt, füllt die Lücken zwischen ihren Worten mit etwas anderem. Die Lücken lassen Platz für die andere Wahrheit: *Und du tust es nicht, Duke.*

»Nun«, erwidert Duke. »Es ist schön, dass er für dich da ist.« Die Lücke zwischen seinen Worten deutet auf eine andere Wahrheit hin: *Dass ich es nicht bin, das ist deine Schuld.*

»Du kannst mir nicht ständig die Schuld geben, Derrick. Ich habe gesagt, dass es mir leidtut.«

Bevor er darüber nachdenken kann, erwidert er: »Und du hast

auch gesagt, dass du keine Erwartungen hast, also ist es interessant, dass du jetzt plötzlich doch welche hast und ich sie nicht erfülle. Das ist so verdammt typisch, Mum. *Du* hast den Zeitpunkt gewählt, um die Hand auszustrecken, *du* hast unsichtbare Erwartungen geweckt und geleugnet, dass es sie überhaupt gibt. Du bist nicht fair.« Und dann ist es so weit: Er weint jetzt auch, wie immer. »Argh«, fügt er hinzu und ist wütend auf sich selbst, weil er es zulässt, dass sie ihm das wieder antut. Sie schluchzen beide. Schließlich sagt Duke: »Hör zu. Ich weiß, dass du mich liebst. Aber die Art, wie du mich liebst, ist nicht genug. Ich verdiene mehr Liebe, als du mir geben kannst. Und damit müssen wir uns abfinden. Ich liebe dich auch, Mum, aber es tut mir weh. Also denke ich, ich muss einfach ...«

»Was?«

Er hat zwei Möglichkeiten. Er kann den Nuklearknopf drücken oder sich selbst Raum für noch komplexere Gefühle geben.

»Ich brauche Zeit, Mum. Lass uns etwas Zeit miteinander verbringen, wenn ich nicht arbeite, an einem neutralen Ort.«

»Hmm«, nuschelt es in der Leitung.

»Hmm?«, wiederholt er. »Komm schon. Hab ein bisschen Verständnis. Schließlich bist du die Mutter, erinnerst du dich?«

»Ja«, sagt sie dann, und Duke vermutet, dass Roger neben ihr steht und zuhört, wie sich das alles entwickelt, und ihr sagt, was sie antworten soll. Macht ihm das etwas aus? Er weiß es nicht. Puh, was sich hier wieder alles anhäuft – wie soll er das nur alles verarbeiten? Es gibt noch viel, über das er sich zu einem späteren Zeitpunkt klar werden muss.

»Ich liebe dich, und es tut mir leid, dass ich hier so aus heiterem Himmel hereingeplatzt bin. Das hatte ich eigentlich gar nicht geplant. Ich verstehe, dass du Zeit brauchst. Den nächsten Schritt musst du tun. Ich werde dich nicht mehr belästigen.«

»Du hast mich nicht belästigt, Mum ...«

»Ich liebe dich wirklich. Ich sage es immer wieder, aber nur, weil ich es ernst meine.«

»Ich weiß, dass du das tust, Mum. Wir ziehen morgen zum nächsten Drehort, also werden wir uns wohl sowieso verabschieden müssen. Willst du nicht heute mit ans Set kommen? Wir sind ganz in der Nähe, und wir sollten uns wenigstens in den Arm nehmen, bevor du fliegst. Ich werde nicht viel Zeit haben, aber …«

Er hört sich selbst dabei zu, wie er ihr eine Brücke baut und dann im selben Atemzug einen Gegenvorschlag macht, ihr eine Ausstiegsklausel gibt.

»Wir werden kommen«, sagt sie, bevor er die Einladung ganz zurücknehmen kann.

Duke verkneift sich zu sagen, dass es nie den richtigen Zeitpunkt gibt. Stattdessen sagt er: »Nach dem Mittagessen. Ich schicke dir die Details.«

Als er auflegt, weint er nicht mehr. Er spritzt sich kaltes Wasser ins Gesicht, betrachtet sich im Spiegel und sagt sich, dass er geliebt wird und dass er liebt, so wie Phoebe es ihm beigebracht hat. Er denkt an Evies Gesicht. Zum ersten Mal seit langer Zeit beschließt er, daran zu glauben.

In der Hotellobby trifft er Evie und Magda.

»Hey, hi, der Herr Regisseur!«, sagt Evie und gibt ihm einen spielerischen Klaps auf den Oberarm. »Bist du bereit?«

»Woher weißt du das?«, fragt Duke stolz.

»Katerina hat es erzählt.« Sie zuckt mit den Schultern. »Glückwunsch!«

»Danke.« Er nickt. »Ja. Das ist ziemlich cool.«

»Es ist unglaublich«, sagt sie und grinst. »Ich muss anscheinend auch zum Set. Wollen wir unterwegs reden?«

»Ja, gern. Und wenn du schon mal hier bist, möchte ich dich um einen Gefallen bitten.«

»Okay, Duke, gut, ich tue dir den Gefallen, ich werde in dem Film mitspielen«, scherzt Magda, und Evie grinst, denn selbstverständlich wäre Magda gern in dem Film.

»Es geht um meine Mutter«, fährt Duke fort, und Magda, der klar ist, dass sie vielleicht nicht eingeweiht werden soll, stellt ihr Feingefühl unter Beweis, indem sie plötzlich ankündigt, dass sie sich einen Coffee to go holt und an der Vordertür auf Evie wartet.

»Perfekt.« Evie nickt und wendet ihre Aufmerksamkeit wieder Duke zu. »Was kann ich tun?«, fragt sie. »Wie kann ich dir helfen?«

»Nun …«, beginnt Duke. Er weiß, dass das wirklich eine große Bitte ist. »Sie kommt zum Set. Ich nehme an, sie wird mit Roger kommen. Sie wollen sich nur kurz verabschieden. Die Sache ist die, dass ich nicht will, dass jeder am Set von meinen Privatangelegenheiten erfährt, und wer weiß, was sie wem erzählen könnte, wenn sie allein rumläuft …«

»Du willst, dass ich die Babysitterin spiele?«, fragt Evie.

»Die Gastgeberin«, korrigiert Duke belustigt. »Würdest du meine Mutter am Set betreuen? Natürlich könnte man es auch als Babysitting bezeichnen.«

Evie nickt. »Na klar«, willigt sie ein. »Wann kommt sie?«

»Nach dem Mittagessen. Ich habe ihr eine Uhrzeit genannt, und sie wird an der Absperrung sein und weiß, dass sie von jemandem abgeholt wird. Ich habe nicht gesagt, wer es sein wird, aber ich nehme an, dass sie dich erkennen wird.«

»Ich bin locker und charmant, bringe sie für eine kurze Begrüßung zu dir, und dann verschwinden wir wieder?«, fasst Evie zusammen.

»Genau so hatte ich es mir vorgestellt.« Duke lächelt, erleichtert, dass sie ist, wie sie ist – dass sie es versteht.

»Magda kann sich auch anderweitig beschäftigen, ich mache es besser allein.«

Duke lächelt und streckt eine Hand nach ihrem Handgelenk aus.

Er fühlt sich verstanden. Umsorgt. Er ist ihr so dankbar, und ihm ist bewusst, dass es dieser Frau, die vor ihm steht – dieser schönen, lustigen Frau –, nicht um sie geht. Sie hat auch ihre Probleme, aber jetzt ist sie wegen Duke hier, und es ist so einfach, das anzunehmen. Sie ist nicht freundlich und ehrerbietig, weil er Duke Carlisle ist, der internationale Filmstar. Sie braucht nichts von ihm. Er ist einfach Duke, und sie ist einfach Evie, und er würde sie wirklich gern wieder küssen.

»Nicht hier«, sagt sie, als sie seine Gedanken errät. »Hier sind überall Augen.«

Es nicht zu tun, bereitet Duke körperliche Schmerzen.

»Verstanden«, sagt er. »Aber bald?«

»Bald.« Sie lächelt.

28

EVIE

E ntschuldigung«, sagt Magda, als Evie wieder zu ihr stößt.
»Wohin fahren wir morgen?«

»Nach Pfaffenwinkel«, wiederholt Evie. »Ich glaube zumindest, dass man es so ausspricht.«

»Das sind aber viele Fs in einem Wort«, stellt Magda fest.

»Aber das *Winkel* gefällt mir«, sinniert Evie.

Magda lacht. Es ist so schön, ihre beste Freundin hier zu haben. Evie weiß, dass sie ein bisschen lockerer werden könnte, und Magda macht es ihr leichter, ihren Aufenthalt in Deutschland zu genießen. Sie fühlt sich weniger wütend auf die Welt, wenn ihre Freundin dabei ist. Sie ist immer noch auf der Hut, aber nicht mehr so verkrampft.

Sie gehen ans Set. Evies Social-Media-Managerin hat sie gebeten, ein paar Fotos von den Dreharbeiten zu machen, damit sie auf ihrem Account darüber berichten können, wenn der Film nächstes Jahr herauskommt. Sie hat gefragt, ob Evie vielleicht auch auf den Fotos zu sehen sein könnte, denn angesichts der internationalen Presse über ihre Scheinbeziehung mit Duke kann sie sich offensichtlich nicht mehr in der totalen Anonymität verstecken. Eigentlich hatten sie schon lange kein Fake-Date mehr, obwohl Evie das Gefühl hat, dass sie wegen des Abgangs von Brad als Regisseur wieder als Ablenkungsmanöver eingesetzt werden könnte. Es macht ihr nichts aus. Mit der Arbeit und seiner Mutter hat Duke eine Menge um die Ohren. Sie wird es als Ausrede für ein Gespräch unter vier Augen begrüßen, egal unter welchen Umständen. Und er hat angedeutet, dass weitere Küsse ins Spiel kommen könnten, was kein schlechter Gedanke ist …

»Also …«, beginnt Magda, und zwar mit *der* Stimme. Sie spazieren durch die Stadt, nachdem sie das Angebot, ein Auto zu nehmen, abgelehnt haben, und betrachten den dunklen Himmel, der Schnee ankündigt, und den Kontrast zu den blinkenden weißen Lichtern und den roten Bändern, die fast jedes einzelne Gebäude schmücken. Es ist eine Stadt wie aus dem Bilderbuch, einfach malerisch.

»Oh Gott, was?« Evie stöhnt auf, als sie an einem Stand mit gerösteten Kastanien vorbeikommen, die eine Frau mit fingerlosen Handschuhen lächelnd in einer riesigen, dampfenden Pfanne herumschiebt.

»Ja, also, ich weiß, dass wir gestern über das Gefühl, etwas nicht verdient zu haben, gesprochen haben, und, ehrlich gesagt, fühle ich mich geehrt, dass du das mit mir teilst, denn in all den Jahren, in denen ich dich kenne, hast du dich noch nie so geäußert. So offen hast du noch nie über deinen Vater gesprochen.«

Evie spürt, wie sich ihr Bauch zusammenzieht und ihr Nacken heiß wird. Wo soll das Gespräch hinführen?

»Werde ich jetzt dafür bestraft …?«, fragt Evie, und es ist nur halb im Scherz gemeint. Die andere Hälfte ist todernst.

»Neeiiin«, sagt Magda. »Ich wollte doch nur weiter über das Thema sprechen. Wenn du dazu bereit bist?« Evie schweigt, und Magda nimmt das offenbar als Erlaubnis, weiterzumachen. Sie holt tief Luft, und die Ernsthaftigkeit, mit der sie es tut, lässt Evie die Stirn runzeln. Alles wirkt jetzt weniger schön. Aber irgendwie ist sie offener für dieses Gespräch, offener, als sie es je war, wie Magda festgestellt hat. Der Gedanke an Dukes Gesicht drängt sich in ihre Vorstellung. Seltsam.

»Denn ich konnte nicht umhin zu beobachten, dass du, nachdem die Verkäuferin dich bemerkt hatte, viel Geld ausgegeben hast. Ich weiß nicht genau, was gerade los ist, aber ich bin deine Freundin und spüre, wenn etwas nicht stimmt.«

Evie würde lieber über ihr Herz als über ihren Kontostand sprechen.

»Ich habe mir etwas gegönnt«, sagt Evie und winkt ab.

»Und das ist absolut erlaubt«, antwortet Magda. »Es ist nur ... Es war kein kleiner Betrag. Und ich weiß, dass die Pflege deiner Mutter so teuer ist, und du hast dich immer um das Thema herumgedrückt, wenn deine Kreditkarte gesperrt war oder so. Ich denke also nur, dass ... Wenn du gut mit Geld umgehen kannst, warum ist dann deine Karte so oft gesperrt?«

»Ich habe ein niedriges Limit eingestellt«, sagt Evie. »Damit ich keine Probleme bekomme. Deshalb ist es manchmal ausgeschöpft. Aber das ist besser, als ein hohes Limit zu haben und deshalb zu viel auszugeben.«

»Aha«, sagt Magda. Evie glaubt schon, dass das Thema damit beendet ist, als ihre Freundin hinzufügt: »Du hast gesagt, dass du wegen der neuen Verträge über Auslandslizenzen nun auch die Pflegekosten für deine Mutter problemlos bezahlen kannst.«

»Pflegeheime sind sehr teuer!«, sagt Evie abwehrend. »Die guten jedenfalls.«

Magda macht wieder dieses Geräusch. »Mhm.«

»Mir geht es gut«, sagt Evie, als sie merkt, dass Magda nichts weiter dazu sagt. »Geld kommt, und Geld geht. Ich schreibe zwei Bücher im Jahr, Magda. Ich reise nicht viel und gehe auch nicht oft aus, aber ich kaufe mir schöne Kaschmirsachen, in denen ich dann schreibe, und schöne Kerzen, die ich dabei anzünden kann. Ich denke, das habe ich mir verdient.«

»Absolut.« Magda nickt, und schon sind sie fast am Set. Evie möchte nicht darüber reden, wenn alle anderen dabei sind. Evie möchte überhaupt nicht darüber reden. »Aber ich möchte, dass du weißt, dass ich in deinem Hotelzimmer war und all die Einkaufstaschen gesehen habe und auch die Klamotten in deinem Schrank, an denen noch die Preisschilder hängen.«

Evie versucht zu protestieren, aber Magda lässt sich nicht unterbrechen.

»Und das Gleiche habe ich bei dir zu Hause gesehen, wenn ich bei dir übernachtet habe. Ich habe nie neugierig in deine Schränke geguckt. Ich habe sie nur geöffnet, wenn du mir gesagt hast, ich soll mir einen Pullover holen, wenn wir ferngesehen haben oder so. Ich bin nicht blöd. Es wäre schlimmer, wenn ich dich nicht danach fragen würde. Ich weiß, dass du nicht über Millionen verfügst, aber trotzdem dürften die Pflegeheimkosten keine solche Bürde sein …«

»Magda«, warnt Evie, »das reicht.« Sie errötet, und ihr Atem wird flach.

»Aber …«, beginnt Magda, und Evie hält eine Hand hoch.

»Ich habe gesagt, das reicht.«

Die Frauen gehen schweigend über das Set, vorbei an den Wohnwagen, wo alle an einer Szene arbeiten, in der Hermione und George einen Streit haben, der spielerisch beginnt, aber schnell ernst und bedrohlich wird. Evie kann sehen, wie Daphne und Duke nebeneinanderstehen, auf einen Monitor zeigen und sich dabei unterhalten.

»Kannst du mich fotografieren, während ich einen Daumen hochhalte und man sie im Hintergrund sieht?«, fragt Evie Magda und versucht, den hitzigen Wortwechsel von eben hinter sich zu lassen.

»Klar«, sagt Magda und nimmt Evies Handy. Bevor das neue Regieteam zur Tat schreitet, wird Evie in einer Reihe von Aufnahmen fotografiert: Sie tut so, als würde sie durch eine der Kameras schauen, hält die Filmklappe, und als Katerina vorbeikommt, zwingt sie sie, ebenfalls zu posieren. Im Schminkwagen machen sie noch ein paar lustige Selfies mit Kayla, und dann geht Evies Handyalarm los – es ist Zeit, Dukes Mutter abzuholen.

»Wir sehen uns dann später, ja?«, sagt Evie zu Magda. »Im Hotel?«

Magda bejaht und sagt, dass es ihr leidtut. Evie antwortet nicht. Sie will nicht sagen, dass es in Ordnung ist, und sie will auch nicht sagen, dass es ihr leidtut, denn beides würde ein neues Fass aufmachen, und das will sie nicht. Außerdem hat sie es satt, sich selbst so sehr zu hassen, dass sie sich nicht einmal Ersparnisse gönnen kann. Es könnte eine Erleichterung sein, es Magda zu gestehen. Vielleicht würde Magda sie verstehen. Vielleicht könnte Magda helfen.

»Hey, sind Sie Dukes Mutter?«, fragt Evie und geht auf eine adrett aussehende Frau in einem eleganten Wollmantel und überraschend jugendlichen schwarzen Lederstiefeln zu. Die Frau blickt auf.

»Ja, das bin ich«, sagt sie und lacht. »Obwohl es immer noch seltsam für mich ist, ihn so zu nennen. Als er klein war, nannten wir ihn Ricky. Derrick heißt er nach meinem Schwiegervater.«

Evie lächelt. Die Frau wirkt nervös. Ängstlich.

»Er hat mir gesagt, dass das nicht viele Leute wissen«, sagt Evie, und sie sieht, wie die Frau überlegt, ob sie gerade einen Fauxpas begangen hat. »Aber ich wusste es«, fügt sie hinzu, und die Frau sieht erleichtert aus. »Ich wusste allerdings nicht, dass er nach seinem Großvater benannt ist. Nur, dass Duke sein Künstlername ist.«

»Ich nehme an, das ist hilfreich«, sinniert Dukes Mutter. »Auf der Bühne eine Person zu sein und im wirklichen Leben eine andere.«

»Gut, dass Duke den Unterschied kennt.« Evie lächelt. »Ich kann mir vorstellen, dass es für manche Schauspieler schwer ist, das auseinanderzuhalten.«

Seine Mutter sieht sie mit leicht zusammengekniffenen Augen an. »Ja«, sagt sie und streckt dann die Hand aus. »Anna«, sagt sie. »Entschuldigung, ich hätte mich gleich richtig vorstellen sollen.«

»Evie«, sagt Evie und streckt ebenfalls die Hand aus. »Wir haben uns schon mal kurz getroffen.«

»In dem Restaurant neulich Abend.« Anna nickt. »Ja. Ich hab mir schon gedacht, dass mir Ihr Gesicht bekannt vorkommt.«

Evie wartet, bis der Groschen fällt.

»Sind Sie die Frau auf den Fotos? Entschuldigung, sind Sie Derricks Freundin?«

Evie geht los und macht Anna ein Zeichen, mitzukommen.

»Nein, nein«, sagt sie. »Hat er es nicht erzählt? Das ist alles nur für die Kameras.«

»Nein, das hat er nicht erwähnt«, sagt Anna.

»Na ja …«, antwortet Evie. »Immerhin sind wir Freunde geworden. Ich habe das Buch geschrieben, auf dem der Film basiert. Die Verfilmung ist ihnen bisher sehr gut gelungen. Wussten Sie, dass Duke jetzt auch ein bisschen Regie führt?«

Sie kommen im Hauptbereich an, wo gerade die ganze Action stattfindet, und Evie sieht, wie Annas Augen größer werden. Heute ist das Team vollzählig, hundert Leute, die mit Pudelmützen und batteriebeheizten Jacken zielstrebig herumlaufen, und überall sind Kameras, Schienen, Lichter und Mikrofone. Evie fällt auf, wie schnell ein Filmset für sie wieder etwas Normales geworden ist. Anna so offen staunen zu sehen, erinnert sie daran, wie viel Glück sie hat und wie verrückt es ist, dass dies ihr Leben ist. Magda hat recht: Die meisten Menschen würden alles geben, um so etwas mitzuerleben.

»Ich habe ihn noch nie bei der Arbeit besucht«, sagt Anna, und Evie kann sehen, dass ihre Augen feucht geworden sind. »Schauen Sie sich ihn an.« Anna zeigt auf Duke und Daphne, die durch ihre Szene schreiten. Duke hört aufmerksam zu, während Daphne etwas erklärt. Er ruft dem Kameramann etwas zu, und die drei fangen an, etwas zu besprechen. Anna und Evie sind weit genug entfernt, um nicht zu stören – sie sind nur zwei weitere Leute am Set.

»Möchten Sie ein Taschentuch?«, fragt Evie behutsam, als sie sieht, dass Annas Tränen jetzt heftiger fließen.

Anna nickt. Evie zieht einen Handschuh aus und kramt in ihren Taschen.

»Hier«, sagt Evie. Anna nimmt es entgegen. Sie sehen sich an, und Anna weint weiter.

»Es macht Spaß, zuzusehen, nicht wahr?«, sagt Evie schließlich. Sie sagt es ganz sanft, denn sie merkt, dass Anna gerade von sehr vielen Gefühlen übermannt wird. »Ich kann gar nicht glauben, dass ich hier bin.«

Anna nickt. »Und ich kann einfach nicht glauben, was er aus sich gemacht hat«, sagt sie und schüttelt den Kopf. »Ich bin sicher, dass er erzählt hat, dass ich keine gute Mutter war.«

Evie sagt nichts dazu. Sie weiß nicht, wie sie darauf in einer Weise antworten könnte, die Duke nicht unrecht tut. Er kann über seine Mutter sagen, was er will, aber Evie kann dabei nicht mitmachen. Stattdessen sagt sie: »Mein Vater hat getrunken.«

Sie sagt es in einem neutralen Ton. So abgeklärt wie möglich.

Anna nickt und fragt: »Haben Sie noch Kontakt zu ihm?«

Evie schüttelt den Kopf. »Er hat uns verlassen, als ich noch ein Kind war. Er hat nie versucht, um Verzeihung zu bitten, so wie Sie es getan haben.«

Anna nickt wieder weinend. »Glauben Sie, er wird mir jemals verzeihen?«, fragt sie.

Evie zuckt mit den Schultern – und nimmt sich vor, nicht zu weit zu gehen. »Ich kenne ihn nicht so gut«, sagt sie, und es überrascht sie, dass sie denkt: *noch nicht.*

Anna wischt sich über die Augen. Sie hat jetzt aufgehört zu weinen.

Nach einem kurzen Schweigen fährt Evie fort: »Was ich weiß, ist, dass er freundlich, aufmerksam, großzügig und lustig ist. Er hat ein gutes Herz. Ein Mann mit einem solchen Gesicht könnte es sich erlauben, sich unmöglich zu benehmen, und die Welt würde es ihm verzeihen.«

Anna lacht. »Ja. Er sah schon immer sehr gut aus«, sagt sie. Und mit einem Blick auf Evie fügt sie hinzu: »Danke. Sie haben sicher

Besseres zu tun, als sich um die Tränen einer tattrigen alten Frau zu kümmern.«

Evie lächelt. »Nein«, sagt sie. »Ich liebe tattrige alte Frauen und ihre Tränen.« Sie sagt es mit einem Augenzwinkern, und Anna versteht den Humor. »Kommen Sie. Ich glaube nicht, dass es einen guten Zeitpunkt für eine Unterbrechung geben wird, also können wir jetzt einfach zu ihm gehen. Ich nehme die Verantwortung auf mich.«

Sie nähern sich Duke, und er bemerkt sie jetzt, blickt auf und winkt kurz, bevor er Daphne etwas zuflüstert und zu ihnen hinübergeht.

»Hey«, begrüßt er seine Mutter. »Du hast es geschafft. Roger ist nicht dabei?«

Anna schüttelt den Kopf. »Ich habe mir ein bisschen Mutter-Sohn-Zeit erbeten«, sagt sie, und dann versteht Evie die Andeutung und entschuldigt sich.

»Ich … muss mal kurz telefonieren«, sagt Evie. »Bin in fünf Minuten wieder da.« Duke nickt zustimmend.

»Danke, Evie«, sagt er.

Evie geht weg, um mit ihrer Agentin über die anderen Filmverträge zu sprechen, aber sie ist noch in Hörweite, als sie Anna sagen hört: »Sie ist nett.«

Evies Agentin nimmt nach dem vierten Klingeln ab.

»Evie«, sagt sie. »Danke, dass du mich zurückrufst. Ich habe Neuigkeiten. Columbia hat gerade das letzte Angebot für die Filmrechte an zwei weiteren Romanen abgegeben. Um es kurz zu machen: Wir kommen auf etwas mehr als eine halbe Million Dollar.«

Evie nimmt das Handy vom Ohr und schaut aufs Display, um sich zu vergewissern, dass sie vollen Empfang hat. Den hat sie.

»Wie bitte?«, fragt Evie. »Ich kann dich nur schlecht verstehen. Kannst du das wiederholen?«

Ihre Agentin räuspert sich und holt tief Luft. »Evie, wir haben gerade ein Angebot über sechshunderttausend Dollar bekommen.

Ich sende es dir schriftlich zu, aber das ist die wichtigste Informati-on. Sechshunderttausend Dollar für die Option auf zwei Bücher, und sie haben schon bestimmte Schauspieler im Sinn. Sie treffen sich auch mit Reese Witherspoon, um über eine Koproduktion mit Hello Sunshine zu sprechen.«

Aber Evie hört sie nicht mehr, denn sie hat die Hände auf die Knie gelegt, sie beugt sich vor und würgt trocken. Als Duke und seine Mutter sehen, was passiert, und zu ihr eilen, kommt ihr das Frühstück hoch und landet auf Annas Stiefeln, die sie noch vor zehn Minuten so bewundert hat …

Evie ist reich!

29

EVIE

Die Litzauer Schleife in der Nähe von Burggen, Pfaffenwinkel, ist ein abgerundetes Stück Land, das von einem Fluss umflossen wird, sodass es fast wie ein Fluss-Donut mit einem schneebedeckten, baumbestandenen Stück Land in der Mitte aussieht. Als Evie und Magda gestern mit ihnen zu Abend gegessen haben, haben Duke und Daphne die Art der Aufnahmen, die sie heute machen wollen, genauestens beschrieben, aber erst jetzt, wo alle hier sind, zeigt sich das Majestätische. Als Evie *Auf der Romantischen Straße* geschrieben hat, hat sie Google benutzt, um zu all den Orten zu reisen, die sie in ihrer Vorstellung gesehen hat. Jetzt, wo sie sich auf diesen Stationen befindet, und nun auf dieser ganz besonderen, wird ihr genauso übel wie gestern nach dem Gespräch mit ihrer Agentin.

»Ich brauche deine Hilfe«, hatte sie zu Magda gesagt, nachdem sie gestern in Ohnmacht gefallen war und überall für Aufregung gesorgt hatte. Was hatte sie da gehört – sechshunderttausend Dollar? Reese Witherspoon? Filmoptionen für zwei Bücher? Ihr wird heute noch schwindlig, wenn sie nur daran denkt. »Aber jetzt noch nicht. Gib mir ein bisschen Zeit.«

Zu ihrer Ehrenrettung sei gesagt, dass es schon fast vierundzwanzig Stunden her ist, und Magda tut genau das. Sie gibt Evie Zeit und Raum, um ihr Glück zu verarbeiten.

»Das ist wunderschön«, sagt sie staunend, während sie sich vor der imposanten Skyline winzig fühlen. Ein Teil der Besetzung wird heute verabschiedet, weshalb es am Abend eine Party für alle gibt, um, wie Duke und Daphne erklärt haben, die Moral hochzuhalten.

Es sind nur noch ein paar Drehtage – aber Brads Abreise verlangt nach einer energetischen Entrümpelung, und sie können alle zusammen etwas Dampf ablassen.

Evie muss heute eigentlich nicht hier sein – das Content-Team hat den Fokus verlagert und konzentriert sich darauf, die Zusammenarbeit von Duke und Daphne als Regisseure festzuhalten, für den Fall, dass die Produzenten beschließen, das im Vorfeld der Premiere öffentlich zu machen. Sie wollen vorbereitet sein, je nachdem, wie sich alles entwickelt. Aber wenn Evie am Set ist, kann sie nicht in der Stadt sein, um ihrem Zwang nachzugeben und irgendwie ihr ganzes Geld loszuwerden, um dann wieder der nächsten großen Überweisung entgegenzufiebern. Sie will sich von all den Läden und Boutiquen nicht in Versuchung führen lassen, und sie will auch die Stille meiden, die sie damit ausfüllen würde, Magda alles zu erzählen, also sind sie hier und bewundern die schöne Landschaft.

»Hey«, sagt Duke, als er hinter ihr auftaucht, nachdem sie zum Wasser gegangen sind und ihre Nase sich wegen der Kälte jetzt wie ein Eiswürfel anfühlt. Er berührt mit seinem Handschuh ihren Fäustling, gerade so viel, dass ein Funke überspringt. Sie dreht sich um.

»Hey«, sagt sie. »Wie läuft's?«

»Okay. Also gut. Ist es seltsam, wenn ich dir sage, dass ich dich vermisse?«, fragt Duke, und sie sieht ihn mit hochgezogenen Augenbrauen an, denn sie hat überhaupt nicht erwartet, dass er das sagen würde.

»Nein«, fügt sie schnell hinzu. »Ich weiß, wir hatten keine Zeit, um … Du weißt schon … Da war … diese Sache … die passiert ist.«

»Ich fand es gut, dass es passiert ist«, sagt Duke.

Sie wagt es zu lächeln.

»Ich weiß, es war alles ziemlich verrückt«, sagt er. »Wir haben gerade angefangen, eine wirklich schöne Zeit miteinander zu haben, und dann …«

Evie weiß, was er meint, findet aber auch nicht die richtigen Worte, um es auszudrücken. Es ist so viel passiert: die Dreharbeiten, das Vortäuschen, dass sie einander daten, das Küssen, dann seine Mutter und Magda ... Es sind erst zwei Wochen vergangen, aber es fühlt sich an, als wären es zwei Monate gewesen. Und sie haben nur noch eine Woche. Sechs Tage, um genau zu sein. Die Zeit vergeht mit Lichtgeschwindigkeit.

»Das ist das Leben«, sagt Evie, und er nickt und lächelt.

»Das ist das Leben«, wiederholt er.

Sie blicken aufs Wasser hinaus, auf die Bäume, die sich am Ufer entlangschlängeln.

»Wir sehen uns später auf der Party, ja? Also die Produzenten sagen, wir dürfen es nicht Party nennen, weil sich die Leute dann zu sehr gehen lassen. Wir sollen Feier sagen. Produktionsfeier oder so was.«

Evie nickt. »Ja«, sagt sie. »Du findest mich dort. Und vielleicht können wir uns dann wieder für einen Spaziergang davonstehlen.«

»Das fände ich gut«, sagt er, und für einen kurzen Moment schwebt Evie auf Wolke sieben.

Doch dann erinnert sie sich daran, dass sie sich zusammenreißen muss.

Um 18 Uhr findet eine Tombola, ein Mini-Quiz und ein Freeze-Dance-Spiel statt. Sie sind für die Feier in einem Hotel, das kleiner und boutiqueartiger ist als die anderen Hotels, in denen sie untergekommen sind. Es hat niedrige Holzbalkendecken, in den Ecken stehen Stühle, und überall hängen auffallend viele Mistelzweige. Alle sind gut gelaunt, dieser Abend ist eine dringend notwendige Abwechslung. Die Küche schickt in regelmäßigen Abständen Pizza- und Pommes-Nachschub raus. Magda lacht hysterisch mit der Kamerafrau Katerina, und auch Evie hat Spaß. Sie unterhält sich mit Daphne und Duke und einigen aus der Crew und spielt eine Runde »Never Have I Ever«.

»*Never have I ever*, ich habe noch nie ... in Keanu Reeves' Pool gepinkelt«, bietet Daphne der Gruppe an, und Duke muss das letzte Bier trinken.

»Was?!«, ruft Evie aus. »Das ist unflätig!«

Duke zuckt verlegen mit den Schultern. »Ein Mann muss tun, was ein Mann tun muss«, sagt er.

»Ich bin noch nie von Paparazzi bei einem Streit mit Duke Carlisle erwischt worden«, bietet einer der Art-Direktoren an, und jetzt ist Daphne an der Reihe zu trinken. Duke sieht Evie an, und sie gibt ihm recht: Sie muss auch trinken. Es fühlt sich an, als sei dieser Streit schon so lange her. An diesem Tag hat sie ihn gehasst. Wirklich gehasst! Und jetzt ... Jetzt ist das Eis zwischen ihnen gebrochen, sie haben sich sogar geküsst ...

Plötzlich taucht Dream-oder-Willow auf und macht einen entschuldigenden Gesichtsausdruck.

»Hey«, sagt sie, und als sie zwischen Evie und Duke hin und her schaut, weiß Evie, was sie erwartet. Hatte sie nicht erst gestern darüber nachgedacht, dass sie gar nicht mehr darum gebeten worden sind, weitere Show-Liebesbeweisfotos zu machen? »Sorry, wenn ich störe ...«

Duke dreht seine Schulter so, dass er und Evie praktisch von den anderen abgeschirmt sind. Sie hören eine halbe Sekunde lang zu, bevor sie denken, dass es viel mehr Spaß macht, weiterzuspielen. Evie hört, wie jemand sagt: »Ich hatte noch nie eine Romanze am Set«, aber sie kann nicht sehen, wer trinkt.

»Draußen lungert ein Paparazzo rum«, sagt Dream-oder-Willow. »Können wir ihm was geben? Ich weiß, dass ihr das nicht mögt, aber gerade jetzt, wo Brad weg ist, hilft es dem Film ...«

Duke sieht Evie auf eine Art an, dass sie ein Pulsieren zwischen den Beinen fühlt. So entspannt und albern hat sie ihn noch nie gesehen, als ob sich durch die Regiearbeit und sogar durch den Besuch seiner Mutter ein paar Kreise geschlossen haben und er weiß, dass es okay ist, er selbst zu sein. Evie mag diesen Duke. Nachdem er ihr heute gesagt hat, dass er sie vermisst, hat sie immer wieder an seine Worte gedacht. Als sie sich für die Feier fertig gemacht hat, hat sie sich unter der Dusche die Bikinizone rasiert und ihren ganzen Körper eingecremt, langsam und bedächtig. Dabei hat sie sich ertappt, wie sie von seinen Händen auf ihrem Körper geträumt hat, bis Magda an die Tür geklopft und gesagt hat: »Evie! Ich muss auch duschen! Was zum Teufel machst du da drin?« Sie konnte nicht zugeben, dass sie davon geträumt hat, mit Duke zu schlafen. Sie hat Magda nicht einmal erzählt, dass sie sich geküsst haben. Dafür ist es ihr zu heilig. Und zu heikel.

Evie zuckt mit den Schultern. »Na gut«, sagt sie. »Duke, wir können doch an die frische Luft gehen, oder?«

Duke grinst. »Klar«, sagt er, als würde er allen einen Gefallen tun, aber Evie kennt diesen Tonfall. Sie bebt wieder.

Sobald sie draußen sind, legt er einen Arm um ihre Schultern und zieht sie dicht an sich heran. Das erregt sie. Sie sehen den Paparazzo gleichzeitig, nicken ihm zu und setzen dann die erfundene Geschichte fort: Sie glauben, nur zu zweit zu sein und einen intimen Moment zu haben.

»Endlich allein«, sagt Duke, und Evie lacht.

»Sollen wir ihn fragen, ob er sich uns anschließt?«, fragt sie.

Duke schüttelt den Kopf. »Ich habe nach einer *Eyes Wide Shut*-Party im Weißen Haus mit Gruppensex aufgehört.«

Sie lacht wieder. »Welche Regierung war es?« Sie neckt ihn.

»Das darf ich unter keinen Umständen verraten«, sagt Duke mit ernster Miene. »Ich habe ein *Non-Disclosure Agreement* unterschrieben, mein Leben hängt davon ab.«

Evie zieht sich zurück und sieht ihn an. »Ich weiß, ehrlich gesagt, gerade nicht mehr, ob du Witze machst«, sagt sie, und Duke verzieht das Gesicht. Was für ein Leben hat dieser Mann geführt?

»Meine Mutter mochte dich«, sagt er, während sie die Treppe

hinunter und um die Ecke auf einen ruhigen, gepflasterten Weg gehen, an dessen Ende die Lichter eines weiteren Marktes zu sehen sind.

»Das höre ich nicht oft«, gibt Evie zu. »Normalerweise bin ich nicht die Art von Frau, die man seinen Eltern vorstellt.«

Nun ist Duke an der Reihe, sie ungläubig anzustarren. »Das glaube ich nicht«, sagt er. »Du tust immer so, als ob du so eine Art unnahbare, lieblose Eisprinzessin wärst, aber ich kenne die Wahrheit, Evie Bird. Du bist nichts von alledem. Du bist sogar genau das Gegenteil davon.«

»Ach, du kennst mich so gut?«, feuert Evie ab, ohne nachzudenken, obwohl sie sich innerlich selbst einen Tritt gibt. Sie ist es leid, dass sie ihn nicht näher an sich heranlassen kann. Sie hat den ganzen Tag an ihn gedacht, sich sogar nach ihm gesehnt, und jetzt ist er so nett, und sie sagt Dinge, die sie gar nicht so meint. Was zum Teufel ist nur los mit ihr? »Okay, gut«, fügt sie hinzu, bemerkt seinen verletzten Blick und versucht, sich schnell zu korrigieren. »Du kennst mich ein bisschen.« Dann verzieht sie das Gesicht, um ihm zu zeigen, dass sie weiß, dass sie kratzbürstig war. »Ich gebe mir Mühe«, sagt sie. »Ich tue mein Bestes, um der Vorstellung, die du von mir hast, gerecht zu werden.«

Duke bleibt stehen, dreht ihren Kopf in seine Richtung und legt seine Hände auf ihre Schultern. Er seufzt.

»Ich möchte, dass du damit aufhörst«, sagt er. »Ich kann dich nicht davon überzeugen, dass du fantastisch bist, dass ich dich mag und dass ich meine Meinung nicht jedes Mal ändern werde, wenn wir miteinander reden. Ich bin zu müde, Evie. Ich will nur, dass du dabei bist.«

Evie sieht auf ihre Füße. Warum muss er sich nur immer so deutlich ausdrücken, so klar sagen, was er will?

»Okay.« Sie schmollt. »Kein Grund, weinerlich zu werden.«

Er schlägt ihr spielerisch auf den Arm. »Um Himmels willen.« Er lacht, sichtlich frustriert über ihre Unfähigkeit, klar zu sagen, was sie will. Sie findet den Mut, ihn anzusehen.

»Ich bin heiß auf dich. Ist es das, was du hören willst?«, fragt sie ihn.

Er macht einen Schritt auf sie zu. »Oohh …«, sagt er, und ein Grinsen umspielt seine Lippen. »Ja, im Grunde schon. Sag es noch einmal.«

»Ich bin heiß auf dich«, wiederholt sie und macht sich über ihn lustig.

»Sag es so, als ob du es ernst meinst«, weist er sie an, und es fällt ihr jetzt schwerer, verspielt zu bleiben. Sie kann nicht frech sein, wenn er sich so über die Lippen leckt und sie ansieht, als könnte er sie gleich hier und jetzt auf der Straße nehmen.

»Ich bin heiß auf dich«, flüstert Evie, und er ist jetzt nur noch wenige Zentimeter von ihr entfernt, und diesmal ist es Evie, die sich über die Lippen leckt. »Ich bin heiß auf dich«, wiederholt sie, erregt durch seine Nähe, seine offensichtliche Lust. Sie hat Angst, ihn so sehr zu begehren, aber es ist viel erotischer, sich auf ihn einzulassen, als zurückzuhalten, wie sehr sie seine Lippen auf den ihren spüren will, seinen harten, muskulösen Körper, der sich an sie presst.

Bevor sie weiß, wie ihr geschieht, hat er sie gegen die Wand gedrückt. Mit einer Hand hält er sie an der Taille fest, die andere schlängelt sich unter ihrem Haar bis zu ihrem Nacken, und er zieht sie gerade so weit hoch, dass sich ihre Münder treffen können. Es ist Tage her, dass sie das letzte Mal allein waren, Tage, an denen er ihren Namen zwischen verstohlenen Küssen in ihren Mund gehaucht hat, und sie hat es auch vermisst.

»Bring mich zurück ins Hotel«, sagt Evie, und er setzt noch eins drauf und hebt sie hoch, sodass sie aufschreit. »Was tust du da?« Sie schlingt ihre Arme um seinen Hals, und er trägt sie den Weg zurück, den sie gekommen sind. Mit einer Höhlenmenschenstimme sagt er: »Ich, Tarzan Duke. Du, Evie Jane. Wir werden jetzt Sex in meinem Zimmer haben.«

Sie kümmern sich nicht weiter darum, dass der Paparazzo seinen großen Tag hat. Evie will einfach nur im Hotel sein, in Dukes Bett, nackt – und das so schnell wie möglich.

Duke Carlisle ist ein exquisiter Liebhaber. Sobald sie in seiner Suite sind, hat er sie schon halb an die Tür gepresst, und Evies Beine sind um ihn geschlungen, ihre Knöchel sind unter seinem Hintern verknotet, damit sie ihn an sich ziehen kann. Er reibt sich an ihr, die Ausbeulung in seiner Hose ist offensichtlich und reizvoll. Sein Mund ist auf ihrer Wange, auf ihrem Hals. Er scheint es sich zur persönlichen Herausforderung gemacht zu haben, keinen Zentimeter ihres Dekolletés ungeküsst zu lassen.

»Ja«, seufzt Evie. »Ja, ja, ja.«

Er trägt sie zum Bett und setzt sie mit einer solchen Leichtigkeit ab, als würde er einen Sack Federn hinlegen. Er ist stark. Wirklich stark. Evie legt sich zurück, und er klettert auf sie, und was dann kommt, ist fleischlich, schmutzig und längst überfällig.

»Ja«, sagt Evie wieder, als sie so heftig gekommen ist, dass sie glaubt, sich einen Rückenmuskel gezerrt zu haben.

Duke grinst, und man muss ihm zugutehalten, dass er keucht.

»Wow, das war …«, beginnt Duke, und zwischen ihrem eigenen Keuchen stimmt Evie ihm zu.

»Das war es«, sagt sie.

Er sieht sie an. Sein Körper ist wie gemeißelt und schimmert golden. Kein Mann sollte so gut aussehen.

»Sollen wir es noch einmal machen?«, fragt er, während seine Hand leicht über ihren Schenkel streicht und droht, zwischen ihre Beine zu gleiten.

Evie stößt ein unwillkürliches Lachen aus. »Auf keinen Fall«, schreit sie.

Er sieht sie mit hochgezogenen Augenbrauen an.

»Zumindest nicht, bevor wir etwas zu essen bestellt haben. Ich muss mich stärken.«

Er kommt näher, reibt seine Nase an ihrer und berührt beinahe ihre Lippen.

»Du Leichtgewicht«, neckt er sie, und Evie lacht.

30

DUKE

Duke ist sich nicht sicher, wann genau es angefangen hat, aber es geschieht noch während des Aktes. Evie sitzt auf ihm. Während sie sich windet, stöhnt sie immer wieder seinen Namen, und dann geht sie dazu über zu wiederholen, dass sie kommt – immer und immer und immer wieder. Dieser Anblick und, verdammt, dieses Gefühl haben ausgereicht, um Duke dazu zu bringen, es ihr gleichzutun. Und irgendwann – er schaut fasziniert auf ihre Brüste, fühlt den Ausbruch der Erlösung in seinem Körper und Evies Haut auf seiner –, irgendwann, fängt er an zu weinen.

»Geht es dir gut?«, fragt Evie, und es ist nicht das gehauchte *Hey, das war so sexy, bist du okay?* Sie klingt tatsächlich sehr besorgt um ihn. Er kann sie durch den Tränenschleier nicht gut erkennen, und dann spürt er, wie ihre Fingerspitzen die Tränen unter seinen Augen wegwischen, und für eine Sekunde kann er wieder sehen, bevor alles wieder verschwimmt.

»Argh«, sagt er, als er wieder zur Besinnung kommt. »Oh Mann, ist das peinlich. Es tut mir so leid.«

Evie klettert von ihm herunter, er setzt sich auf, und sie beginnt, ihm über den Rücken zu streichen. Anscheinend kann er nicht aufhören zu weinen. Das ist ein bisschen beängstigend.

»Ist schon gut«, sagt sie, und ihre Stimme ist freundlich und leicht. »Ich glaube, ich fühle mich sogar geschmeichelt.«

Duke lacht kurz auf, und es klingt ganz nasal und verschleimt. »Ich schwöre, das ist mir noch nie passiert«, sagt er. »Ich schätze, ich bin ein bisschen aufgeregt, und ...« Er kann den Gedanken nicht zu Ende führen, weil ihm die Tränen im Weg sind.

»Sch…«, beruhigt ihn Evie. »Lass dir Zeit. Ich weiß, es war in diesem Monat sehr viel los für dich. Ich kann nicht behaupten, dass mir das schon einmal passiert ist, aber ich kann wirklich nachempfinden, wie du dich fühlst.« Er wirft ihr einen Blick zu, und sie schenkt ihm ein schiefes Grinsen. »Es liegt daran, dass ich ein spektakulärer Fick bin, nicht wahr?« Das Wort Fick klingt mit ihrem amerikanischen Akzent so komisch, dass Duke den Kopf schüttelt und ein weiteres verschleimtes Glucksen von sich gibt.

Evie steht auf, splitterfasernackt, und er beobachtet, wie sie zur Minibar geht und Wasserflaschen, eine Dose Cola und ein paar Chipstüten aus dem Geschenkkorb holt, den ihm die Produzenten geschickt haben. Sie hat hängende Brüste, die hypnotisch schwingen, einen runden Bauch mit schmalen Hüften und einen großzügigen Hintern. Duke ist schon fast so lange mit Leuten aus der Filmbranche zusammen, wie er selbst in der Branche ist. Er meint es nicht böse, sondern stellt es nur als Tatsache fest, dass sie den ersten »normalen« Körper hat, den er seit Langem nackt gesehen hat. Sie hat Stoppeln unter den Armen und Haare an den Zehen, und ihre Haut ist glatt, aber nicht perfekt. Er kann es nicht laut aussprechen – das würde er nie tun –, aber es gefällt ihm. Er mag es, dass sie nicht gerupft und geglättet und gebräunt ist und was Hollywood sonst noch mit Frauen – Menschen! – tut, um sie für das Publikum noch attraktiver wirken zu lassen.

Und er ist natürlich Teil der Maschinerie, mit seinen beiden Nasenkorrekturen, den Veneers und Spritzen. Er wurde schon früher in Interviews nach unrealistischen Körpernormen gefragt, und er hat ausweichende Antworten gegeben, dass er Zugang zu den besten Köchen und Trainern der Welt hat, aber das ist nur ein Teil der Wahrheit. Wenn er mit Evie zusammen ist, hat er das Gefühl, dass er nicht mehr lügen will. Er ist erst seit zwei Tagen Co-Regisseur, und schon schwirrt ihm der Kopf vor Ideen, wie es weitergehen soll, wie es weitergehen kann. Was wäre, wenn er mit Daphne eine

Produktionsfirma gründet, wenn er mehr Regie führt oder wenn er Hollywood sogar ganz den Rücken kehrt? Vielleicht könnte er schreiben – vielleicht könnte er mit Evie zusammen schreiben. Etwas über echte Menschen und wie sie leben.

»Hier«, sagt Evie und reicht ihm das Wasser. Er nimmt es mit einer Hand, streckt die andere nach ihrer linken Brustwarze aus und streicht mit dem Finger darüber.

»Ich glaube, du bist der hinreißendste Mensch, vor dem ich je nach dem Sex geweint habe«, sagt er, als sie eine Augenbraue hebt.

»Ist das so?«, flüstert sie und klettert auf ihn, damit er ihr einen Kuss auf die Brust geben kann, die er gerade bewundert hat.

»Das ist wie eine Form der Anbetung«, sagt er und fährt mit seiner Zunge ihren Hals hinunter.

»Es ist nicht schlecht, von dir so angebetet zu werden«, sagt sie, und er zieht an ihrem Haar, wie er es draußen in der Kälte getan hat, knabbert an ihrem Hals und hält dann ihren Kopf so, dass ihre Augen auf gleicher Höhe sind. Er starrt sie an.

»Ich meine es ernst«, flüstert er. »Mit dir fühle ich mich wie ich selbst.«

Sie lächelt, und er kann das Lächeln nicht deuten.

»Hast du jemals daran gedacht, ein Drehbuch zu schreiben?«

Sie schüttelt den Kopf. »Nein. Warum?«

»Nur so«, sagt er und küsst ihre Haut. Sie windet sich vor Vergnügen, und er hält sie noch fester. »Gefällt dir das?«

»Ja«, sagt sie, und er weint nicht mehr.

»Hättest du gedacht, dass das passiert, als du mich hast einfliegen lassen?«, fragt Evie, als sie wieder zu Atem gekommen sind. Sie liegt in seiner Armbeuge, und sie halten sich an den Händen. Duke fühlt sich glücklich. Zufrieden. Er beginnt, etwas über sich selbst zu verstehen – darüber, wer er ist und was er will.

»Darauf wäre ich nicht gekommen«, sagt er. »Niemals.«

»Hmmm«, sagt sie.

»Du?«, fragt er jetzt neugierig.

Sie lacht. »Nein, ich auch nicht«, antwortet sie. »Ganz offensichtlich nicht. Ich war vor allem wütend, dass ich überhaupt hier sein musste.«

»Ah, ja«, sagt er. »Da war ja was. Wie konnte ich das vergessen?«

»Es ist eine schöne Art, das Jahr zu beenden, muss ich sagen. Ich glaube, mir war gar nicht bewusst, wie sehr ich es gebraucht habe, mal rauszukommen. Ich meine, es war schon seltsam, mit den Fotos und dem Fake-Dating und was auch immer das …«, sie deutet mit der freien Hand auf ihn, »… ist. Aber am Set zu sein, hat sich belebend angefühlt. Ich habe einen Abgabetermin für mein nächstes Buch, und ich habe so gut wie gar nicht daran gearbeitet, während ich hier war, aber ich habe trotzdem diesbezüglich ein besseres Gefühl als bei meiner Abreise. Ich bin zuversichtlich, dass ich schnell und gut schreiben kann, wenn ich jetzt nach Hause komme. Ich glaube, ich habe mich vor einigen Wahrheiten meiner Figuren versteckt, und irgendwie erschließt sich mir hier einiges. Ich kann es nicht erklären.«

»Der magische kreative Prozess«, sagt Duke und setzt eine alberne Stimme auf.

»So ähnlich, ja«, antwortet sie. »Und dass Magda hier ist – ich glaube, ich habe mich dafür gar nicht genug bei dir bedankt. Das war sehr nett und freundlich von dir.«

»Ich bin ein netter und freundlicher Mann.« Er zuckt mit den Schultern.

»Das habe ich deiner Mutter auch gesagt«, antwortet sie und fügt hinzu: »Ich hoffe, das war okay.«

Duke wird bei der Erwähnung seiner Mutter stutzig, aber eher aus Gewohnheit. Als sie sich gestern am Set verabschiedet hat, hat er beinahe so etwas wie Vergebung für sie empfunden. Er hat sich gefreut, dass sie allein gekommen ist, und sie wirkte verletzlich, als sie miteinander gesprochen haben, was Duke zu der Überzeugung gebracht hat, dass sie wirklich ihr Bestes gibt. Es könnte sich zwar als nicht gut genug erweisen, aber zu wissen, dass sie es versucht, hat sich beruhigend angefühlt. Er hat sich im Internet darüber informiert, was ihn erwartet, und gelesen, dass die eigentliche Arbeit erst dann beginnt, wenn man trocken ist, fast so, als wäre es das Einfachste, erst einmal trocken zu werden. Es zu bleiben und zu lernen, mit sich selbst zu leben, ist der Knackpunkt, unabhängig davon, ob die Menschen, die man auf diesem Weg verletzt hat, einem verzeihen oder nicht. Er wird versuchen, geduldig zu sein. Diese Entscheidung gefällt zu haben, ist für ihn genauso wichtig wie für sie. Es ist, als hätte er den Schmerz in zwei geballten Fäusten festgehalten, und jetzt, wo er ihn loslassen kann, ist Platz, um etwas anderes festzuhalten. Etwa die Liebe.

»Tut mir leid«, sagt Evie, die seine heftige Reaktion deutlich bemerkt hat. »Hätte ich sie nicht erwähnen sollen?«

»Nein, ist schon gut«, sagt Duke. »Ich versuche immer noch zu begreifen, dass sie einfach so aufgetaucht ist, aber ich verstehe es. Sie hatte das Gefühl, dass es keinen anderen Weg gibt. Sie hatte nicht einmal mehr meine Telefonnummer. Es sagt viel aus, dass sie sich die ganze Mühe gemacht hat.«

»Das denke ich auch«, sagt Evie. »Ich weiß, ich war harsch zum Thema Suchtkranke und das Schwarze Loch, in das sie einen hineinziehen können, aber in der Theorie, wenn die Person nur eine hypothetische ist, kann man leichter darüber sprechen. Als ich deine Mutter kennengelernt habe, war ich irgendwie erstaunt, wie normal sie wirkt. Und wie stolz sie auf dich ist. Ich hatte gestern fast das Bedürfnis, sie zu umarmen, damit sie nicht vor Stolz platzt. Das muss ein schönes Gefühl sein.«

»Ja«, sagt Duke und freut sich, dass Evie ihn versteht. Sein Instinkt hat ihn nicht getäuscht. Sie versteht es wirklich. Und sie ist da. Sie spricht seine Sprache. »Und sie hat jetzt meine Telefonnummer, damit sie anrufen oder eine Nachricht schicken kann, statt wieder überfallartig aufzutauchen. Wir haben gesagt, wir fangen damit an, einmal im Monat über FaceTime zu sprechen, und dann sehen wir weiter.«

»Das Privileg, im Besitz deiner Telefonnummer zu sein!« Evie neckt ihn, und er ist froh, dass sie das Thema anspricht. »Was für eine Fülle von Möglichkeiten sich da bietet!«

Er lacht. »Nun«, sagt er. »Ich habe mir überlegt, dass wir endlich unsere Nummern austauschen sollten. Zuerst war es ganz angenehm, ohne auszukommen, aber jetzt finde ich es albern.«

»Nee«, sagt Evie, und er denkt zuerst, dass sie einen Scherz macht. Es dauert ein bisschen, bis die Stimmung leicht kippt, und Duke will herausfinden, was genau los ist.

»Das ist nicht dein Ernst«, sagt er und sieht sie an. Sie blickt sich im Raum um – sie schaut überallhin, nur nicht zu ihm –, als ob sie überlegt, welche Worte sie als Nächstes wählen soll.

Schließlich sagt sie: »Nun ja, doch, eigentlich schon.«

»Ich versteh's nicht.«

Sie schluckt, holt tief Luft und sieht ihn dann an. Die Art und Weise, wie sie das tut, versetzt ihm einen Stich.

»Ich denke nur, wenn ich deine Nummer hätte, würde ich sie auch benutzen wollen.«

»Das ist der allgemeine Sinn und Zweck, ja«, antwortet Duke.

»Und ich möchte nicht so erbärmlich mit dem Handy in der Hand warten, dass es klingelt.«

»Das wirst du nicht«, sagt er. »Ich werde anrufen. Und dich hoffentlich sehen. Ich meine, ich habe gedacht ...«

Was hat er gedacht? Dass sie fühlt, was er fühlt? Dass sie sich auch verlieben würde? Dass sie nach ihrem Aufenthalt hier Zeit miteinander verbringen würden, zusammen abhängen und sehen, wohin es sie führt ...?

»Versteh mich nicht falsch, ich genieße das alles«, sagt sie. »Dich kennengelernt zu haben und so. Es war wirklich toll.«

»Vergangenheitsform«, stellt Duke fest.

»Was?«

»Es klingt so, als ob es schon vorbei wäre.«

»Nein«, sagt sie, aber jetzt kribbelt etwas unter seiner Haut, ein komisches Gefühl, das in einer Ecke seines Gehirns begonnen hat und nun in jeden Teil seines Körpers vordringt, wie Gift. Es ist wieder passiert. Er wurde benutzt, wieder einmal. Sie ist hier, um sich die Zeit zu vertreiben, die Stunden zu füllen, bevor sie geht, und so hat sie bei der dummen Inszenierung einer Beziehung mitgespielt, die die Produzenten von ihnen verlangt haben – und jetzt hat sie ihre Presse, ihre Bücher stehen auf den Bestsellerlisten, und sie hat sogar einen weiteren Filmvertrag eingeheimst. Gut für sie. Es hat sich alles zum Guten gewendet. In der Zwischenzeit hat er genau das getan, was er immer tut: Er hat sich total lächerlich gemacht, hat zu viel von sich preisgegeben, wie der verzweifelte kleine Junge, der er ist, und sie hat einfach kein Interesse an ihm.

»Wir haben noch Zeit ...«, fährt Evie fort. »Wir haben doch gesagt, dass dies hier nur für den Dezember ist, oder? Ich wollte nicht ...«

»*Nur* für Dezember«, sagt Duke. »Und keine Sorge, ich weiß, was du gemeint hast. Ich habe es kapiert.«

Er klettert aus dem Bett und zieht sich eine Unterhose an. Er weiß nicht, wohin er gehen soll, da dies ja sein Zimmer ist. Er versucht, die richtigen Worte zu finden, um Evie zu bitten zu gehen, und überlegt, wie er es am besten anstellen könnte: sagen, dass er etwas Schlaf braucht, offen sagen, dass er verärgert ist, oder ihr sogar sagen, dass sie sich ficken soll. Aber er kann es nicht. Er ist nicht der konfrontative Typ, das ist einfach nicht sein Ding. Also zieht er stattdessen Hose und Turnschuhe an, schnappt sich sein Handy und seinen Mantel und geht, ohne etwas zu sagen. Dann überlegt er es sich anders, öffnet wieder die Tür und sieht sie im Bett sitzen, genau so, wie er sie verlassen hat.

»Tut mir leid«, sagt er. »Ich kann einfach … Ich kann nicht … Ich kann das nicht«, stottert er. »Ich glaube, ich habe einen Fehler gemacht.«

Als er nach einer halben Stunde und einem Drink an der Hotelbar zurückkommt, ist sie weg.

31

DUKE

Es ist wie bei *Und täglich grüßt das Murmeltier:* Er wacht auf und bekommt eine Flut von Textnachrichten von seinen beiden Teams in L.A. und London, und im Internet kursieren Fotos von Evie und Duke in einer schwach beleuchteten Gasse, seine Hand in ihrem Oberteil und seine Zunge in ihrem Mund. Was dieses Mal anders ist, ist, dass die Schlagzeilen persönlich geworden sind. *Duke Carlisles Schreiberfreundin lässt schwer kranke Mutter im Pflegeheim zurück, um an deutschem Filmset Schnitzel zu naschen* titelt die *Mail,* und viele andere Medien warten mit einer Variation dieses Themas auf.

Was soll das? Das ist der Punkt, an dem sich Dukes Verhältnis zur britischen Presse verschlechtert. Er kann die eine oder andere inszenierte Aufnahme verkraften oder sogar den einen oder anderen echten Schnappschuss durchgehen lassen, wenn er dann seine Ruhe hat, aber was soll das alles mit Evie und ihrer Mutter? Es ergibt nicht einmal Sinn – wenn ihre Mutter krank ist, ist es selbstverständlich, dass Evie sie in einem Pflegeheim zurücklässt. Das hier ist ihr Job. Man kann nicht erwarten, dass man einen kranken Elternteil (oder einen kranken Menschen!) zur Arbeit mitbringt. Es war wahrscheinlich nur eine Frage der Zeit, bis sie einen Weg finden würden, sie zu dämonisieren – schließlich ist sie eine Frau. Duke bekommt davon nicht viel ab. Sie haben sich nie mit seiner Familiengeschichte befasst und berichten meist nur über seine Fotos am Strand mit freiem Oberkörper oder über die Leute, mit denen er zufällig an einem Filmset spricht, was natürlich der Ursprung für die ganze Sache mit Evie ist.

Er hat ihre Nummer nicht, um anzurufen und sie zu fragen, ob es ihr gut geht nach ihrem Streit vom Abend. Er ist wütend. Und fühlt sich gedemütigt. Es war unreif zu glauben, dass sich das Leben einfach so ändert – er mag die Hauptrolle in vielen Märchen spielen, aber sie existieren nur auf der Leinwand, wie Evie sagt, zur Unterhaltung. Es ist offiziell an der Zeit, realistischer zu werden, was die Liebe angeht, denn er kann nicht so weitermachen, sich Hals über Kopf verlieben und glauben, dass jede nächste Frau diejenige ist, die ihn aus seiner selbst verursachten Einsamkeit retten wird.

Noch etwas anderes hat sich heute Morgen für ihn verändert. Evie ist der Tropfen, der das Fass zum Überlaufen gebracht hat: So kann er nicht mehr weitermachen, gefangen in seinem goldenen Käfig. Seine Berühmtheit hindert ihn daran, so zu leben, wie er es möchte, und das heißt, sie hindert ihn daran, frei zu sein. *Vielleicht rufe ich Ashton Kutcher an,* denkt er und erinnert sich daran, dass Ashton bei ihrem letzten Zusammentreffen von ethischen Investitionen geschwärmt hat und davon, dass er mit seinem Geld Geld verdienen kann, statt auf einem Filmset zu sitzen. Oder er könnte es wie Clooney machen und in ein paar Kaffeewerbespots mitspielen, um auf diese Weise sein Geld zu verdienen, und sich dann auf die Produktion konzentrieren. Alles in allem muss es für ihn einen anderen Weg geben, dieses Leben zu führen.

Was hat er Evie offenbart? Dass es ihm wirklich nur um die Aufmerksamkeit seiner Mutter ging? Nun, die hat er ja jetzt. Sie ist trocken. Sie scheint glücklich zu sein. Sie will eine Beziehung zu ihm. Er braucht keinen Applaus von der Welt, wenn er seine Mutter hat. Plötzlich kommt es ihm lächerlich vor, diesen Applaus jemals gewollt zu haben.

»Daphne«, sagt er, als sie später am Tag gemeinsam zum Drehort fahren. »Du hast mal vor langer Zeit gesagt, dass du eine Produktionsfirma gründen willst. Bräuchtest du dafür nicht einen Partner?«

Sie starrt gedankenverloren aus dem Fenster, was Duke passt, denn auch ihm schwirrt der Kopf.

»Ja«, sagt sie und nickt. »Das könnte ich mir gut vorstellen. Ich genieße unsere gemeinsame Arbeit gerade sehr«, fügt sie hinzu und schwingt einen Finger zwischen ihnen beiden hin und her. »Wir arbeiten gut zusammen, nicht wahr?«

»Ich glaube schon«, sagt er. »Ich glaube, ich möchte mich als Drehbuchautor versuchen. Und wie du schon bei dem Abendessen mit Evie und Magda gesagt hast – man kann viel mehr bewegen, wenn man seine eigene Firma hat.«

Daphne zieht die Augenbrauen hoch und wackelt anzüglich damit. »Oh«, sagt sie und senkt die Stimme. »Da wir gerade von Evies Freundin Magda sprechen – ich habe ein klitzekleines bisschen Klatsch und Tratsch, falls es dich interessiert.«

Tut es das? Er will nicht wirklich über Evie sprechen. Sein Ego ist immer noch verletzt, weil er dachte, zwischen ihnen sei mehr, als es ist. Wie auch immer, es spielt keine Rolle, denn Daphne redet weiter.

»Rate mal, aus wessen Schlafzimmer ich sie heute habe kommen sehen? Und das um 5 Uhr morgens! Ich war auf dem Weg in den Fitnessraum, und sie haben sich bestimmt gerade erst Gute Nacht gesagt ...«

Duke zuckt mit den Schultern. Meistens bleibt das, was am Set passiert, am Set – die Leute kommen sich nun mal näher, wenn sie so intensiv und lange zusammenarbeiten. Das weiß Duke nur zu gut.

»Katerina! Die Kamerafrau!«

»Oh«, sagt Duke. »Ich dachte, Magda hätte sich gerade von einem Mann scheiden lassen?«

»Ja, ich glaube, das stimmt auch. Aber das heißt nicht, dass sie nicht auch auf Frauen steht, oder? Und gestern Abend war sie definitiv mit Katerina zusammen ...«

Duke schaut wieder aus dem Fenster. »Wenigstens irgendjemand hat Glück«, sagt er mürrisch.

Daphne sieht in seine Richtung.

»Was ist passiert?«, fragt sie. »Duke?«

Er schüttelt den Kopf. »Die Sache mit Evie«, erklärt er.

»Gibt es eine Sache mit Evie?«

Er blinzelt sie an.

»Okay«, gibt Daphne zu. »Ich dachte mir schon, dass es eine Sache mit Evie gibt. Was ist passiert?«

Er seufzt. »Ich weiß es nicht einmal. Ich dachte, sie wäre anders, aber ...« Er schüttelt den Kopf. Es ist ein furchtbares Gefühl, diese Enttäuschung ... Dabei weiß er nicht mal, ob er von Evie oder von sich selbst enttäuscht ist.

»Oh, Duke ...« Daphne fühlt mit ihm mit.

»Mir geht es gut«, sagt er. »Nach vorn schauen, weitermachen!«

Während er es ausspricht, merkt er, dass seine Worte hohl klingen. Sosehr er sich auch wünscht, er könnte seine Enttäuschung einfach abtun, er ist nicht gut darin. Das ist nicht seine Art. Es wird eine Weile dauern, bis diese Wunde verheilt ist.

»Bei mir klappt das gut«, sagt Daphne und ist nah dran, zuzugeben, dass es mit Brad vorbei ist. Sie hat nicht ein einziges Mal über seinen Weggang oder die Gründe dafür gesprochen, und Duke weiß, dass sie sich irgendwie schämt, aber er hat das Gefühl, dass er ihr nicht sagen kann, dass sie es nicht tun soll, ohne es anzusprechen, und er kennt Daphne gut genug, um zu wissen, dass das keine gute Idee ist. Stattdessen sieht er zu, wie sie es selbst herausfindet, wie sie sich am Set austobt, und er kann sehen, wie gut sie sich dabei fühlt, wie sehr sie in den letzten Tagen in ihrem Element war.

»Wer hätte gedacht, dass wir hier landen würden, als wir die Verträge unterschrieben haben?«, fragt Duke, während das Auto vor dem Set vorfährt. »Wir haben uns von einem zerstrittenen Paar zu Freunden entwickelt, die diese verdammten Dreharbeiten leiten.

Das ist beeindruckend, finde ich. Wir müssen uns einen Moment Zeit nehmen, um das alles zu würdigen.«

Daphne lächelt. »Wie das Leben so spielt, was?«, stellt sie fest. »Am Ende richtet sich alles.«

»Ja, so ungefähr.« Duke seufzt.

Sein amerikanischer PR-Mensch überbringt ihm die Nachricht: Duke ist für einen Golden Globe nominiert.

»Was?«, sagt er, als Dream ihm das Telefon hinhält. Weil es so kurz vor Weihnachten und der Preisverleihungssaison ist und er darauf bestanden hat, dass es ja nur ein kurzer Dreh für die Außenaufnahmen ist, ist niemand aus Dukes Managementteam mit ihm in Deutschland unterwegs. Das hätte sich übertrieben und unnötig angefühlt. Für die meisten Menschen ist der Dezember eine Zeit, in der sie sich zurückziehen und planen, wie sie die Feiertage mit ihren Lieben verbringen wollen. Duke fliegt normalerweise auf die Bermudas und bleibt bei Simon Cowell und seiner Familie, oder er fliegt nach Bora Bora und kommt pünktlich zum Neujahrsskilauf oder kurz danach zurück, um über die roten Teppiche zu laufen – normalerweise allerdings als Moderator oder als Begleitung. Er hat ein paar Nominierungen für kleinere Preise in Kategorien erhalten, von denen ihm gesagt wurde, dass er sie nie gewinnen würde, und die Filme, in denen er mitgewirkt hat, haben Preise für Regie und Ähnliches gewonnen, aber ein Golden Globe war immer das Ziel. Dass es jetzt so weit ist, dass er nominiert ist, ist seltsam.

Er fühlt sich leer und desinteressiert.

»Du bist nominiert als bester Nebendarsteller«, sagt sein PR-Mann. »Und wir denken, du hast wirklich gute Chancen. Wir sprechen bereits mit *Vanity Fair* und dem *Wall Street Journal* über einige ausführliche Profil-Interviews mit dir, um diese Nominierung als einen Wendepunkt in deiner Karriere zu positionieren, den die Leute zur Kenntnis nehmen müssen. Die Beziehung zu der Autorin hat deine Glaubwürdigkeit gepusht. Schauspieler, die Schauspielerinnen daten, das ist so Neunziger. Ein Schauspieler, der mit einer Autorin zusammen ist, macht deine Marke prestigeträchtiger. Das werden wir ausnutzen.«

Duke lehnt sich an den Lautsprecher, den er sich an den Mund hält. »Aber ich date sie doch gar nicht«, beginnt er zu protestieren, aber Carter unterbricht ihn.

»Doch, für die nächsten sechs bis zwölf Wochen. Wir werden ihre Leute dazu bringen, sie als deine Begleiterin für das große Ereignis zu organisieren. Vielleicht kann sie dich bei den SAG Awards und den Critics' Choice begleiten? Wir melden uns dann wieder. Aber erst einmal: Herzlichen Glückwunsch! Darauf haben wir hingearbeitet!«

Carter legt auf, und Dream nimmt ihm den Hörer ab, gratuliert ihm noch einmal und versichert ihm, dass er es verdient hat. Duke weiß nicht, was er mit sich anfangen soll. Es ist seltsam, aber die Person, der er es gerne erzählen möchte, ist Evie. Er weiß, dass das dumm ist. Sie hat ihn nur benutzt, um sich die Zeit zu vertreiben. Aber das macht es nicht weniger wahr, dass er von ihr hören will, dass er es gut gemacht hat.

Er geht in die Maske, um herauszufinden, ob sie dort gewesen ist, aber niemand hat sie heute gesehen. Er sollte sich auf die nächste Aufnahme vorbereiten, und er sieht, dass Daphne bereits am Set ist und mit Katerina über die Beleuchtung spricht. Er geht hinüber.

»Katerina«, ruft er. »Du weißt nicht zufällig, wo Magda ist? Oder Evie?«

Sie sieht verwirrt aus und wird rot.

»Woher soll ich das wissen?«, antwortet sie abwehrend, und Daphne wirft ihm einen Blick zu, als wollte sie sagen: *Was zum Teufel, Alter?* Ah. Er soll es ja nicht wissen. Ach so. Nun, das war indiskret.

»Daphne, du?«, fragt er und tut so, als würde er jeden fragen. »Hast du sie gesehen?«

Sie schüttelt den Kopf. »Nein, Duke. Und wir bereiten uns auf Szene 53 vor, wenn du so weit bist.«

»Richtig«, sagt er. »Ja. Verzeihung. Natürlich.«

Er geht zu den Monitoren, um zu überprüfen, wie alles aussieht, und nimmt dann das kommentierte Skript zur Hand, in das Daphne und er Notizen gemacht haben. Ihm gehen elf Millionen Gedanken durch den Kopf, und keinen davon kann er festhalten.

»Alles in Ordnung?«, fragt Daphne, als sie zu ihm herüberkommt. »Du musst dich auf die Arbeit konzentrieren, mein Lieber. Wir sind ein Team, weißt du noch?«

»Ja«, sagt Duke, und seine Stimme klingt weit weg. »Es ist nur … Ich habe gerade erfahren, dass ich für einen Golden Globe nominiert bin. Für die Gastrolle, die ich in *The Marvelous Mrs. Maisel* gespielt habe.«

»Was?!«, ruft Daphne, und ihre Augenbrauen springen ihr förmlich aus dem Gesicht. »Wie bitte?! Duke! Eine Golden-Globe-Nominierung! Wahnsinn!! Nun, das ändert alles! Geh und tu, was du tun musst! Wir werden warten.«

»Danke, Daph.« Duke versucht, ein echtes Lächeln aufzusetzen, und geht dann zu seinem Wohnwagen, um sein Handy zu holen. Wen kann er anrufen? Mit wem kann er diesen Moment teilen? Er wählt die Nummer seiner Mutter.

»Liebling!«, lallt sie, und er merkt sofort, dass sie betrunken ist.

»Mum«, sagt Duke vorsichtig. »Hey. Geht's dir gut? Hast du … hast du etwas getrunken?«

»Ich, Liebling?«, fragt sie. Ein Produktionsassistent klopft an seine Tür und steckt den Kopf herein, aber Duke verscheucht ihn mit einer Handbewegung und einem finsteren Blick. »Nun, ein bisschen. Ich hatte nur einen winzig kleinen Tropfen, um den Morgen zu überstehen, nachdem Roger gegangen ist.«

»Roger ist gegangen.« Duke formuliert es nicht als Frage.

»Er hat es wohl nicht ausgehalten«, sagt seine Mutter. »Ich habe ihn verschreckt, wie alle anderen auch.«

Duke beginnt zu schwitzen. Er atmet ganz flach und seltsam. Er wusste, dass es nicht lange anhalten würde. Er versucht, sich daran zu erinnern, was er in all den Artikeln gelesen hat. Es ist eine Krankheit. Es ist nicht ihre Schuld. Er merkt erst, dass er es laut vor sich hin murmelt, als seine Mutter sagt: »Redest du mit mir?«

»Mum«, sagt er. »Du hast doch einen Paten bei den Anonymen Alkoholikern, oder? Du musst ihn oder sie anrufen. Du willst dir das doch nicht antun. Oder kannst du nicht Tante Patricia anrufen?«

»Diese blöde Kuh«, erwidert seine Mutter, und Duke versteht, dass das nicht geht.

Es klopft erneut an der Tür.

»Ich habe gesagt, ich bin beschäftigt!«, schreit Duke, und er hasst sich sofort dafür, denn nur Arschlöcher schreien am Set jüngere Mitarbeitende an. Das gehört sich nicht. Mit sanfterer Stimme fügt er hinzu: »Nur zwei Minuten, bitte.«

Am anderen Ende der Leitung herrscht Stille.

»Mum?«

Stille.

»Mum!«

Die Leitung ist tot.

32

EVIE

E vie hat an diesem Tag nichts Offizielles am Set zu tun, außer zur Verfügung zu stehen, falls einer der Schauspielenden Hilfe bei der Darstellung der Figur benötigt, was unwahrscheinlich ist, da dies bisher nicht der Fall war und die Schauspielenden ihre Figuren jetzt sowieso besser kennen als sie. Als sie nach dem Frühstück in ihr Hotelzimmer zurückkehrt und Magda aus der Dusche kommt, kann sie sich deshalb nicht verstecken, als Magda sagt: »Ich habe das Gefühl, dass ich meine Autorität untergrabe, wenn ich das im Morgenmantel ankündige, aber: Wir müssen reden.«

Evie sieht ihre Freundin an. Magda war nicht da, als Evie nach ihrem Streit mit Duke gestern Abend heruntergekommen ist, und war noch nicht zurück, als Evie, die sich die ganze Nacht hin und her gewälzt hatte, zu einem sehr frühen Morgenspaziergang aufgebrochen ist. Sie sieht müde aus. Ein winziges Stückchen Mascara klebt noch an einem Auge, und ihre Haut ist von der Hitze des Wassers rosa.

»Geht es dir gut?«, fragt Evie und zieht ihre Schuhe aus, um sich aufs Bett zu legen. Es scheint, als hätte keine von ihnen beiden letzte Nacht viel geschlafen. Die Gedanken an Duke ließen sie an die Decke starren. Warum ist er einfach so verschwunden? Das ist so verdammt seltsam.

»Ich glaube, ich weiß etwas …«, sagt Magda langsam. Sie presst die Lippen aufeinander und plustert dann die Wangen auf.

Evie runzelt die Stirn. »Deine Fähigkeit, dich klar auszudrücken, ist erste Sahne. Ich habe jedes Wort von dem, was du gerade gesagt hast, verstanden«, sagt sie sarkastisch.

Magda sitzt am Bettrand. Das Zimmer ist nicht besonders groß, vor allem nicht für zwei Frauen mit prall gefüllten Koffern und nach einer Woche Shopping, aber das muss es auch nicht sein. Ihr Studentenwohnheimzimmer war kleiner, und sie haben es überlebt. Und sie haben es weit gebracht!

»Hat das etwas damit zu tun, wo du gestern Abend warst?«, fragt Evie.

»Oh, na ja«, sagt Magda. »Ja. Ich habe in Katerinas Zimmer gepennt. Um ehrlich zu sein, kann ich mich nicht einmal mehr daran erinnern, warum wir dort waren – ich habe viel getrunken. Aber dann haben wir *Parks and Recreation* auf ihrem Laptop geschaut, und ich bin eingeschlafen.«

»Oh«, sagt Evie, ihre Seifenblase ist geplatzt. »Ich dachte, ihr hättet vielleicht was miteinander.«

»Was?!« Magda lacht. »Nein! Das würde ich dir nie antun, mich auf deiner Arbeitsreise unprofessionell zu verhalten!«

»Ich hätte dir verziehen«, sagt Evie.

»Wie auch immer«, sagt Magda und lenkt das Gespräch wieder auf die richtige Spur. »Du bist gestern Abend verschwunden, und ich habe einen unglaublich großen Verdacht, wo und mit wem.«

»Wir reden gerade über dich!«, sagt Evie, weil sie nicht darüber sprechen möchte. Es war fantastisch mit Duke – natürlich und lustig, und irgendwie hat es sich so angefühlt, als wäre alles schon immer darauf hinausgelaufen. Es hatte etwas Unvermeidliches an sich. Sie muss immer noch verarbeiten, dass er dann so sauer geworden ist. Sie wollte ihn nicht verärgern, indem sie ihn auf die Haltbarkeit ihrer Tändelei hingewiesen hat.

»Aber nur, weil du abgelenkt hast!« Daraufhin zögert Magda. »Hast du heute die Nachrichten gesehen? Oder, besser gesagt, die Klatschseiten?«

»Nein«, antwortet Evie. »Was ist los?«

Magda geht zu ihrem Laptop und ruft eine Geschichte über Evie und Duke auf, aber diesmal ist sie nicht mit einer netten Schlagzeile übertitelt, dass die beiden im europäischen Winter herumtollen, diesmal ist es ein schneidender und schrecklicher Artikel über Evies Mutter, die in einem Heim lebt. *Duke Carlisles Schreiberfreundin lässt schwer kranke Mutter im Pflegeheim zurück, um an deutschem Filmset Schnitzel zu naschen.*

Evie liest den Artikel und ist zunehmend entsetzt. Woher wissen sie das alles? Und wie können sie es drucken, wenn es ihre Privatangelegenheit und die ihrer Mutter ist? Es ist, als hätte sich ein Blutegel an ihrer Halsschlagader festgesetzt und als würde sie ausbluten. Das ist nicht fair.

»Evie?«

»Woher wissen die das alles?«, fragt Evie, ihre Stimme ist kaum zu hören. »Das ist mein Leben und kein Futter für die Boulevardpresse. Es ist mein Leben!«

Magda rutscht zu ihr und legt eine Hand auf Evies Knie.

»Warum hast du mir nicht gesagt, wie krank sie geworden ist?«

»Ich wollte nicht, dass du Mitleid mit uns hast.«

»Evie«, sagt Magda, und ihr Mund bleibt offen, weil sie so verdutzt ist. »Ich bin deine beste Freundin. Ich bin hier, um dir zu helfen. Nicht, um dich zu bemitleiden.«

Evie zuckt mit den Schultern. Wie muss es sein, Menschen einfach um Hilfe zu bitten? Ihnen seine Geheimnisse anzuvertrauen, damit sie einen nicht erdrücken und man sich fühlt, als würde man ertrinken? Wie können Menschen das? Evie liebt Magda von ganzem Herzen und wüsste nicht, was sie ohne sie tun würde. Und dennoch bekommt selbst Magda die bearbeitete Version ihres Lebens zu hören. Das tun alle. So ist es sicherer. Und wenn sie dann unweigerlich zurückgewiesen wird, ist es immer noch nach ihren Bedingungen. So kann sie nie dafür verlassen werden, wie sie wirklich ist. Eine Träne kullert über ihr Gesicht. Sie wischt sie weg.

»Verdammt«, sagt Evie.

»Komm her«, fordert Magda sie auf, und während sie sich umarmen, sagt sie: »Ich glaube, Katerina ist diejenige, die die Presse mit Informationen füttert.«

»Warte, was?«

»Ich habe sie am Telefon gehört, als ich heute Morgen nach dem Aufwachen pinkeln war. Sie hat von dir und Duke gesprochen und dann etwas von einer Verbindung gesagt. Und danach war diese Story online.«

»Warum sollte Katerina die Presse füttern?«, fragt Evie. »Sie ist doch angeblich meine Freundin ...«

Magda seufzt. »Keine Ahnung. Ich könnte mich irren – ich habe keine Beweise. Als ich sie gefragt habe, wer am Telefon war, hat sie gesagt, niemand, und ich wollte sie nicht beschuldigen, ohne Beweise zu haben ...«

»Ja«, sagt Evie. »Ich hätte in dem Moment auch nichts gesagt.« Ihre Tränen trocknen jetzt. Sie ist darüber hinweg. Das ist ihre Superkraft: Sie ist sechzig Sekunden lang traurig, und dann hat sie sich wieder gefasst und macht einfach weiter. »Wolltest du also darüber mit mir reden?«, fragt sie.

Magda schüttelt den Kopf. »Nur zum Teil«, sagt sie. »Um ehrlich zu sein, wollte ich mit dir über alles reden. Jetzt, wo ich hier bin, Evie, kann ich sehen, dass es vieles gibt, was du mir nicht erzählt hast – angefangen bei deiner Mutter und bis zu den Geldangelegenheiten. Ich habe nachgedacht und bin zu der Feststellung gekommen, dass dein Selbstwertgefühl im Eimer ist. Du bist manchmal so selbstabwertend. Und dann bist du so witzig, Evie, und das weißt du auch. Aber dieser Humor scheint mir der beste Abwehrmechanismus zu sein, den ich je gesehen habe ... Und jetzt weiß ich, dass du dir nicht einmal erlaubst, deine Arbeit zu genießen, dass du all das Geld, das du verdienst, loswerden musst, weil du dich damit fühlst wie ... na ja, ich bin mir noch nicht sicher, wie.«

»Wie Scheiße«, liefert Evie und spielt mit dem Saum ihres Pullovers, damit sie nicht aufblicken muss. »Ich weiß, dass ich es in Ordnung bringen muss. Dieses viele Geld für die Verfilmung – ich werde mir einen Finanzberater suchen. Ich werde mich der Sache stellen. Ich habe mich entschieden.«

Magda wird sanfter. »Okay«, sagt sie, langsam. »Das nimmt mir den Wind aus den Segeln. Das wollte ich im Grunde genommen auch vorschlagen.«

»Ich bin dir zuvorgekommen«, sagt Evie.

»Das tust du immer.« Magda schüttelt den Kopf, aber sie lächelt schief, als Evie es wagt, sie anzuschauen. Es ist ihr sehr peinlich, sechsunddreißig Jahre alt zu sein und schlecht mit Geld umgehen zu können. Sie ist nicht stolz darauf. Sie fühlt sich gedemütigt.

»Wenn du irgendwelche Hilfstools hast«, sagt Evie, »dann nehme ich sie. Tabellenkalkulationen oder so etwas.«

»Ich habe welche«, sagt Magda. »Und ich werde sie dir geben. Du brauchst mehrere Sparkonten, eine ordentliche Altersvorsorge, eine vernünftige und nachhaltige Art, die Pflege deiner Mutter zu bezahlen – gib ihnen nicht dein ganzes Geld auf einmal. Und du kannst auch investieren. Wohlhabende Menschen werden nicht dadurch reich, dass sie Geld verdienen, sondern dadurch, dass sie mit ihrem Geld Geld machen.«

»Das ist doch mal eine Ansage«, scherzt Evie.

»Und du kannst auch regelmäßige Spenden für wohltätige Zwecke tätigen. Wenn du dein Geld verschenken willst, solltest du es wenigstens sinnvoll tun.«

Evie nickt. »Ja«, sagt sie. »Das sollte ich.«

»Und ich werde dir helfen, deine Klamotten durchzusehen und zu überlegen, was wir zu welchem Preis verkaufen können. Es ist so einfach, die Sachen ins Internet zu stellen, und wir können sie dann zusammen zur Post fahren oder sie durch einen Kurier abholen lassen.«

»Ich kann jemanden dafür anheuern«, setzt Evie an, aber Magda schüttelt den Kopf.

»Wir machen das zusammen«, sagt sie. »Weil du dir von mir helfen lassen wirst. Selbst wenn ich mich mit dem Ellbogen hineindrängen muss! Nach all der Zeit weißt du doch sicher, dass ich fest an deiner Seite stehe, ganz gleich, worum es sich handelt. Wir gehen zusammen durch dick und dünn.«

Evie sieht sie an und blinzelt. »Ich glaube, ich habe das mit Duke vermasselt«, sagt sie traurig, und ihre Stimme schwankt. »Ich weiß nicht genau, wie, aber ich weiß, dass ich es getan habe.«

»Alles lässt sich reparieren«, sagt Magda. »Und außerdem brauchen wir jetzt ein letztes Fake-Date – und ein paar falsche Informationen für Katerina. Wir müssen versuchen, ihr auf die Schliche zu kommen. An dem, was schon passiert ist, können wir nichts ändern, aber wir können sie mit ihren eigenen Waffen schlagen, oder?«

Evie nickt. »Okay«, sagt sie. »Aber du musst vielleicht erst mit Duke reden. Er hat eine Schwäche für dich. Du bringst ihn zum Lachen.«

Magda lächelt. »Der Mann hat einen guten Geschmack. Was soll ich sagen?«

33

EVIE

Das ist unglaublich«, staunt Evie, als sie sich den großen, gewundenen Hügel hinaufschlängeln, auf dem Neuschwanstein liegt, ein im mittelalterlichen Stil errichtetes Schloss, das aussieht, als wäre es direkt *Game of Thrones* entsprungen. »Ich glaube, ich war noch nie in meinem Leben an einem so schönen Ort.«

Sie sitzt in einem Auto zusammen mit Magda, Daphne und Duke, der kaum ein Wort gesagt hat, seit sie vor vierzig Minuten eingestiegen sind. Jetzt ist nicht die Zeit, ihn zu drängen, nicht, wenn die anderen dabei sind. Er hat eingewilligt, sich ein letztes Mal mit Evie fotografieren zu lassen, obwohl sie ihm den wahren Grund dafür noch nicht verraten hat: So kann sie herausfinden, ob Katerina wirklich diejenige ist, die die Infos an die Zeitungen verkauft. Falls ja, weiß Evie noch nicht genau, was sie dagegen tun will, aber das können sie ja dann sehen. Im Moment denkt Duke, dass er ihre Fake-Beziehung nur zum Wohle des Films fortsetzt, in den er als Regisseur mehr denn je investiert. Und da sind sie nun, bereit, fotografiert zu werden. Evie wird ihm später erklären, wer die undichte Stelle ist, falls Magdas Verdacht zutrifft.

Wenn das Disney-Logo ein echtes Schloss außerhalb eines Freizeitparks wäre, dann wäre es Neuschwanstein. Weiße Steintürmchen in verschiedenen Höhen, Spitzen und Mulden, ein massiver Steinblock als Sockel und ein weiterer großer Steinblock darüber, der jedoch weiter zurückgesetzt ist, sodass es aus der Ferne fast so aussieht, als sei das Schloss in die Hügel eingelassen. Aus der Nähe fühlt sich Evie einfach nur winzig klein, aber auf eine gute Art. Es macht ihr nichts aus, hin und wieder daran erinnert zu werden, dass ihr Platz im Universum tatsächlich winzig ist, dass sich die Welt nicht um sie dreht. Sie ist nur ein Mensch unter vielen anderen Menschen auf einem Planeten mit weitläufigen Landschaften, schneebedeckten Bäumen und Hügeln, die so hoch sind wie Riesen.

»Wollen wir es hinter uns bringen?«, brummt Duke, als der Fahrer die Tür öffnet, und Evie fühlt sich durch seine schlechte Stimmung getroffen. Wenn sie geglaubt hat, dass sie über das, was in der letzten Nacht passiert ist, nachdem sie miteinander geschlafen haben, hinweggehen können, dann hat sie sich getäuscht. Obwohl Daphne auch erwähnt hat, dass etwas mit seiner Mutter passiert ist. Vielleicht muss Evie das nicht so persönlich nehmen. Vielleicht kann sie einfach für ihn da sein, als Freundin, ganz ohne Sex. Sie hat ihre Freundschaft genossen. Als sie aus dem Auto steigen, braucht Evie keine Anweisungen, wohin sie gehen oder wie sie sich verhalten soll. Sie weiß, dass sie nur lange genug laufen und reden müssen, weil Carter, Dukes PR-Mann, oder die Produzenten einen Fotografen eingeschleust haben, der alles aufnimmt.

»Hier entlang?«, schlägt sie Duke vor und deutet auf einen Weg, der sich um den unteren Teil des Schlosses schlängelt. Er nickt. Sie gehen los.

»Du hast in deinem Leben sicherlich schon einige erstaunliche Orte gesehen«, sagt Evie freundlich, während sie den Weg entlanggehen. Selbst unter dem Schnee kann sie sehen, dass der Ort perfekt gepflegt ist. Sie wünschte allerdings, sie hätte ihre Sonnenbrille mitgebracht. So viel Schnee blendet ziemlich.

»Ich denke schon«, sagt er und hält ihr die Hand hin. »Für die Kamera?«, fragt er. Sie schiebt eine Hand ohne Handschuh in seine. Seine Haut wird sie warm halten. Die andere Hand steckt sie in die Tasche.

»Daphne hat gesagt, deiner Mutter ginge es nicht gut – ist alles in Ordnung?«, fragt sie und genießt es, mit ihm im Gleichschritt zu gehen und wie sicher es sich anfühlt, seinen Rückhalt zu haben.

»Rückfall«, sagt er unwirsch und blickt mit einem Blinzeln über die Felder. »Das kommt vor«, fügt er hinzu.

Evie nickt. »Das tut mir leid, Duke«, sagt sie. »Ich weiß, dass es nicht leicht ist.«

»Nein«, sagt er und sieht sie dabei fast an, bevor er es sich anders überlegt. »Meine Tante ist zu ihr gegangen und hat ihr geholfen. Wir haben sie in einer guten Klinik untergebracht, wo sie in den nächsten dreißig Tagen Hilfe bekommt, also ist sie in Sicherheit. Ich werde im Januar hinfahren und sehen, wie es ihr geht.«

»Das ist gut«, sagt Evie leise. Sie versucht, seinen Blick wieder zu erhaschen, versucht, den Duke zu finden, den sie kennt. Den Duke, der es kaum erwarten konnte, sie kennenzulernen, und der ein Kind bezahlt hat, um ihnen heiße Schokolade zu holen, als er dachte, sie sei an jemand anderem interessiert. Den Duke, der freundlich zu ihr war, als sie sich Sorgen um ihre Mutter gemacht hat.

»Ich weiß nicht, ob du es schon gehört hast«, drängt sie, weil sie sich fragt, ob ein Themawechsel helfen könnte. »Aber es gibt ein paar Filmangebote für einige meiner Bücher, aufgrund der ganzen Berichterstattung … Also danke, dass du mich überhaupt hierhergebracht hast. Ich glaube nicht, dass ich das jemals offiziell gesagt habe.«

»Hast du nicht«, sagt Duke. »Aber ich bin froh, dass ich dir von Nutzen war.«

Evie versteht nicht, was er meint. »Ich meine, ich danke dir für mehr als nur fürs Ankurbeln der Verkäufe. Danke für … alles. Für all das hier. Du wusstest, was ich brauchte, als ich es nicht gewusst habe. Ich bin dir dankbar. Und … du bist mir wichtig«, sagt Evie.

»Da bin ich mir sicher«, entgegnet Duke, und die Art, wie er das sagt, ist eiskalt.

Dann hört Evie das Klick-Klick-Klick der Kamera, das Geräusch, an das sie sich so sehr gewöhnt hat. Natürlich ist Clive auf dem Weg hinter ihnen, er steht etwas abseits, um ihnen nicht in die Quere zu kommen und alles so natürlich wie möglich zu halten. Duke hört es auch, er blickt zurück, sieht Evie an und zieht sie dann dicht an sich heran, sodass sie sich gegenüberstehen. Als er ihr die Haare aus dem Gesicht streicht, als wolle er sie küssen, sagt er: »Das war für alle nützlich. Nennen wir das Kind beim Namen.«

Sie spürt die Berührung seiner Fingerspitzen auf ihrer Wange, die ihr das Haar bis zum Ohr streichen. Sie könnte bei seinem Anblick dahinschmelzen, wortwörtlich und genau hier zu einer Pfütze dahinschmelzen.

Aber es ist alles nur Show.

Diese Scheinromanze! Wessen Idee war das eigentlich? Sie will nur, dass er sie küsst und es auch so meint. Und, ehrlich gesagt, hat sie dieses Stelldichein vielleicht inszeniert, aber sie will, dass die Kamera verschwindet, damit sie richtig reden können. Welcher erwachsene Mann verbringt sein Leben damit, Leute mit einer Kamera zu stalken? Das ist ekelhaft, auch wenn Duke sagt, es gehöre zum Spiel. Das sollte es aber nicht. Sie wünscht sich, Clive würde einfach in einer Wolke aus Paparazzi-Rauch verschwinden.

»Duke …«, sagt sie, bereit, ein paar kühne Erklärungen abzugeben, und dann ertönt ein Schrei, der ihr das Blut in den Adern gefrieren lässt.

Duke zieht sich zurück, schaut in Clives Richtung und rennt dann los, um über den Rand des steilen Hügels zu schauen.

»Oh Gott!«, sagt er, und dann verschwindet er auch hinter den Hügel, und Evie rennt. Sie kann sie nicht sehen, sie sieht keinen von beiden. Alles ist weiß, überall nur Schnee, und dann hört sie eine Stimme, die von unten, irgendwo zwischen den Bäumen, schreit: »Evie! Ruf einen Krankenwagen! Clive ist gestürzt«, und sie sprintet, so schnell sie kann, zurück zu den anderen.

»Evie«, sagt Magda mit leiser Stimme an diesem Abend im Hotel. »Da ist ein sehr heißer Mann, der dich anstarrt. Evie!«

Evie blickt auf und in ein Paar funkelnde babyblaue Augen, sieht ein kräftiges Kinn und ein breites Lächeln.

»Ich habe mich gefragt, ob du es wirklich bist«, sagt er und lächelt.

»Markus!«, ruft Evie. »Was machst du denn hier?«

Evie stellt Markus Magda vor, die nicht glauben kann, dass sie sich damals im Schneesturm an einer Tankstelle kennengelernt haben und jetzt wieder zur selben Zeit am selben Ort sind.

»Meine Schwester leitet dieses Hotel«, erklärt Markus.

»Und das macht sie super! Es ist fantastisch hier«, schwärmt Magda, und Evie würde diesen Gesichtsausdruck überall erkennen. Sie flirtet. Die Frau kann auf Flirten schalten wie andere einen Lichtschalter einschalten.

»Wie lange seid ihr schon hier?«, fragt Markus. »Braucht ihr etwas? Etwas zu trinken? Zu essen?«

Magda streicht sich das Haar von der Schulter, lächelt und hält weiterhin Augenkontakt.

»Ein richtiger Gentleman«, sagt sie, und Evie muss ihr zugestehen, dass sie nicht schlecht ist, wenn es darum geht, kokett zu sein.

Markus lacht. »Ich tue mein Bestes«, sagt er und wendet den Blick nicht ab. Evie fühlt sich plötzlich wie das fünfte Rad am Wagen, als ob sie in etwas Privates eindringen würde. Sie wartet darauf, dass die beiden aufhören zu turteln, aber dieser Moment kommt nicht. Sie stehen einfach nur da, lächeln, sagen nichts, sind keine Spur schüchtern, sondern ziehen einander mit ihren sexy Blicken aus. Wie machen die Leute das? Einfach beschließen, dass sie auf jemanden scharf sind, und es dann so deutlich kundtun? Was für ein Selbstbewusstsein! Evie fröstelt es bis in die Knochen.

»Oooookay dann«, sagt Evie und ist sich nicht einmal sicher, ob die beiden sie hören können. »Ich wollte eigentlich gerade einen Spaziergang machen, um mir die Beine zu vertreten, wenn es euch nichts ausmacht.«

»Mir macht es nichts aus.« Magda grinst und sieht Markus an.

»Viel Spaß.« Markus lächelt und sieht Magda an.

Evie macht sich nicht die Mühe, sich zu verabschieden – die beiden sind eh zu abgelenkt.

Sie geht ein paar Gänge entlang und dann hinaus in die kalte Luft. Es fühlt sich frisch an, aber die Sonne strahlt noch ein bisschen an diesem ausklingenden Nachmittag und hält sie warm genug. Sie umrundet den Parkplatz und sucht sich eine Bank, auf die sie sich fallen lässt, während sie ihr Handy aus der Tasche holt. Sie ruft ihre E-Mails auf, aber außer ein paar vorweihnachtlichen Werbemails ihrer Lieblingsmarken ist nichts eingegangen, und dann gibt sie den Namen ihres Vaters in die Google-Suchleiste ein.

Was mache ich da?, fragt sie sich und löscht ihn. Dann googelt sie sich selbst. Ein Foto nach dem anderen taucht auf von ihren verschiedenen Fake-Dates mit Duke. Sie kann darin eine Entwicklung erkennen: die gequälten Gesichter im Café, die Schüchternheit auf dem Weihnachtsmarkt, die Fotos von der Straße in der letzten Nacht – eine Leidenschaft, die man nicht vortäuschen kann. Von heute, als sie versucht hat, Katerina vorzuführen, und Clive gestürzt ist, ist natürlich nichts zu finden.

Er war okay nach seinem Sturz. Duke hat den Tag gerettet. Evie fragt sich kurz, ob sie rausgegangen ist, um zu sehen, wann Duke ins Hotel zurückkommt, damit sie ihn abfangen kann. Sie wartet. Er kommt nicht.

Sie ist enttäuscht, wieder einmal.

Männer gehen.

Traue niemandem.

Du wärst sowieso nicht genug.

Das hier ist nicht real.

34

DUKE

Duke nimmt sich kurz Zeit, um tief durchzuatmen. Er denkt an das Sprichwort mit den guten und den schlechten Jahren, dass man manchmal nur damit beschäftigt ist, herauszufinden, wer man ist, und dann gibt es Zeiten, die man richtig genießen kann. Dieser Winter war für Duke eine so intensive Zeit des Wachstums, dass es sogar schmerzt. Er weiß nicht, ob er noch viel mehr ertragen kann – selbst die Nominierung für den Golden Globe ist ihm zu viel.

Aber die Art, wie sich Evie vor Clives Sturz verhalten hat, wie sie ihn mit diesen riesigen Augen angesehen hat, die Nase rosa von der Kälte, als ob sie es ernst gemeint hätte, als ob sie wirklich wollte, dass er sie küsst, das war nicht für die Kamera. Wie soll er den Unterschied zwischen Realität und Fake erkennen, wenn sie ihn so ansieht? Und wie kann eine Person so aussehen, wenn ihre Gefühle angeblich nur vorübergehend sind? Das ergibt für ihn keinen Sinn. Entweder sie will das, oder sie will es nicht. Es gibt kein Dazwischen. Nicht bei solch brennenden, schmerzenden Blicken.

»Hey, Duke«, sagt eine Stimme, und es ist Katerina. Sie hält zwei Pappbecher in der Hand, aus deren Deckel Dampf entweicht. Es ist schon spät, und sie arbeiten noch, Clives Sturz hat alles verzögert. »Tee? Der beste Weg, nicht zu frieren, ist ja, sich warmzuhalten.«

»Ja«, sagt Duke und streckt eine Hand aus, um einen Becher entgegenzunehmen. »Das ist nett, danke, Katerina.«

»Gern geschehen«, sagt sie und lächelt, und Duke ist überrascht, dass sie nicht weggeht. Er macht sich darauf gefasst, dass sie ihn um einen Gefallen bitten wird. Das sind keine Starallüren, so was passiert normalerweise, wenn jemand vom Set gegen Ende des Drehs um ihn herumscharwenzelt, weil er noch das Foto von Duke für seine Schwester oder das Video für seinen Sohn oder was auch immer braucht. Wie soll er sich nicht selbst bemitleiden, wenn immer in dem einen Moment, in dem er sich davonstiehlt, ihn jemand findet und wieder um etwas bittet?

Er kann so nicht weitermachen. Er will sich nicht selbst bemitleiden, aber er fühlt sich wirklich leer, in so vielerlei Hinsicht. Er hat mit seinen Leuten nicht darüber gesprochen, was er denkt, aber je länger er mit dem Gedanken spielt, mit Daphne eine Produktionsfirma zu gründen, im Geschäft zu sein und große Filme zu machen, ohne über den roten Teppich zu laufen oder vor der Kamera zu stehen, desto mehr spürt er, dass es das Richtige für ihn ist. Besonders jetzt, wo seine Mutter einen Rückfall erlitten hat. Puh, das waren die schlimmsten zweieinhalb Stunden seines Lebens, als er auf die Bestätigung seiner Tante Patricia gewartet hat, dass sie da war, ins Haus reingekommen ist, dass es seiner Mutter gut ging, außer dass sie ziemlich besoffen war.

Er ist weltweit einer der bekanntesten Menschen, und eine halbe Sekunde lang hat er gedacht, das würde seine Mutter heilen, und jetzt weiß er, dass nichts sie heilen wird – nicht, wenn sie es nicht will. Er hat sein ganzes Leben damit verbracht zu glauben, dass es an ihm liege: Wenn er besser, netter, lustiger, charmanter, bekannter und von der Welt geliebter wäre, würde sie ihn schließlich auch lieben. Jetzt versteht er, dass ihre Alkoholsucht nichts mit ihm zu tun hat, und diese Erkenntnis ist sowohl ungeheuer erschütternd als auch völlig befreiend.

»Ich wollte dir nur sagen …«, legt Katerina los, und Duke macht sich auf die Frage nach dem Foto gefasst, »ein paar von uns gehen später noch aus. Morgen ist ein entspannterer Tag, und nachdem wir gepackt haben, fliegen alle so schnell nach Hause, dass keine Zeit für einen richtigen Abschied bleibt, also dachten wir, heute

Abend könnte es klappen. Ich war mir nicht sicher, ob man es dir offiziell gesagt hat. Du bist neulich in der Bar verschwunden ...«

Ja, das ist er. Er ist mit Evie verschwunden.

»Oh«, sagt er. »Okay. Gut. Könnte jemand die Details in meinem Wohnwagen hinterlassen?« Er könnte eine kleine Party gebrauchen, einen kleinen Ausbruch.

»Ja«, sagt Katerina. »Klar.«

Er nickt. Er hat das Gefühl, dass er sich kommunikativer verhalten sollte, aber es gibt nichts zu sagen, und er will wirklich nur diese fünf Minuten Ruhe.

»Wir sehen uns dort.« Er lächelt und zwingt sich, fröhlich und freundlich zu klingen.

»Ja, wir sehen uns.« Sie lächelt zurück, und einen Moment lang sieht es so aus, als würde sie noch etwas sagen wollen, aber dann lacht sie, schüttelt den Kopf und wiederholt: »Wir sehen uns.«

Duke blickt ihr nach. Nur noch ein paar Tage, dann sind die Dreharbeiten abgeschlossen, und er fliegt nach ... na ja. Er hat sich noch nicht entschieden, wohin. Vielleicht checkt er im Hotel Bel Air ein, falls er so kurzfristig noch ein Zimmer bekommt, und macht sich Gedanken darüber, wie das nächste Jahr aussehen soll, was er will und wie er es umsetzen kann. Vor den Globes muss er eine Diät machen und sein Training wieder aufnehmen, daher ist es sinnvoll, in Kalifornien zu sein. Wird er auch als Produzent Diäten machen müssen oder wenn er anfängt, Drehbücher zu schreiben? Was für eine Vorstellung, dass man ein richtiges britisches Weihnachtsessen mit allem Drum und Dran essen kann und sich nicht schuldig fühlen muss. Man stelle sich vor, Kinder würden ihn in aller Herrgottsfrühe wecken, und er müsste sich keine Sorgen machen, dass der mangelnde Schlaf seinen Teint beeinträchtigen könnte.

Nichts an seinem Leben war real. Er hat sein Haus auf Sand gebaut und fragt sich, warum es immer wieder zusammenbricht. Nun, damit ist jetzt Schluss. Scheiß auf PR und Diäten und darauf, eine Marke zu sein, eine Ware, die alle anderen reich macht. Sicher, er verdient auch Geld, aber zu welchem Preis? Es ist vorbei. Aus und vorbei. Er fängt jetzt ein neues Kapitel an.

Okay, hmm. Das mit dem Neuanfang könnte sich vielleicht nicht so gut anlassen. Während er pinkelt, sieht Duke sich dreifach. Um in den Spiegel in Kopfhöhe gucken zu können, muss er erst das eine Auge zusammenkneifen, dann das andere. Er hat sehr viele Shots getrunken. Das war Katerinas Idee. Er amüsiert sich, aber ein Glas Wasser wäre schön. Zwei Gläser Wasser. Nein, ein ganzes Aquarium.

»Jaaaa, das ist es!« Katerina klatscht, als er leicht stolpert und in die dunkle Kellerbar geht, in der sich alle versammelt haben. Da es sich nicht um eine private Veranstaltung handelt, sind auch andere Leute da, sowohl Einheimische als auch Touristen, aber bisher hat ihn das nicht gestört. Es ist ein schönes Gefühl, wie ein ganz normaler Typ herumzuhängen. Evie ist allerdings nicht hier. Er wünschte, sie wäre da.

»Das gefällt mir!«, sagt Duke zu Katerina und lehnt sich an ihr Ohr, denn irgendwann wurde die Musik lauter und einige Leute fingen an zu tanzen.

»Diese Bar?«, schreit Katerina.

»All das!«, sagt er, und sie werden von dem Barmann unterbrochen, der sie fragt, was sie wollen, und Duke schreit: »Wie sagt man Wasser auf Deutsch, Alter?«

Der Typ sieht ihn an.

»Wir sprechen Englisch, Dude.«

Duke bricht in Gelächter aus. »Oh ja, das tun wir!«, ruft er, und Katerina muss auch lachen, obwohl sie nicht halb so betrunken zu sein scheint wie Duke. Wie ist das nur möglich? Sie ist winzig, und sie hat genauso viele Tequila-Shots getrunken. »Ein Wasser bitte, mein Freund«, fügt Duke hinzu und fragt Katerina: »Willst du auch etwas?« Sie schüttelt den Kopf. Den ganzen Abend hat sie über seine Witze gelacht, lustige Geschichten erzählt und ihn über sein Leben ausgefragt, als ob es sie tatsächlich interessieren würde. Es ist eine schöne Flucht aus dem Drehalltag. Er mag sie nicht, aber es ist schön, mit jemand Coolem Dampf abzulassen. Sie ist eine gute Gesellschaft. Sie stellt viele Fragen und hört auch sehr gut zu. Er hat ihr wahrscheinlich die Hälfte seiner Lebensgeschichte erzählt, ohne es zu wollen. Heute Abend sprudelt es nur so aus ihm heraus.

»Hey, Mann!«, sagt dann ein Typ im Kapuzenpulli – ein Amerikaner, seinem Akzent nach zu urteilen. »Hey«, wiederholt er, und Duke sieht ihn mit glasigen Augen an. »Bist du Duke Carlisle?« Der Fremde zupft an dem Ärmel seines Freundes und sagt: »Schau mal! Duke Freaking Carlisle ist hier!«

Duke hält eine Hand hoch, winkt ab und murmelt: »Nein, bin ich nicht. Aber das höre ich dauernd.«

Der Amerikaner besteht darauf. »Hey, kann ich ein Foto machen, bitte? Meine Freundin wird ausflippen! Sie liebt dich.«

»Tut mir leid, jetzt nicht.« Duke spürt die Wut aufsteigen. Er will einfach nur tanzen, verdammt noch mal, und diesen Moment genießen, und jetzt kommt so ein Tourist und meint, er könne einfach sein Handy zücken und auf einen privaten, außerdienstlichen Moment zielen und ihn fotografieren? Er hat es satt, so satt, dass jeder meint, ein Stück von ihm haben zu können, je nach Belieben.

Der Tourist hat sein Handy schon im Selfie-Modus und hält seinen Kopf dicht an Duke dran.

»Ich habe Nein gesagt«, sagt Duke und schiebt den Amerikaner von sich weg. Er wollte nicht so fest schieben, aber der Tourist stolpert und sieht ihn entsetzt an. Duke bereut es sofort. Es geht nicht um diesen Mann in der Bar, sondern um alles andere. Der Typ muss es nur ausbaden. Duke holt tief Luft und macht sich bereit, sich zu entschuldigen. Aber dann plustert sich der Typ vor ihm auf.

»Du musst dich nicht wie ein Arschloch benehmen. Es ist nur ein Foto.«

Der Mann streckt eine Hand aus, als wolle er Duke zurückstoßen, und Duke kann sich das nicht erklären, aber selbst mit Alkohol im Blut sagt ihm irgendetwas, dass er den ersten Schlag machen muss.

Der Tourist wehrt sich, wirft sich mit seinem ganzen Gewicht in Dukes Richtung, und dann liegt Duke auf dem Boden, und der Typ liegt auf dem Boden, und sie schlagen nicht wirklich zu, sondern rangeln eher, fassen sich gegenseitig an den Haaren und stöhnen heftig. Und bevor Duke wirklich weiß, was geschieht, schafft der Tourist es, ihm einen mächtigen Schlag zu verpassen, der genau auf seinem Kiefer landet, und genauso plötzlich, wie alles angefangen hat, ziehen ihn seine Kumpels weg, und Duke sitzt da und spürt bereits das Blut laufen. Er schaut hoch und hofft, dass ihm jemand hilft – irgendjemand –, doch alle starren ihn nur an.

Duke blickt von einem Gesicht zum anderen, auf der Suche nach jemandem, der ihm bekannt vorkommt, jemandem, der ihn hochzieht, und da sieht er sie. Aber anstatt ihm zu helfen, anstatt sich zu vergewissern, dass es ihm gut geht, fotografiert Katerina die ganze blutige Sache auch noch.

35

DUKE

Ich will nicht unfreundlich klingen«, sagt Malcolm, einer der Produzenten, zu Duke, als er ihn im Hotel sieht. »Aber dieses Gesicht könnte mich eine Menge Geld kosten, wenn die Schwellung bis zum Morgen nicht abgeklungen ist. Lass uns zu einem Arzt gehen.«

Halb verprügelt zu werden, hat Duke sicherlich etwas ernüchtert, aber nicht ganz.

»Ich brauche nur etwas Schlaf, okay?«, sagt er, und Malcolm zieht die Augenbrauen hoch. »Vielleicht etwas Eis. Ich stecke in Schwierigkeiten, nicht wahr?«, fragt Duke, aber Malcolm antwortet nicht, sondern verzieht nur stumm den Mund und reicht Duke einen Eisbeutel, den der Concierge besorgt hat.

Duke steckt definitiv in Schwierigkeiten.

»Duke!«, schreit Evie und springt auf, als sie ihn in der Lobby entdeckt. »Was ist passiert? Alles in Ordnung?« Sie wendet sich an den Produzenten. »Was ist mit ihm passiert? Oh mein Gott!«

Ihre Stimme ist laut, panisch, und Duke ist verlegen.

»Was machst du hier?«, fragt er. Ist es nicht mitten in der Nacht?

»Einen meiner nächtlichen Spaziergänge«, sagt sie. »Ich konnte nicht schlafen. Jetzt mal im Ernst, was ist passiert?«

»Eine dumme Sache«, sagt er, der sich die Wahrheit nicht eingestehen will: Er hat sich zu sehr betrunken und seinen angestauten Frust an einem Mann ausgelassen, der es letztlich nicht verdient hat. Er ist wütend auf sich selbst. Aber er fühlt sich auch einsam. Er muss immer wieder daran denken, wie Katerina ihn fotografiert hat, als er blutend auf dem Boden gelegen hat, und wie wenig es ihr leidzutun schien. Warum hat sie das getan? Kurz danach war sie verschwunden, also konnte er sie nicht einmal darauf ansprechen. Er hat den Weg zum Hotel dann allein gefunden. Er hat das ungute Gefühl, dass er irgendwie reingelegt wurde oder dass er auf einen Trick hereingefallen ist, dass Katerina ihn genau mit der Absicht eingeladen hat, Informationen über ihn zu bekommen. Ein schrecklicher Gedanke, aber er ist sicher, dass er sich nicht irrt.

»Lass mich dich ansehen«, sagt Evie und greift nach dem Eisbeutel. Duke weicht aus.

»Es ist schon okay«, sagt er.

Malcolm verzieht das Gesicht und sagt: »Was machen wir, wenn die Nase gebrochen ist? Wir haben nur noch wenige Tage. Aber, was soll's, für die letzten Szenen des Drehs bandagieren wir dich dann wie eine Mumie.«

Evie schaut entsetzt. »Ganz zu schweigen davon, dass ich mich vergewissern muss, dass es dir auch wirklich gut geht«, sagt sie spitz, und Duke zuckt mit den Schultern.

»So ist das Showbusiness, Baby.«

Sie wuseln herum und nehmen alle nebeneinander Platz, bis Duke sieht, wie Magda ebenfalls in die Lobby kommt, Arm in Arm mit einem Mann, der ihn anstarrt. Duke starrt zurück. Der Mann hebt eine Hand.

»Markus«, sagt er. »Wir haben uns im Schneesturm kennengelernt.«

Markus? Mit einem flauen Gefühl im Magen wird Duke klar, dass es sich um den Mann von der Tankstelle handelt. Es fühlt sich an, als sei es ein ganzes Leben her. Er hatte geglaubt, Evie würde mit ihm flirten und ihn kaltstellen, und dann hat er Evie schließlich ganz für sich allein haben können, bei dem Überraschungsdate im Lagerraum. Er wirft einen Blick auf sie. Sie schaut weg, zu schnell für Dukes Geschmack. Er muss mit ihr reden. Irgendetwas ist hier schiefgelaufen – wegen seines eigenen dummen Egos –, und vielleicht kann er das Ganze noch retten.

Clive ist plötzlich auch da, er kommt aus einem Nebenraum, in dem der Hotelarzt seine Konsultationen abhält.

»Jesus«, sagt er, bandagiert von seinem Sturz am Nachmittag. »Du siehst ja schlimmer aus als ich, Duke. Was ist passiert?«

»Inoffiziell?«, sagt Duke. »Ich habe keine Ahnung.«

Clive kichert.

»Bist du okay, Mann?«, fragt Duke.

»Geht so«, sagt er und zuckt zusammen. »Ich muss allerdings sagen, dass dies mein letztes Mal war. Mein ganzes Leben ist vor meinen Augen vorbeigezogen, als ich den Berg da runtergefallen bin.«

Duke findet, dass »Berg« etwas überzogen ist – es war höchstens ein großer Hügel –, aber er korrigiert ihn nicht.

»Ich glaube, ich habe das Bewusstsein verloren, denn ich kann mich nicht daran erinnern, dass du runtergekommen bist, um mich zu holen, aber Evie sagt, du hast keine einzige Sekunde gezögert, hast überhaupt nicht daran gedacht, dass du dein eigenes Leben riskierst.«

Sein eigenes Leben riskieren? Okay. Duke versteht, dass Clive ein wenig aufgewühlt ist, aber er übertreibt etwas. Er ist eine grasbewachsene Böschung hinuntergerutscht und hat sich den Kopf gestoßen, aber er ist nicht einen Berggipfel in Nepal hinuntergepurzelt.

»Clive …«, beginnt Duke, aber Clive schüttelt den Kopf.

»Nein«, sagt er. »Du warst gut zu mir, Duke. Und ich war ein verdammter Idiot, ein Loser, der mit dir und Menschen wie dir seinen Lebensunterhalt verdient hat. Ich weiß, das ist nicht okay. Ich weiß, dass ich in deine Privatsphäre eingedrungen bin – und auch in die von Daphne. Ich war es, der die Fotos von ihr und Brad aufgenommen hat. Ich wusste, dass es nicht richtig war, sie zu verkaufen, und ich hätte dir zumindest sagen sollen, was ich gesehen habe, damit du es nicht aus der Zeitung erfährst. Ich weiß nicht … Ich weiß nur, dass ich nach Hause zu meiner Frau und meinen Kindern will und aus diesem Spiel aussteigen möchte, solange ich verdammt noch mal am Leben bin. Ich hatte eine Epiphanie. Nennt man das so, wenn man eine plötzliche Erkenntnis hat?«

Die Gruppe nickt unisono, alle hören zu, wie dieser Mann auf Dukes Schoß sein Herz ausschüttet.

»Du hättest nicht nach mir suchen müssen, Duke, aber du hast es getan, und du hast mir das Leben gerettet, wenn ich ehrlich bin. Wie soll ich da wieder in den Büschen vor deinem Haus sitzen oder Trinkgelder von Leuten annehmen, während sie dir in den Rücken fallen? Ich habe eingesehen, was ich alles falsch gemacht habe. Das habe ich. Und ich will nur, dass du das weißt.«

Duke hat keine Ahnung, was er sagen soll. Danke? Alles klar? Clive reicht Duke die Hand, und Duke nimmt sie.

»Alles Gute, Kumpel«, sagt Clive. »Gute Nacht allerseits.«

»Ich werde für zehn Minuten ein paar Anrufe zur Westküste tätigen, wenn ihr mich auch entschuldigt«, sagt Malcolm.

»Geht es nur mir so?«, fragt Duke, als beide gegangen sind. »Oder ist alles, was er gerade gesagt hat, ein bisschen …?«

»Dramatisch?«, ergänzt Evie. »Ja. Als ich vorhin nach ihm gesehen habe, war er auch schon so. Aber falls es dich interessiert, ich weiß jetzt ganz genau, wer die ersten Fotos von uns gemacht und die Geschichten verkauft hat. Sie haben wohl zusammengearbeitet. Er hat mir alles gestanden.«

Duke rückt den Eisbeutel zurecht und zuckt dabei zusammen.

»Ist es etwa Katerina?«, fragt er, als der Schmerz nachlässt, und Evie nickt verwundert.

»Woher weißt du das?«, fragt sie.

»Ich … hatte so ein Gefühl«, antwortet er. »Aber ich weiß nicht, was ich jetzt tun soll.«

»Ich auch nicht. Ich hatte einen halb ausgearbeiteten Plan im Kopf, um sie auf frischer Tat zu ertappen, aber ...«

»Aber wer hat schon die Zeit dafür?«

»Genau.« Sie lächelt.

Und dann geschieht es wieder: Sie sieht ihn an und öffnet ihren Mund auf eine ganz bestimmte Weise, und ihre Zunge schlängelt sich bis zum oberen Rand ihrer Lippe, und es ist, als wolle sie etwas sagen, aber sie tut es nicht, und das treibt Duke in den Wahnsinn, weil er jeden Gedanken in ihrem Kopf wissen will, er will nichts verpassen. Er sollte etwas sagen. Er war neulich Abend aufbrausend. In letzter Zeit ist er immer aufbrausend, aber er kann sich entschuldigen, er kann sie bitten, mit ihm darüber zu sprechen.

»Duke? Der Hotelarzt wird dich jetzt untersuchen«, sagt Malcolm, der plötzlich wieder aufgetaucht ist.

Er schaut von Evie zu Magda und Markus, die seltsamerweise nur Augen füreinander zu haben scheinen. Wie machen die Leute das nur? Sich treffen, sich gut verstehen und sich die offensichtliche Verbindung zugestehen, die sie haben? Duke kann von so etwas nur träumen. Vielleicht ist an dem, was Phoebe gesagt hat, etwas dran. Er sagt zwar, dass er gesehen werden will, dass er eine Beziehung will, versteckt sich aber trotzdem hinter der Rolle »Duke Carlisle«.

»Duke?«, ruft Malcolm.

»Ja, ja«, sagt er, und es klingt fast wie im Traum.

»Bis morgen«, sagt Evie, als Feststellung, nicht als Frage. Das gefällt ihm. Es fühlt sich an wie eine Einladung.

»Ja«, antwortet er. »Ich werde dich finden.«

»Okay«, sagt sie und nickt. »Ich freu mich drauf.«

So, das ist schon mal nicht nichts.

Duke hat keine größeren Schäden davongetragen, sagt der Arzt, und zurück in seinem Zimmer, nach einem erholsamen Schlaf, einer heißen Dusche und einer genaueren Inaugenscheinnahme im Vergrößerungsspiegel, ist er zuversichtlich, dass ihn Kayla trotz der schmerzenden Wunde so herrichten wird, dass der Dreh weitergehen kann. Er hat eine oberflächliche Nachricht von den Produzenten erhalten, die ungefähr so freundlich ist wie das Winterwetter draußen. Er schreibt seiner Tante Patricia eine Nachricht, um sich zu vergewissern, dass seine Mutter gut in der Rehaklinik angekommen ist, und bekommt sofort eine SMS zurück, in der sie sich dafür bedankt, dass er alles in die Wege geleitet hat. *Ich bin ihr Sohn,* schreibt er zurück. *Das ist das Mindeste, was ich tun kann.* Und dann sieht er unten in der Lobby Evie mit Magda beim Frühstück sitzen, und sie winkt ihm zögernd zu.

»Wie geht es dem Patienten?«, fragt sie zwischen zwei Bissen Omelett.

»Er kann gehen und sprechen«, sagt Duke. »Auch wenn ihm das alles ein bisschen peinlich ist.«

Evie sieht Magda an und dann wieder Duke.

»Was?«, fragt er, aber er weiß schon, was sie ihm sagen wird, bevor sie es ausspricht. Es ist das, was in all den SMS und E-Mails von seinen Leuten steht, die er gar nicht erst geöffnet hat, denn, ehrlich gesagt, hat er im Moment keine Zeit für so etwas. Er hat nichts mehr zu sagen.

»Katerina muss die Bilder verkauft haben«, sagt sie. »Sie sind online.«

Duke nickt. »Unglaublich«, murmelt er.

»Sie wirkt so normal«, sagt Magda. »Was denkst du, was das soll? Wir haben gerade darüber geredet und kommen nicht dahinter.«

Duke schüttelt erneut den Kopf. »Wenn ich das wüsste«, sagt er. »Aber wenn ich sie heute am Set sehe …«

»Wirst du was?«, fragt Evie mit einem Grinsen. »Auf sie losgehen?«

Duke verlagert sein Gewicht von einem Fuß auf den anderen.

»Nein …«, sagt er. »Aber sie muss doch zur Rechenschaft gezogen werden, oder nicht? Die Frage ist nur, wie.«

»Ich werde sie einfach direkt darauf ansprechen«, sagt Magda und schmiert sich Butter auf ihren Toast. »Ich habe keine Zeit für Spielchen.«

»Und du glaubst, sie wird es dir sagen?«, fragt Duke.

Sie nimmt einen Bissen. »Es sind schon verrücktere Dinge passiert«, antwortet sie, als ob das so einfach wäre. »Ich werde es dich wissen lassen.«

36

EVIE

In der Mittagspause macht Evie einen langen Spaziergang, der am Set beginnt, wo sie Daphne und Duke sieht, wie sie die Aufnahmen für eine Szene ausarbeiten, in der Hermione und George auf der Straße streiten, woraufhin Hermione vor entsetzten Zuschauern davonstürmt. Evie hat in ihrem eigenen – wenn auch sehr überschaubaren – Liebesleben noch nie einen so dramatischen, öffentlichen Streit wie diesen erlebt, aber trotzdem fühlte es sich richtig an, ihn in den Roman zu integrieren. Sie weiß noch genau, wo sie saß, als sie die Szene geschrieben hat: im Café an der Ecke, Freddie's, am Fenster, mit ihrem MacBook in einem strategischen Winkel, damit die Sonne nicht auf den Bildschirm schien. Sie hatte an diesem Tag schnell geschrieben, die Wörter sprudelten nur so aus ihr heraus, als George und Hermione ihre Gefühle füreinander verarbeiteten, denn das Ganze geschah parallel zu ihrer Trennung von Bobby, und es hatte etwas Kathartisches, alles herauszulassen, damit es ihr nicht mehr im Kopf herumspukte.

Selbst jetzt, Jahre später, fällt es ihr schwer, das, was sie geschrieben hat, vor sich in Aktion zu sehen. Sie weiß, dass sie nicht mehr mit Bobby zusammen sein will und dass es wahrscheinlich nie das Richtige war, aber sie hatte ihm ihr Herz so weit geöffnet, und zu hören, dass er sie nicht wollte, hat ihr Selbstvertrauen derart erschüttert, dass sie sich wahrscheinlich nie wieder davon erholt hat.

Niemand bemerkt sie, und so macht sie sich auf den Weg.

Es ist zu schmerzhaft, sich heute hier aufzuhalten.

Sie ist sich nicht sicher, warum, nur dass es am besten ist, weiterzugehen.

Sie ist stolz darauf, an den kleinen Boutiquen und Geschäften vorbeigehen zu können, die sie früher in den Bann gezogen haben. Alles, worüber sie mit Magda gesprochen hat, ist diesmal bei ihr angekommen: dass es in Ordnung ist, erfolgreich zu sein, dass es in Ordnung ist, stolz auf die eigene Arbeit zu sein. Sie hat viel darüber nachgedacht, seit sie ihren Vater online gesucht hat. Er lebt noch, ist im Grunde immer noch ein Trinker und immer noch aggressiv. Sie hat drei Artikel über drei verschiedene Verhaftungen gefunden, und beim Spazierengehen wird ihr klar, dass er ein elender Mistkerl ist, denn einer Fünfzehnjährigen sagt man nicht, sie sei wertlos. Ein normaler Mensch tut so etwas nicht. Ein vernünftiger, rationaler Mensch, auf den man gerne hören würde, tut so etwas nicht.

Sie setzt sich auf eine Bank am Weihnachtsmarkt und beobachtet ein kleines Karussell voller Kinder, die in warme Mäntel und dicke Handschuhe gehüllt in kleinen roten Autos oder rosafarbenen Flugzeugen sitzen und sich im Kreis drehen, während die Erwachsenen jedes Mal aufgeregt klatschen, wenn sie wieder in ihr Blickfeld kommen. Zuerst hört sie es nicht, dass die Frauen neben ihr ihren Namen sagen. Sie müssen es wiederholen, damit sie aufschaut.

»Sind Sie Evie Bird?«

Sie schaut sie an. Sie sind etwa in ihrem Alter, Mitte bis Ende dreißig. Eine hat langes, gewelltes Haar, das ihr über die Schultern fällt, eine lilafarbene Bommelmütze und hoffnungsvolle Augen. Die andere trägt Ohrenschützer und hat einen Nasenring. Sie haben ihre Arme ineinander verschränkt, so wie Evie und Magda immer spazieren gehen. Statt sich um das Gespräch zu drücken, zu lügen oder sich kleinzumachen, sieht sie den beiden in die Augen und sagt so stolz, wie sie nur kann: »Ja, das bin ich. Hallo.«

»Aaahh!«, sagt die Bommelmütze. »Wir haben im Internet gelesen, dass Sie bei den Dreharbeiten dabei waren! Wir waren am Set, aber na ja, wir wollten nicht da herumstehen und darauf warten, unsere Lieblingsautorin zu sehen. Das ist ja fast wie Stalking!«

»Wir sind große Fans«, sagt Ohrenschützer. »Ehrlich gesagt, Ihre Bücher ...«

Die andere sagt: »Es sind unsere Lieblingsbücher. Ich kann gar nicht glauben, dass Sie hier sind!«

Evie lächelt. Sie sind so begeistert!

»Wie heißt ihr?«, fragt sie, und Bommelmütze sagt, sie sei Ingrid und Ohrenschützer sei Petra.

»Dürfen wir uns zu Ihnen – dir – setzen?«, fragt Petra ganz freundlich. »Nur für einen Moment.«

Evie nickt. »Natürlich«, sagt sie. »Ich habe gerade den Markt bewundert. Es ist so festlich.«

»Wir lieben Weihnachten«, sagt Ingrid. »Du bist Teil unserer Weihnachtstradition! Wir ...« Sie unterbricht sich, um Petra etwas auf Deutsch zu fragen, und Petra sagt: »Buddy-Read.«

»Wir machen jeden Dezember ein Buddy-Read mit deinem neuen Weihnachtsbuch«, sagt sie. »Und im Sommer, in den Ferien, machen wir es mit deinem Sommerbuch.«

»Es ist so schön, das zu hören«, sagt Evie, und sie meint es ernst. »Dein Englisch ist gut – liest du auf Deutsch, oder holst du dir die amerikanische Ausgabe?«

»Auf Deutsch.« Petra lacht. »Ich möchte kein Detail verpassen!«

Evie unterhält sich gern mit den Frauen. Sie sind warmherzig, freundlich und lachen viel.

»Dein Buch *Zum Mond, zu den Sternen und wieder zurück*«, sagt Petra, während sie gemeinsam beobachten, wie das Fahrgeschäft in der Nähe anhält, ein paar Kinder aussteigen und dann eine neue Gruppe, die geduldig gewartet hat, auf ihren Platz klettert, »hat mein Leben verändert.«

»Nett, dass du das sagst«, erwidert Evie.

»Nein, ehrlich, sie meint es ernst«, wirft Ingrid ein.

»Die Protagonistin«, sinniert Petra. »Ihre beste Freundin sagt etwas zu ihr – und siehe da!« Sie krempelt den Ärmel ihres Mantels hoch und enthüllt ein Tattoo in deutscher Sprache. »Da steht: ›Nenne deine Quelle‹«, erklärt sie. »So wie Lisas beste Freundin zu ihr sagt.«

Evie denkt an das Buch zurück. Es ist eine Liebesgeschichte, wie immer, aber in der Nebenhandlung geht es darum, dass die Protagonistin Lisa, eine Kleinunternehmerin in einer Kleinstadt, dagegen protestiert, dass auf dem Gelände des örtlichen Parks Luxuswohnungen entstehen sollen. Das würde einige wenige Einwohner aus verschiedenen Gründen sehr reich machen, aber vielen anderen würde es schlechter gehen. Lisa fängt an, die schrecklichen Dinge zu glauben, die die Leute über sie sagen – diejenigen, die meinen, sie solle sich nicht einmischen –, und ihre beste Freundin sagt ihr, sie solle ihre Quelle nennen. Muss die Protagonistin die Kritik an ihrer Persönlichkeit oder an ihren Beweggründen von den Projektentwicklern annehmen? Eigentlich nicht, denn das ist eine fehlerhafte Quelle. Sie kennen sie nicht. Muss sie die Bestätigung und die Liebe von ihrer besten Freundin und den Menschen annehmen, deren Interessen sie zu schützen versucht? Nun ja, eigentlich schon, denn das ist eine Quelle, die ihr nahesteht, und deshalb gilt sie mehr. Es gibt später eine zweite Zeile, in der sie sagt: *Ich kann in meinem eigenen verdammten Leben selbst entscheiden, wem ich glaube und nach wem ich mich richte!* Daran hat Evie schon lange nicht mehr gedacht. Wie interessant, diese Fremden zu treffen, die sie dazu bringen, über ihre eigenen Worte nachzudenken. Sie könnte fast glauben, dass sie ziemlich weise ist. Oder zumindest sind es ihre Figuren.

»Ich verstehe mich nicht gut mit meiner Mutter«, sagt Petra. »Meine Schwester schon. Aber ich? Ich habe es nie getan. Es ist, als wären wir einander fremd, und wir machen uns gegenseitig ziemlich unglücklich. Sie hat schon einige unschöne Dinge zu mir gesagt, und ich habe sie geglaubt, und dann habe ich dein Buch gelesen und gedacht: *Nenne deine Quelle.* Sie könnte eine Mutter für mich sein, aber wir haben uns schon seit meiner Schulzeit nicht mehr richtig unterhalten. Sie kennt mich nicht. Also werde ich mich nicht nach dem richten, was sie sagt!«

»Es war wie ein magischer Satz für sie«, fügt Ingrid hinzu und nickt zustimmend. »Eine Art von Freiheit, glaube ich, nicht wahr, Petra?«

Petra nickt. »Sechs Wochen, nachdem ich mir dieses Tattoo habe stechen lassen, habe ich meine Frau kennengelernt. Und sie ist eine Quelle, auf die ich mich oft berufe, weil sie mich liebt und kennt und weil sie sieht, dass ich gut bin.«

»Wow«, sagt Evie und kann kaum glauben, was sie da hört.

»Deshalb, danke!«, sagt Petra. »Und danke, dass du zugehört hast. Ich wette, die Leute erzählen dir ständig ihre Geschichten«, sagt sie. »Ich weiß, dass es vielen Menschen so geht wie mir.«

Evie hält sich eine Hand aufs Herz und nimmt dann die Hände der beiden Frauen.

»Ich bin euch wirklich sehr dankbar, dass ihr gekommen seid und Hallo gesagt habt«, sagt sie, und ihr schwillt das Herz. Sie will nicht weglaufen oder einen dummen, selbstironischen Scherz machen. Sie glaubt, dass sie etwas geschrieben hat, das diesen Frauen etwas bedeutet, und sie wird so freundlich sein, ihnen zuzuhören. Erst später, nachdem sie sich umarmt und verabschiedet haben, weiß sie zu schätzen, dass sie nicht um ein Foto oder ein Social-Media-Tag oder etwas Ähnliches gebeten haben. Sie wollten sich einfach nur unterhalten, und das fühlt sich für Evie magisch an. *Nenne deine Quelle,* wiederholt Evie für sich selbst.

Und dann fällt es ihr ein.

Sie hat Glück, dass ihr Vater immer noch ein großes Stück Scheiße ist.

Er ist so ein großes Stück Scheiße, dass er keine Quelle für Evie sein darf.

Genauso wie Petra das Feedback ihrer Mutter ignorieren kann, weil ihre Mutter sie nicht wirklich kennt, muss Evie nicht als Geisel für die Worte herhalten, die ihr Vater ihr entgegengeschleudert hat, als sie noch so jung war.

Es ist sehr traurig und ungerecht, dass sie seinen Selbsthass und seine Selbstverachtung all die Jahre als ihre eigenen Gefühle mit sich herumgetragen hat.

Was er gesagt hat, war nicht für sie bestimmt. Wie sollte es auch? Es ging um ihn.

Und das Verrückteste ist: Evie fängt an zu weinen. Die Erleichterung darüber, die Erkenntnis, dass ihr Vater sich zum Teufel scheren kann, weil er sie nicht mit in den Abgrund reißen kann. Er kann sein eigenes Leben so sehr zerstören, wie er will. Evie kennt ihn nicht. Und er kennt sie nicht, und das ist sein Pech.

Als sie dieses Mal ihr Handy zückt, googelt sie nach örtlichen Tattoo-Studios. Bevor sie weiter darüber nachdenken kann, folgt sie dem kleinen blauen Punkt, betritt den Laden und fragt den Tätowierer, ob er Englisch spricht. Er schüttelt den Kopf.

»Nein«, sagt er ihr auf Deutsch.

»Okay«, sagt sie langsam. »Ähm …«

Sie macht eine Schreibbewegung in der Luft, und er holt ihr einen Edding und ein Blatt Papier. Sie schreibt auf, was sie will, deutet auf ihren Unterarm, und er schreibt die Zahl 150 auf, vermutlich den Preis. Es tut weh, und sie nimmt an, dass er versucht, sie zu beruhigen, denn er sagt viele Dinge, die freundlich klingen, aber für Evie, die so gut wie kein Deutsch spricht, letztlich unergründlich sind. Es ist wirklich sehr kreativ, wie er lächelnd, nickend und seufzend zu kommunizieren versucht. Als er fertig ist, wickelt er ihren Arm in Frischhaltefolie, gibt ihr eine große Tube Creme mit und hält seine gespreizte Hand hoch.

»Fünf, jeden Tag«, sagt er.

Evie sieht ihn an. »Ich soll die fünfmal am Tag benutzen?«, fragt sie, und er nickt.

Als sie sich später auf ein paar Drinks treffen, zeigt sie Magda stolz die Tube und verkündet: »Ich habe es getan!«

»Was?!«, kreischt Magda. »Ach du meine Güte! Ein Tattoo?! Das ist so gar nicht Evie Bird! Wow! Aber warte.« Sie blinzelt und versucht, durch die vor Kurzem aufgetragene Creme und die Frischhaltefolie zu erkennen, was da steht. »Ich kann es nicht richtig erkennen«, sagt sie. »Ich will es nicht anfassen, damit ich dir nicht wehtue.«

»Da steht ...«, sagt Evie und grinst über das ganze Gesicht, »nenne deine Quelle! Ich muss dir ganz viel erzählen.«

»Ich kann es kaum erwarten. Wein?«

»Wein«, stimmt Evie ihr zu.

Während sie versuchen, die Aufmerksamkeit des Kellners zu erregen, und dann ihre Bestellung aufgeben, runzelt Magda die Stirn. »Warte mal«, sagt sie. »Nenne deine Quelle – das ist doch aus einem deiner Bücher, oder?«

»Ja, genau.« Evie grinst, und der Stolz in ihrer Stimme – der Stolz in ihrem ganzen Körper – bringt sie zum Strahlen.

Am Morgen, nachdem Evie zwei Gläser Wein getrunken hat und von Magda aufgemuntert worden ist, haben Evie und ihr neues Tattoo die Mission, sich bei Duke zu entschuldigen. Dabei geht es zunächst darum, Duke zu finden, was offenbar schwierig ist, denn er ist nirgendwo.

»Daphne«, ruft Evie vom anderen Ende des Sets. Sie sind jetzt an ihrem letzten Ziel angekommen: Füssen. Sie bleiben drei Nächte hier und fliegen dann zurück nach Hause, gerade noch rechtzeitig vor Weihnachten. Es ist verrückt, dass sich die Dreharbeiten vor drei Wochen noch wie eine lebenslange Haftstrafe angefühlt haben, und jetzt will Evie nicht, dass sie enden. Zumindest nicht, ohne sich Duke zu stellen und all den Ängsten, die damit einhergehen: Er wird sie enttäuschen, sie auslachen, ihre Verletzlichkeit gegen sie verwenden ... und das ist nur der Anfang der Liste. Es ist nichts Persönliches: Duke ist ein netter Mann. Aber ein reizender Mann kann nichts gegen die jahrzehntelange Einsicht anrichten, dass Liebe nie funktioniert. All die Jahre, in denen man immer wieder enttäuscht, zurückgewiesen oder verlassen wurde.

Sie könnte es aber vielleicht versuchen.

Daphne winkt Evie zu, als sie ihren Namen hört, und Evie geht hinüber.

»Du hast nicht zufällig Duke gesehen, oder?«, fragt sie und stellt wieder einmal fest, wie schön Daphne mit ihrem Haar und Makeup aussieht. Heute wird eine Szene mit einer Pferdekutsche gedreht, die durch unglaublich malerische Straßen fährt, und Daphne sieht aus wie die Hauptdarstellerin von nebenan. Eigentlich ist es unfair, dass sie so gut aussieht und dann auch noch so klug ist, dass sie Regie führen kann.

»In letzter Zeit nicht«, sagt Daphne und versucht, eine Million Jobs gleichzeitig zu erledigen – gut aussehen, ein Klemmbrett halten, ihre Kleidung nicht ruinieren. »Er muss bald am Set sein, also vielleicht wartest du einfach?«

»Okay, danke«, sagt Evie. »Hals- und Beinbruch! Du siehst toll aus.«

»Danke«, sagt Daphne lächelnd. »Hier geht es Schlag auf Schlag!«

Evie geht zu den Maskenbildnerinnen, weil sie gerade hier ist und niemand sonst in seinem Wohnwagen zu sein scheint, und als sie wieder herauskommt, ist Duke mit den Dreharbeiten beschäftigt, und es ist ihr unangenehm, einfach nur dazustehen und zuzusehen. Sie wäre nur ein weiteres Paar Augen an einem ansonsten geschäftigen Set, aber sie wäre die einzige Person dort, die keine bestimmte Aufgabe hat, und wenn sie so herumsteht, fühlt sie sich wie einer seiner vielen Fans, die an der Absperrung des Sets warten in der Hoffnung, einen Blick auf ihn zu erhaschen. Stattdessen ruft sie Magda an.

»Hey«, sagt sie. »Ich habe nicht erwartet, dass du rangehen würdest. Ich dachte, du bist total in …«

Bevor sie zu Ende sprechen kann, unterbricht Magda sie in gedämpftem Tonfall und sagt: »Bin ich auch. Ich bin bei Markus. Ich bin nur rangegangen, um mich zu vergewissern, dass es dir gut geht.«

»Mir? Oh ja. Mir geht es gut. Ich warte nur darauf, einem Mann mein Herz auszuschütten, den ich bisher auf Distanz gehalten habe, aber ich habe gemerkt, dass ich ihm viel mehr schulde, weil er so unglaublich anständig ist … Aber mir geht es gut. Ich kann mich mit dem allen noch eine Weile gedulden … Oh, ich weiß nicht? Für fünf Minuten vielleicht.«

»Du klingst emotional sehr gesund«, erwidert Magda, und dann hört sie etwas im Hintergrund, Kichern und ein gedämpftes Flüstern: *Markus! Lass das!,* oder so ähnlich.

»Es hört sich so an, als ob es mit Mr Tankstelle widerlich gut läuft«, bemerkt Evie.

»Dazu kann ich nichts sagen«, antwortet Magda, und es ist offensichtlich, dass Markus zuhört. Sie ist im Hotel geblieben, um etwas mehr Zeit mit ihm zu verbringen, und Evie kann es ihr nicht verdenken. Magda hat es verdient. »Aber hör zu: Wenn du mich brauchst, bin ich sofort da, okay?«

»Ich weiß«, sagt Evie. »Aber hier ist alles gut. Genieße deinen Mann, solange du kannst, und schick mir später eine Nachricht, okay?«

»Okay«, sagt Magda, und bevor sie auflegt, hört Evie noch mehr entzücktes Gequietsche. Das Glück anderer Leute ist unerträglich – selbst wenn diese andere Person deine beste Freundin ist.

»Genau«, sagt Evie zu sich selbst, klatscht in die Hände und sieht sich um. »Also gut …«

Schließlich verbrennt sie ihre nervöse Energie, indem sie zum Hotel geht und sich ihren Laptop schnappt. Sie nimmt ihn mit in ein Café nebenan und sagt sich, dass sie die letzten etwa achttausend Wörter, die sie niedergeschrieben hat, noch einmal durchlesen und dann ein paar Ideen für das weitere Vorgehen notieren wird. Es ist ein wunderschönes kleines Café mit zwei Fensterplätzen, einem echten Holzofen und dem schweren Geruch von Zimt in der Luft. Sie grüßt selbstbewusst und bestellt einen doppelten Milchkaffee und einen Muffin, dazu ein Mineralwasser. Es gibt etwa zehn Tische, von denen die Hälfte besetzt ist, alle mit Gruppen von zwei oder drei Personen in Festtagsstimmung, die sich offenbar vor den Feiertagen noch treffen wollten.

Sie legt ihre Sachen – Mantel und Tasche – auf den Stuhl an der Seite des Tisches und setzt sich dann im Schneidersitz auf den Fensterplatz, den Laptop hält sie im Schoß. Jeder, der vorbeikommt, kann sie sehen, aber es gibt ihr das Gefühl, Teil von etwas zu sein, wenn sie auf diese Weise schreibt. Sie weiß, dass viele Schriftsteller die Ruhe zu Hause oder ein gemietetes Büro bevorzugen, aber Evie sucht schon lange nach Inspiration, indem sie in der Welt unterwegs ist. Das Problem ist, dass sie dabei immer als Beobachterin auftritt. In letzter Zeit war sie nur noch selten Teilnehmerin an ihrem eigenen Leben. Sie schaut auf ihr neues Tattoo. Im Stillen verspricht sie sich selbst, mehr mitzumachen, spontan zu sein, aus sich herauszugehen. Diese Reise hat etwas in ihr geweckt, die Lust, Dinge auszuprobieren, wenigstens das. Sie will aufhören, so verdammt vorsichtig zu sein.

Aufhören, so verdammt vorsichtig zu sein.

Huch.

Evie öffnet ein neues Word-Dokument. Auf die erste Seite tippt sie: *Ohne Titel von Evie Bird,* wie sie es immer macht. Sie vergewissert sich, dass die Einstellungen richtig sind – Times New Roman, 12 Punkt, doppelter Zeilenabstand, die Abkürzungen für die Kapitelüberschriften und die Seitenzahlen in der rechten unteren Ecke, so wie sie es mag. Und dann schreibt sie los. Sie denkt an die

Frauen, die sie gestern kennengelernt hat, nimmt ihre Namen und beginnt ihren nächsten Roman:

Petra Egerton hatte beschlossen, nicht mehr so verdammt vorsichtig in ihrem Leben zu sein.

Für die nächsten dreieinhalb Stunden hört sie nicht auf zu schreiben.

37

EVIE

Der Rausch, in den man gelangt, wenn man den Rhythmus einer Geschichte findet, ist der Grund, warum Evie weiterhin tut, was sie tut. Sie wird niemals in den sozialen Medien ihr Leben dokumentieren oder auf Tournee von Buchhandlung zu Buchhandlung gehen, so schön es auch sein mag, ihre Leserinnen und Leser zu treffen. Denn das wäre nicht: etwas erschaffen, schreiben, tief und weit eindringen in eine Geschichte, die sich anfühlt, als müsse sie unbedingt aus ihrem Kopf heraus und durch ihre Finger auf den Bildschirm gelangen. Das ist ihr Angebot an diese Welt, das ist es, wie sie den Dingen einen Sinn gibt. Als das Café schließt und sie gezwungen ist, zusammenzupacken und zum Hotel zurückzukehren, um ihre Tasche abzuladen, rast ihr Verstand, ihr Blut brummt vor Kreativität – etwas, das sie seit mehreren Büchern nicht mehr gespürt hat. Sie hat immer über das geschrieben, was ihr am Herzen liegt, aber dieses spezielle Gefühl hat sie schon lange nicht mehr empfunden, und jetzt, wo es wieder da ist, will sie es so lange wie möglich festhalten.

Als sie in ihr Zimmer zurückkommt, setzt sie sich an den kleinen Tisch am Fenster und beschließt, noch tausend Wörter zu schreiben, weil es gerade so gut geht. Sie ist sich nicht einmal sicher, ob es sich bei diesem Buch um einen Liebesroman handelt wie bei den anderen: Es gibt noch etwas anderes, das sie erzählen will, etwas über eine Frau, die sich die Kontrolle über ihre Geschichte zurückholt, nachdem sie sie ausgelagert hatte und wodurch sie sich kleingehalten hatte. *Was passiert,* fragt sie sich, während sie ein Bein unter sich verschränkt, sich auf die Lippe beißt und das Gummiband an ihrem Handgelenk benutzt, um ihr Haar zusammenzubinden, *wenn eine Frau endlich genug von ihrem eigenen Mist hat?* Sie kann es kaum ertragen. Sie hat sich die Frage gestellt, und nun wird die Figur Petra Egerton die Antwort suchen.

Es ist 23 Uhr, als sie fertig ist. Innerhalb von elf Stunden hat sie fast zehntausend Wörter geschrieben – ein Zehntel eines neuen Buches. Zehntausend Wörter sind oft ihr persönliches Barometer für den Ton eines Manuskripts, und wenn sie schließlich innehält und dieses Gefühl immer noch da ist – dieses Schwindelgefühl, das Adrenalin –, dann weiß sie, dass das der richtige Weg ist. Die andere Idee zu einer Geschichte muss verschwinden, auch wenn sie fast fertig ist. Diese neue ist genau die Geschichte, die sie erzählen will.

Sie steht auf, um zu pinkeln, und streckt sich ein wenig. Zu Hause in Utah geht sie zu einer Masseurin, die es nie geschafft hat, die Verspannungen in ihren Schultern vollständig zu lösen, weil Evie nicht oft genug hingeht. Aber sie hat ihr Übungen mitgegeben, die ihr helfen sollen, und so schwingt sie ihre Arme locker von einer Seite zur anderen, legt die Hände auf die Schultern und kreist vorwärts, dann zurück.

Sie hätte heute mit Duke sprechen sollen. Jetzt ist es schon spät. Sie ist sich sicher, dass die Dreharbeiten beendet sind, also wird er wahrscheinlich im Hotel sein. Sie denkt an ihre neue Protagonistin. *Geh und finde ihn*, sagt sie sich. *Sei mutig.*

Sie trägt etwas Lippenbalsam auf und geht in die Lobby. In der Bar sind ein paar Leute von der Crew, auch Katerina, aber darum kann sie sich jetzt nicht kümmern. An der Rezeption fragt sie, ob man ihr sagen kann, in welchem Zimmer Duke ist. Sie sind schon in so vielen Hotels gewesen, dass sie nicht weiß, welches Zimmer er jetzt hat.

»Ich fürchte, diese Information können wir nicht herausgeben«, sagt der junge Mann mit den großen braunen Augen, und es scheint ihm wirklich leidzutun. »Wir haben eine Erklärung unterschrieben, die besagt, dass wir keine Sicherheitsstandards verletzen werden.«

Evie seufzt. »Ich verstehe«, sagt sie.

Der Mann lächelt traurig. »Tut mir leid«, sagt er. »Aber was ich sagen kann, ist … Je prominenter der Gast, desto höher die Etage, in der er sich befindet.«

Evie lächelt. »Das hilft sehr, danke«, sagt sie, denn wenn Duke der Topstar ist, dann muss er auch in der obersten Etage wohnen. Warum ist sie nicht schon früher darauf gekommen?

Sie nimmt den Aufzug und fragt sich, ob das richtig ist, während sie sich gleichzeitig einredet, dass sie mutig ist, dass sie schön ist, dass sie tough ist. Sie wippt mit dem Fuß, während der Aufzug hochfährt, erste Etage, zweite, dritte … Vergeht die Zeit plötzlich langsamer? Sie dreht sich um und betrachtet sich im Spiegel des Fahrstuhls. Mutig. Wunderschön. Tough.

Ein leises Klingeln sagt ihr, dass sie in der obersten Etage angekommen ist, und sie steigt aus. Es ist ruhig. Hier oben gibt es vier Zimmer, die alle Suiten heißen und nicht nummeriert sind. Sie haben nur schlichte Goldschilder an den schweren Eichentüren. Sie sieht sich um. Na gut. Sie wird einfach klopfen, und wenn er öffnet, wird sie sagen … Was? Ich liebe dich? Nein, das wäre ja verrückt. Sie wird sagen: Ich habe Angst, aber ich mag dich? Das ist eher ihr Ding. Okay. Mutig. Wunderschön. Tough. Ich habe Angst, aber ich mag dich.

Sie klopft an die erste Tür. Keine Antwort.

Sie klopft an die zweite Tür, und Marnie öffnet in einem Bademantel, ein anderer Produzent ist bei ihr, ebenfalls im Bademantel. Es könnte sogar Malcolm sein. Evie hat sie gestört.

»Oh, Mist, Entschuldigung«, sagt sie. »Ich habe Duke gesucht.«

Marnie sagt nichts, zeigt nur in eine Richtung, ihr Gesicht ist teilnahmslos.

»Danke«, sagt Evie. »Tut mir leid, dass ich gestört habe.« Sie hebt einen Finger und zeigt zwischen Marnie und ihrem Gast hin und her, und das ist noch indiskreter, als sie zu stören. Marnie zieht eine Augenbraue hoch. Sie hat immer noch nichts gesagt.

»Ich gehe jetzt«, sagt Evie, und schließlich sagt Marnie zu ihr: »Ja. Gute Nacht, Evie.«

Als sie die Tür geschlossen hat, steht Evie wieder auf dem Hotelflur, nur diesmal weiß sie, an welche Tür sie als Nächstes klopfen muss.

Mutig.

Wunderschön.

Tough.

Ich mag dich, und ich habe Angst.

Sie klopft und wartet. Sie kann seine Stimme und seine Schritte hören, die sich der Tür nähern. Dann scheint er durch den Türspion zu schauen, denn sie hört, wie er »Oh!« sagt, als wäre er überrascht, dass sie da ist. Er hustet und öffnet dann die Tür.

»Evie«, sagt er, und sie schwört, dass er sich freut, sie zu sehen. Er ist froh, sie zu sehen! Okay, das ist gut. Großartig sogar.

»Duke, ich …«, fängt sie an, und dann bemerkt sie eine Bewegung hinter ihm, und da ist Daphne, die eines seiner T-Shirts trägt und sonst nicht viel. Sie sehen sich in die Augen.

»Evie«, sagt Daphne, und Evie sieht Duke an. Er ist vollständig bekleidet, aber wenn sie an ihm herunterschaut, sieht sie, dass er barfuß ist. Außerdem sind seine Haare ziemlich derangiert.

»Ach, egal«, sagt sie schnell, macht auf dem Absatz kehrt und geht zur Treppe. Sie rennt praktisch zurück in ihr Zimmer. Duke und Daphne? Ja, natürlich. Natürlich konnten sie wieder zusammenkommen. Sie haben so eng zusammengearbeitet, Brad ist weg, Evie wurde beiseitegeschoben, so wie immer. Er kann es leugnen, so viel er will, aber sobald Evie seine Zehen gesehen hat, kennt sie die Wahrheit: Sie waren zusammen im Bett. Warum sonst sollte er in

Gesellschaft barfuß sein? Es ist ein Detail, das sie in ihre Geschichten einbauen würde, ein kleiner Hinweis.

Na gut. Sie ist mutig, wunderschön und tough. Und sie ist auch irgendwie erleichtert, sich selbst bewiesen zu haben, dass ihr erster Instinkt richtig war: Duke ist ein falscher Typ, der ihre Zeit nicht wert ist.

38

DUKE

Tja, ich kann mir vorstellen, wie das ausgesehen hat.« Duke seufzt und blickt auf die Stelle, an der Evie gerade noch gestanden hat, bevor sie abgehauen ist.

Daphne stellt sich hinter ihn und verzieht das Gesicht auf eine Art, die mehr als »Oje« aussagt.

»Soll ich mit ihr reden?«, bietet sie an. »Ihr erklären, dass ich einfach nur dämlich war. Wir sind jetzt Freundinnen. Sie vertraut mir.«

Duke lacht hohl. »Ich glaube nicht, dass sie irgendjemandem vertraut«, sagt er traurig und schließt niedergeschlagen die Tür. »Verdammt.«

»Willst du ihr nachgehen? Ich kann weiterarbeiten …«

Duke ist hin- und hergerissen. Er will die Sache richtigstellen, will mit Evie reden, aber er weiß nicht einmal, was er sagen soll. *Ich schlafe nicht mit Daphne,* und dann? Es gibt hier noch so viel zu tun – die Bearbeitungen der letzten beiden Tage und das Rohmaterial von heute, das gesichtet werden muss.

»Im Ernst«, sagt sie und legt ihre Hände auf seine Schultern, damit er ihr in die Augen sieht. »Nur ganz kurz?«

»Bist du sicher?«, fragt er.

»Ja!«, sagt sie. »Wir werden sowieso nur drei Stunden Schlaf bekommen, was sind da schon ein paar Minuten weniger? Geh los, stell das richtig, und komm wieder zurück. Obwohl …«, fügt sie hinzu und schüttelt den Kopf. »Hör zu, ich weiß, welchen Eindruck es erweckt, wenn ich in deinem Hemd und ohne Hose hier herumstolziere, aber ich bin deine geringste Sorge. Ihr beide müsst euch zusammenraufen und euch eingestehen, dass ihr zusammen sein wollt. Es ist, als würdet ihr nach Ausreden suchen, es nicht zu tun, und ich habe keine Ahnung, warum.«

Duke öffnet den Mund, um zu protestieren, aber er weiß nicht, wogegen er genau protestieren soll. Es ist wie ein Schlag ins Gesicht.

»Du hast recht«, sagt er und schüttelt den Kopf. »Du hast so recht! Ich habe neulich die Beherrschung mit ihr verloren, bin wirklich ausgerastet … Aber ich habe ihr nicht einfach gesagt, was mein Problem ist. Wie ein Erwachsener es tun sollte. Und ich glaube, ich stehe hier an der Schwelle zu etwas, zu einem wirklich radikalen Gedanken, also hab Nachsicht mit mir, aber …« Er lächelt jetzt, weil er weiß, dass er sich lächerlich gemacht hat. »Ich glaube«, sagt er mit seltsam geweiteten Augen, »ich sollte über meine Gefühle sprechen und darauf vertrauen, dass die andere Person sie wahrnimmt und nicht davor wegläuft.«

»Duke«, sagt Daphne, blinzelt langsam und schüttelt erneut den Kopf. »Ich bin froh, dass ich dabei sein konnte, als der Groschen gefallen ist. Jesus, Maria und Josef, ich glaube, ihr habt soeben den Sinn von Weihnachten entdeckt.«

»Liebe«, bekräftigt er, und jetzt ist er tatsächlich halb ernst. »Liegt der Sinn von Weihnachten darin, Liebe zu schenken, ohne etwas zu erwarten? Soll ich Vertrauen schenken, ohne etwas zu erwarten …?«

»Bis zum Beweis des Gegenteils«, sagt Daphne. »Ja. Du sagst, dass du sie magst, aber wie soll sie dir das glauben, wenn du dich ihr nicht ganz zeigst, mit allen Zweifeln und Sorgen und allem? Das lässt dich wirken wie ein …«

»Lügner«, ergänzt Duke. »Wenn ich ihr nicht sage, wovor ich Angst habe und dass ich sie mag, ist das eine Halbwahrheit.«

»Und wie kann man einer Halbwahrheit trauen?«, fragt Daphne.

»Als wir zusammen waren«, fährt Duke fort, »wolltest du mir genau das sagen, nicht wahr? Als du gesagt hast, ich soll ehrlich zu dir sein, dachte ich, ich wäre ehrlich, weil ich so sehr wollte, dass es funktioniert … Aber ich habe dir nie von meiner Mutter erzählt oder von meinen Sorgen oder von meiner verdammten Nasenkorrektur …«

»Es ist eine perfekte Nase«, sagt Daphne. »Das hab ich mir schon gedacht.«

»Danke«, erwidert Duke und schweift innerlich vom Thema ab. Er denkt nach. »Evie weiß all diese Dinge«, sagt er. »Sie kennt nur dieses letzte Puzzleteil nicht.«

»Und das wäre?«, fragt Daphne lächelnd.

»Dass ich mich in sie verliebt habe«, sagt er schlicht. »Ich habe Angst, dass ich sie nicht verdiene, und ich habe Jahre – Jahrzehnte – damit verbracht zu denken, dass ich überhaupt keine Liebe verdiene, es sei denn, ich bin perfekt, und deshalb lasse ich die Maske nicht fallen … Aber damit ist jetzt Schluss. Ich bin das so satt. Sie hat mehr von mir gesehen als jede andere. Ich will mit ihr zusammen sein, Daphne. Ich will sie und mich, mit Warzen und allem, nur um es herauszufinden. Nur um zu wissen, wie es ist, um es wirklich und wahrhaftig zu versuchen.«

»Nun denn«, sagt Daphne mit ernster Miene. »Ich habe nur einen Rat.«

»Und der wäre?«, fragt Duke verzweifelt.

»Geh!«, ruft sie. »Los! Lauf!«

Erst als sich der Aufzug unten in der Lobby öffnet, bemerkt Duke, dass er keine Schuhe trägt. Als Daphne die Coladose aus der Hand gerutscht ist, ist sie direkt auf seine Nikes gefallen. Das war ärgerlich, ja – aber als Daphne sie aufheben wollte und die Dose quasi explodiert ist, war alles vergeben, denn so laut und lange hatte Duke schon lange nicht mehr gelacht. Wie es in Zeitlupe passiert ist – sie ließ sie fallen, ein Teil floss heraus, er trat leicht dagegen, und als sie sie aufheben wollte, ist sie explodiert, und sie haben beide sofort auf ihre Notizen und die Laptops geguckt, wobei Duke blankes Entsetzen auf ihrem Gesicht entdeckte, als sie sich selbst – und ihre Kleidung – geopfert hat, um das Schlimmste zu verhindern. Sie war von oben bis unten voller Cola. Duke musste nur seine Socken ausziehen.

Er will gerade auf den Knopf drücken, um wieder in den obersten Stock zu fahren und Schuhe zu holen, als er sie entdeckt. Sie sieht ihn nicht, und so bewegt er sich nicht, außer dass er eine Hand ausstreckt, um zu verhindern, dass sich die Fahrstuhltür schließt, und bleibt wie angewurzelt stehen, während sie sich mit Magda und Markus, dem Typen von der Tankstelle, unterhält. Markus hat den Arm um Magda gelegt, und alle lachen, dann gibt Markus Magda einen Kuss und geht, und die beiden Frauen sehen ihm nach. Magda schmiegt sich an Evie, wie es Frauen oft tun, und eine von ihnen sagt etwas, das sie beide zum Lachen bringt. Sie ist unglaublich. Ihre dünnen, kurzen Beine, ihr ausgebeulter Pullover und ihr Haar, das sie achtlos auf ihrem Kopf getürmt hat. Duke zermartert sich den Kopf über einen tollen Eröffnungssatz, über etwas, das ihre Aufmerksamkeit wirklich erregen könnte … aber nichts. Dann entdeckt Magda ihn.

»Duke!«, ruft sie, und Evie dreht sich um, sieht ihn entsetzt an und flüstert dann mit gesenktem Kopf etwas zu Magda, die verwirrt dreinschaut und dann eilig ihren winkenden Arm herunterzieht.

»Evie«, beginnt Duke, und das war's, er läuft durch das Hotel, barfuß, direkt auf sie zu, obwohl er sieht, dass es nichts gibt, was sie im Moment weniger möchte – aber sie versteht es nicht, das ist alles. Das wird sie in einer Sekunde tun.

»Das war völlig unschuldig«, sagt Duke. »Ehrlich. Du wirst darüber lachen, wenn ich es dir erkläre. Siehst du …«

»Ich glaube nicht, dass sie das hören will«, sagt Magda und sieht ihre Freundin vorsichtig an, um sich zu vergewissern.

»Evie, bitte«, fleht Duke. »Hör mir zu.«

»Duke«, warnt Magda erneut, und sie meint es ernst, hält seinen Blick fest, und das lässt Duke das Blut in den Adern gefrieren. Der Himmel möge sich des Mannes erbarmen, der versucht, die beste Freundin einer Frau zu verletzen – verdammt, mit diesem Blick könnte sie das Wetter kontrollieren. Duke schluckt. Er hört auf zu sprechen. Sie bleiben so stehen, ein flehender Mann, eine abweisende Frau und die Freundin, die sie beide mit ausgestreckten Armen voreinander schützt. Er blickt zwischen Evie, die starr auf den Boden guckt, und Magda hin und her, die jetzt an ihm vorbeischaut, mit zur Seite geneigtem Kopf. Sie scheint etwas durchzurechnen. Ihr Gesichtsausdruck – konzentriert, verwirrt, rechnend – veranlasst Duke, sich umzudrehen, um zu sehen, was sie berechnet hat, und er sieht diese verdammte Katerina, die ihre Handykamera auf sie hält.

Duke denkt an die Improvisationsspiele, die er im Laufe der Jahre mit Schauspieltrainern oder an Kennenlernnachmittagen für Schauspielende gespielt hat. Es ist, als hätte der Erzähler sie in ein Tableau gestellt, und sie müssen ihre Pose halten. Dann, wenn der Erzähler neue Anweisungen gibt, sagen sie: »Okay, los!«, und jeder setzt die Bewegung fort, in der er gefangen war. Irgendjemand muss gerade »Okay, los« sagen, denn Evie dreht sich um, Duke und Magda sehen, wie sie Katerina beobachtet, und dann stürzen sich alle drei auf sie – Evie geht auf Katerina zu, Magda hält Evie zurück, und Duke ist nicht sehr hilfreich, denn er fuchtelt nur mit den Armen herum.

»Du!«, schreit Evie Katerina an, die selbst in ein Standbild getreten ist, als die drei auf sie zukommen. Sie schaut jedem von ihnen in die Augen, dann auf den Boden und hält ihr Handy fest, als ob sie unmöglich etwas falsch gemacht haben könnte. »Was zum Teufel ist los mit dir?«, ruft Evie weiter. »Du bist ein verdammter Aasgeier. Ein Vampir! Warum zum Teufel machst du ein Foto von uns?«

Evie erreicht Katerina und scheint zu merken, dass sie nicht weiß, was sie als Nächstes tun soll. Duke dachte, sie würde ihr an die Gurgel gehen, aber sie hält sich zurück. Sie steht buchstäblich Kopf an Kopf und Nase an Nase mit ihr, atmet wie ein Drache und wartet darauf, dass Katerina etwas sagt.

»Ich wollte nicht …«, beginnt Katerina, aber Evie unterbricht sie mit einem scharfen »Nein«.

Duke ist auf der einen Seite, an ihrer Schulter, und Magda auf der anderen. Es ist einschüchternd, und er kann sehen, dass Katerina sich in die Hose macht, weil sie sie konfrontieren. Magda sieht Duke an, als würde sie dasselbe denken, und sagt dann leise, aber bestimmt: »Lasst uns alle erst einmal durchatmen.«

Evie tritt einen Schritt zurück und lässt Katerina keine Sekunde aus den Augen.

»Sprich«, befiehlt sie streng.

Katerina quiekt wie eine Maus im Würgegriff. Dann entweicht ihr eine Träne.

»Um Himmels willen«, sagt Magda, und es klingt nicht ganz unfreundlich. Duke kann das Gefühl der Niederlage spüren, das Katerina ergriffen hat, und er versteht, wie erbärmlich sie sich fühlen muss, denn er hat es selbst erlebt. Er hat diese Erfahrung auch gemacht, als er sich mit der unangenehmen Wahrheit über sein Verhalten konfrontiert sah. *Wir alle machen Fehler,* denkt er, *und Katerina weiß, dass jetzt sie an der Reihe ist.*

»Ich brauchte das Geld«, sagt sie. »Für meinen Vater. Für das Pflegeheim.«

Magda und Duke sehen automatisch zu Evie.

»Das ist doch wohl nicht dein Ernst«, sagt Evie, und ihr bleibt der Mund offen stehen. Sie rollt mit den Augen und schüttelt den Kopf. »Ernsthaft?«

»Ja.« Katerina nickt. »Es tut mir leid. Ich wollte nicht … Die ersten Fotos waren so unschuldig, ich dachte nicht einmal, dass sie etwas wert wären. Und dann bin ich da nicht mehr rausgekommen.«

»Ich verstehe«, sagt Evie, und sie meint es ernst, und ihre Schultern sind nicht mehr so angespannt.

Katerina sieht endlich auf. Evie erwidert ihren Blick.

»Was hat dein Vater?«, fragt sie und fügt dann hinzu, weil ihr das etwas übergriffig vorkommt, obwohl Duke denkt, dass sie das Recht dazu hat: »Wenn ich fragen darf.«

»Parkinson«, sagt sie und wischt sich eine weitere Träne weg. »Ich habe es wirklich vermasselt. Das weiß ich. Aber ich konnte nicht aufhören. Das Heim«, fleht sie. »Es ist einfach so teuer.«

Evie seufzt tief. »Wem sagst du das«, erwidert sie trocken.

Duke neigt seinen Kopf zu Katerina, ein Zeichen zu gehen. Sie sieht ihn dankbar an, und dann kommt ihm ein Gedanke.

»Die Fotos«, sagt er. »Lösche sie.«

Katerina holt ihr Handy heraus und scrollt durch die Fotos, die sie gerade gemacht hat, während die drei – Duke, Evie und Magda – sie beobachten.

»Und jetzt aus dem Papierkorb«, sagt Magda, und sie beobachten sie auch dabei.

Katerina schleicht sich in einen Aufzug, der seine Türen öffnet und Daphne zum Vorschein bringt. Als sie Duke sieht, winkt sie ihn heran, ihr iPhone in der Hand.

»Ich habe Independent an der Strippe«, sagt sie mit einer Grimasse. »Sie haben ein paar Vorschläge für einen Schnitt, den sie gesehen haben. Aber es kann warten.«

Duke seufzt und wendet sich ungeachtet dessen, was Magda gesagt hat, direkt an Evie.

»Wir müssen reden«, sagt er. »Ich werde dich finden. Ich habe dir etwas zu sagen, Evie, und du musst es dir anhören.«

Sie wirft ihm einen verlegenen Blick zu.

»Okay«, sagt sie, und Duke nimmt Daphnes Handy entgegen, um weiterzuarbeiten.

39

DUKE

Am nächsten Tag kommt Duke zum Frühstück und sieht, dass Daphne bereits mit Magda und Evie zusammensitzt. Er hat in den letzten Tagen keine Sekunde Zeit gehabt, aber er ist geduscht und braucht dringend etwas zu essen. Er nähert sich zaghaft dem Tisch, um zu sehen, ob er willkommen ist. Immerhin lachen sie alle zusammen. Evie muss verstanden haben, dass Daphne keine Bedrohung für sie darstellt, wenn sie mit ihr frühstückt.

»Setz dich«, sagt Evie, als sie ihn sieht. »Daphne sagt, du hast wieder völlig verrückt die Nacht durchgemacht. Ich komme in Frieden.« Sie hebt die Hände, um ihre Aussage zu unterstreichen.

»Ich habe ihr alles erklärt«, sagt Daphne. »Wenn es nicht offensichtlich war.«

Evie zuckt mit den Schultern, als wolle sie sagen: *Uuuups …*

»Unser Mädchen hier zieht voreilige Schlüsse«, scherzt Magda und zwinkert Evie zu, die die Nase rümpft und den Schlag einsteckt.

»Ich habe nun mal meine Probleme«, sagt sie, aber sie lächelt.

Duke isst seinen Obstsalat, und das Gespräch dreht sich schließlich um den gestrigen Tag und Katerinas große Enthüllung.

»Meine Güte, ich hoffe, sie erzählt die Wahrheit, mehr kann ich nicht sagen.« Evie kichert düster, während sie mit ihrer Gabel ein Stück Spargel aufspießt. »Bis zu dem Zeitpunkt, als sie gesagt hat, dass sie mit dem Geld das Pflegeheim ihres Vaters bezahlen wollte, war ich kurz davor … Nun, ich weiß nicht genau«, gibt sie zu. »Ich war richtig wütend.«

»Ich kenne dich seit fast zwanzig Jahren und habe noch nie, nicht ein einziges Mal, erlebt, dass du auch nur annähernd so ausgerastet bist«, stimmt Magda zu. »Ich hatte wirklich Angst.«

»Ich habe es nur von Duke erzählt bekommen.« Daphne kichert. »Und ich bin immer noch erschrocken. Jemand aus der Produktion hat gesagt, du hättest ihr eine geknallt! Aber Duke sagt, es war nur beinahe eine Ohrfeige. Da bin ich aber froh. Was sie getan hat, ist furchtbar, aber wir dulden nicht, dass Leute geschlagen werden, nicht wahr, Duke?«

Duke lässt den Seitenhieb über sich ergehen.

»Wir nicht«, sagt er.

»Danke, dass du das klargestellt hast«, sagt Evie zu ihm, und sie werfen sich einen Blick zu, bevor Evie wegschaut. Duke würde nur zu gern wissen, was sie denkt. Er war kurz davor, eine große Erklärung abzugeben, und dann … ist es nicht passiert. Ihm läuft die Zeit davon. Morgen Vormittag werden sie alle in Bussen – oder, in Dukes Fall, in einem Privatauto – zum Flughafen fahren.

»Nun, ich beneide dich um deine Selbstbeherrschung«, scherzt er und zeigt auf den schwachen blauen Fleck, der noch immer unter seinem Auge zu sehen ist. »Ich muss noch viel darüber lernen, dass Gewalt nie die Lösung ist.«

»Und jetzt kommt der Teil, Duke, in dem ich sage, dass du in all der Zeit, in der ich dich kenne, noch nie die Fassung verloren und einen Schlag ausgeteilt hast«, bietet Daphne an.

Duke schließt kurz die Augen und denkt über sein schlechtes Benehmen nach. »Es gibt keine Entschuldigung«, sagt er. »Meine Therapeutin wird einen Heidenspaß haben.«

Magda kaut auf einem Rösti und sagt: »Das war alles total verrückt«, und rollt dabei das R ganz lange. »Sind alle Drehorte so wie dieser? So voller Verrückter?«

Duke sieht Daphne an, und die verzieht das Gesicht.

»Ja«, sagt Daphne. »In unterschiedlichem Ausmaß, aber … im Grunde genommen, ja. Obwohl ich glaube, dass dieser hier besonders verschärft war.« Die Art und Weise, wie sie es sagt, lässt Duke denken, dass sie auf ihn und Evie anspielt, und er ist bereit, es als paranoid abzutun, bis Daphne Magda ansieht und beide grinsen.

»Was?«, fragt Evie, ungewöhnlich ahnungslos.

»Nichts«, sagt Daphne zu schnell. Evie sieht zu Magda.

»Im Ernst«, sagt Magda. »Nichts.«

Sie kauen in kameradschaftlichem Schweigen, bevor Duke fragt: »Meinst du, wir sollten Katerinas Geschichte überprüfen? Ich könnte ein paar Leute anrufen lassen.«

Magda nimmt eine lustige, tiefe Stimme an, um ihn zu imitieren. »Ich könnte ein paar Leute anrufen lassen«, wiederholt sie. »Hast du dich gerade selbst gehört? Der Dreh ist beendet. Katerina ist zu Tode erschrocken. Es ist vollbracht. Mach es wie wir kleinen Leute, lass uns Brücken bauen.«

Duke versteht das nicht.

»Sie meint, dass du darüber hinwegkommen sollst«, erklärt Evie im Bühnenflüsterton, und alle lachen ihn aus.

»Verstanden.« Duke nickt. »Darüber hinwegkommen, genau ... Ungefähr ... jetzt.«

Daraufhin schiebt Magda ihren Stuhl zurück. »Ich muss noch woandershin«, sagt sie plötzlich und sieht Daphne merkwürdig an.

Daphne schüttelt den Kopf und beschließt dann dasselbe.

»Ich auch«, erklärt sie, und Evie runzelt die Stirn und will gerade etwas sagen, als Duke sieht, wie Magda ihren Kopf mit großen Augen zu ihm neigt. Ah. Endlich haben sie etwas Zeit für sich allein.

Duke lächelt.

Evie lächelt fast.

Er seufzt.

»Ich habe dir eine Million Dinge zu sagen«, beginnt Duke und denkt, dass das ein guter Anfang sei.

Evie nickt. »Ja«, stimmt sie zu. »Vor allem schäme ich mich sehr für meine Überreaktion gestern Abend.« Sie schiebt das Essen auf ihrem Teller hin und her. »Ich hatte den ganzen Tag geschrieben und war überdreht … Daphne hat mir alles erklärt. Ich weiß nicht, warum ich so ausgerastet bin. Ich hatte wohl Angst.«

»Damit kenne ich mich ein bisschen aus«, gibt Duke zu.

Augenkontakt. Nervöses Lächeln. Beinahe-Worte.

»Sprich weiter«, fordert er sie auf. »Sag es. Du kannst es mir sagen.«

Evie lächelt. »Ich mag dich, und ich habe Angst«, sagt sie, und Dukes Herz explodiert.

»Na, so was«, sagt Duke. »Wo ist die Autorin abgeblieben?«

»Ja, ich weiß, das ist meine bisher eloquenteste Formulierung«, spottet sie, und Duke zieht die Augenbrauen hoch.

»Nein«, sagt er. »Das ist wirklich auf den Punkt gebracht. Weil ich dich mag und Angst habe.«

»Ja?«, fragt sie, und weil sie so hoffnungsvoll klingt, möchte Duke den Tisch am liebsten beiseiteschieben, damit nichts mehr zwischen ihnen steht und er sie in den Arm nehmen und küssen kann.

»Ja«, sagt er, und sie stößt ein kleines »Oh« aus.

»Also«, sagt sie, und ihre Augen tanzen, als wollten sie sich auf etwas Konkretes einigen. »Sehen wir uns heute Abend? Bei der Abschlussparty?«

»Der Abend kann gar nicht schnell genug kommen.« Duke lächelt und schwebt förmlich zum Set.

An diesem Morgen drehen Duke und Daphne ihre letzten Szenen, aber am Nachmittag sitzen sie zusammen und überlegen, was sie noch erledigen müssen, bevor sie zu Weihnachten nach Hause fliegen, und es scheint kaum zu schaffen. Die Lösung beginnt damit, dass sie die Nacht durcharbeiten, im Auto zum Flughafen arbeiten, während des Fluges arbeiten und bis zum Abgabetermin nicht aufhören, methodisch und entschlossen vorzugehen, und, wo es nötig ist, sich aufteilen, statt dass jeder jede Entscheidung mittragen muss.

»Du musst mir vertrauen, und ich muss dir vertrauen«, sagt Daphne, während sie sich die auf ein Blatt gekritzelten Aufgaben ansehen, die sie noch zu erledigen haben. Nachdem sie am Set fertig waren, sind sie so schnell wie möglich zurück ins Hotel gefahren. Die Party im Erdgeschoss hat bereits begonnen, und alle freuen sich darauf, nach Hause zu kommen, und sind stolz auf die geleistete Arbeit. Die beiden wollen nur kurz anstoßen und dann weitermachen.

»Das ist der einfache Teil.« Duke zuckt mit den Schultern. »Der schwierige Teil wird sein, die schiere Willenskraft aufzubringen, um weiterzumachen. Damit habe ich nicht gerechnet, als ich darüber nachgedacht habe, wie viel Energie ich brauche.«

»Ich weiß.« Sie lacht. »Ich meine, wenn wir schon in etwas hineingezogen werden müssen, dann wenigstens in das hier, oder? Wenn wir das durchziehen, könnte das der Anfang von etwas wirklich Großem sein. So wie damals, als Reese Witherspoon *Wild* gemacht hat und ein paar Jahre später eine Milliarden-Dollar-Firma hatte.«

»Okay, wenn du es so siehst ...«

»Aber lass uns jetzt nach unten gehen, ja? Das ist ein guter Zeitpunkt für eine Pause.«

»Großartig«, stimmt Duke zu. »Obwohl ich gehört habe, dass sie Karaoke machen, also haben wir uns vielleicht einen Gefallen getan, indem wir uns entschuldigt haben.«

»Yes«, sagt Daphne, und sie gehen hinaus.

Das Lokal ist voll, die Schauspielenden und die Crew sind gut gelaunt, die Kellner tragen Tabletts mit Getränken und Horsd'œuvres, aber er sieht sofort, wen er sucht. Sie ist prächtig und so gekleidet, wie er sie noch nie gesehen hat. Sie trägt einen wadenlangen, perlenbesetzten Rock – vielleicht sind es Pailletten – in Silber, dazu ein passendes silbernes Oberteil, das im Nacken geschnürt ist und offen fällt, um ihren Rücken zu zeigen, sodass eine einzige falsche

Bewegung ausreichen würde, um die Brüste zu entblößen. Duke denkt über diese Brüste nach. Ihr Haar ist hochgesteckt, und sie trägt ein einfaches Paar Ohrringe. Ihre Lippen sind festlich rot, und als sie ihn auch sieht, denkt Duke: *So muss es sich anfühlen, wenn man in einem überfüllten Raum* die eine *Person entdeckt.* Er winkt, und dann wird er von Malcolm angesprochen, der einen Arm um seine Schultern legt und mit heißem, schwerem Atem, der mit Wodka versetzt ist, eindringlich etwas über Gewinnspannen und Zeitfenster sagt.

»Ja«, stimmt Duke zu und gerät in Panik, als er sie aus den Augen verliert. Er ist nur wegen ihr hier. Wir sehen uns heute Abend, hatten sie gesagt. Sie weiß, dass sie unter Zeitdruck stehen. Sie weiß, was los ist – er hat dafür gesorgt, dass sie die Nachricht erhält. Kayla, die Maskenbildnerin, hat gesagt, sie würde sie finden und ihr persönlich sagen, dass er bei Daphne sei und arbeite und dass er käme, sobald er könne, wie versprochen.

»Hey, können wir später noch einmal darüber reden?« Duke unterbricht Malcolm und versucht, ihn abzuwimmeln, aber der Produzent redet einfach weiter. »Mal sehen, ob wir L.A. jetzt noch ans Telefon bekommen können. Sie haben auch einen Mann in Toronto, also lasst uns alle zusammen konferieren. Los, kommt. Es wird nicht lange dauern. Eine halbe Stunde, höchstens. Daphne! Wir haben einen Anruf zu tätigen!«, bellt er in ihre Richtung. Und als sie bereitwillig und ohne Protest herbeieilt, kann Duke sich nur noch umdrehen, um Evie zu sagen, dass er bald wieder da ist. Aber sie ist aus seinem Blickfeld verschwunden.

40

EVIE

E vie tippt auf das Mikrofon.

»Also gut«, sagt sie ins Mikro. »Ich habe eine Wette mit meiner besten Freundin verloren, und deshalb stehe ich hier.« Sie gluckst nervös, und alle sind so nett, nervös mit ihr zu glucksen.

»Du machst das!«, ruft Magda quer durch den Raum, und Evie schüttelt den Kopf. Sie hat drei Kurze und zehn Minuten mit einer Meditations-App hinter sich, um das zu schaffen, aber das war die Mutprobe: Evie hat ein Schere-Stein-Papier-Spiel verloren, wegen etwas so Dummem, dass sie sich nicht einmal mehr daran erinnern kann, und die Strafe war, bei der Karaoke-Party ein Lied zu singen … und es Duke zu widmen.

»Ich bin die Erste hier oben, womit habe ich das nur verdient?«, sagt sie lachend, und alle lachen wieder mit. Puh, wird sie das wirklich tun? Es ist doch sicher, oder? *Ich bin okay,* sagt sie sich. *Ich werde springen, und er wird mich auffangen.*

Der Mann an der Musikanlage sieht sie und zeigt einen Daumen nach oben, und dann erscheint der Text des von ihr gewählten Liedes auf der Leinwand.

»Nun …«, sagt sie zum Publikum, zu schüchtern, um Duke aktiv zu suchen. Er wird sich bemerkbar machen. Sie weiß, dass er das tun wird.

»Ich habe einmal einem Mann gesagt, dass das Leben – die Liebe – nicht nur aus Ed-Sheeran-Songs und verrückten Sprints zum Flughafen besteht. Wir fahren morgen alle nach Hause, das mit dem Flughafen ist also geklärt, und was die Liebe als Popsong angeht … ähm …«, sagt sie, und die ersten Töne von »Perfect« erklingen.

Alle jubeln, und ein paar Leute drehen sich um, weil sie geahnt haben, dass sie von Duke spricht. Sie wagt es, aufzublicken, schaut dann aber schnell wieder auf die Leinwand, weil sie weiß, dass sie mit der ersten Zeile beginnen muss. Da sie keinen einzigen Ton trifft, wird ihre Darbietung eher ein Angriff auf die Sinne aller sein, aber sie versucht, sympathisch rüberzukommen. Sie lehnt sich ziemlich weit aus dem Fenster ...

»*I've found a love ...*«, fängt sie an zu singen, und sobald alle merken, dass ihr Stimmvolumen dem von ertrinkenden Kätzchen in einer Mülltüte gleicht, grölen alle. Sie grölen so wild, dass sie sich bei den nächsten Zeilen nicht mehr hören kann, aber es macht ihr Spaß. Es macht irgendwie Spaß, es zuzulassen, in etwas so schlecht zu sein. Und damit meint sie, dass sie sowohl im Singen als auch im Verführen schlecht ist.

»*But darling, just kiss me slow, Your heart is all I own ...*« Sie steigert sich weiter und traut sich jetzt, in den Raum zu schauen. Sie wird lauter, und es klingt noch schiefer. *Yolo*, denkt sie. Bevor sie auf die Bühne gegangen ist, hat Magda gesagt, dass die goldene Regel beim öffentlichen Karaoke lautet: Je schlechter man ist, desto mehr lieben es die Leute, also lässt sie sich darauf ein. Sie fängt an, Handbewegungen zu den Worten zu machen. Sie gurrt und umwirbt die Leute mit »Ooohhhs« und »Aaahhhs«, und als sie wieder aufschaut, haben alle angefangen, mitzusingen, und sie haben alle ihre Handy-Taschenlampen eingeschaltet und halten sie in die Höhe, als ob es der Madison Square Garden wäre und sie wirklich Ed Sheeran am letzten Abend einer mehrjährigen internationalen Tournee.

Sie schmettert die letzte Zeile, hält den letzten Ton und breitet die Arme aus. Der Raum explodiert. Sie fühlt sich, als würde sie schweben. Vielleicht weint sie gerade sogar vor Glück? Hier zu stehen und es einfach zuzugeben – Gott, so etwas hat sie in ihrem Leben noch nie getan. Sie ist euphorisch. Sie ist die schlechteste Sängerin, die die Menschheit je erlebt hat – buchstäblich jede und jeder andere wird heute den Ton unendlich viel besser treffen als sie – und doch fühlt sie sich so gut wie nie zuvor.

Sie stolpert von der provisorischen Bühne, die Leute klammern sich an ihre Schulter und rufen: »Gut gemacht« und »Sehr gut« und »Du bist unglaublich!« Sie lächelt, nickt und rollt mit den Augen, um zu signalisieren, dass sie verstanden hat, dass sie furchtbar schlecht war und dass das so brillant war, aber sie schaut dabei allen über die Schulter und sucht nach Duke. Das war alles für ihn. Das war ihre große romantische Geste, ein Kunststück, was Evelyn Bird nie zuvor versucht hat. Und wahrscheinlich nie wieder tun wird! Wo ist er also? Kann er nicht einfach schon vor ihr stehen, seine Arme um sie legen, lachen und sie zum Lachen bringen? *Dancing in the dark, with you between my arms* – genau wie es im Songtext heißt …

Aber als sich die Menge lichtet und sie in den hinteren Teil des Raumes kommt, ist immer noch keine Spur von ihm zu entdecken. Und dann sieht sie Magdas Gesichtsausdruck, und ihr wird flau im Magen.

»Was?«, fleht Evie, ihre Stimme ist panisch. Sie will nur Magda sagen hören, dass Duke so angewidert von ihr war, so angewidert von ihrer Stimme und ihrer Dreistigkeit, sich überhaupt auf eine Bühne zu stellen, dass er Magda geschickt hat, um ihr zu sagen, dass die ganze Sache vom Tisch ist. Der Blick in Magdas Augen sagt Evie, dass sie es vermasselt hat oder, schlimmer noch: dass sie es gar nicht erst vermasseln konnte. Das Ganze ist ein großes, schreckliches Missverständnis, und alle schämen sich zutiefst für ihre dumme, emotionale Zuneigungsbekundung, und es wäre wirklich besser für alle, wenn sie einfach im Boden versinken und nie wieder zurückkehren könnte, bitte.

»Sag es«, bettelt Evie und schüttelt ihre Hände, als würde eine Bewegung ihres Körpers das abwenden, was auch immer gerade passiert. »War es wirklich so schlimm?«

Magda schüttelt den Kopf. »Nein, du warst großartig! Es war unglaublich. Ich habe dich noch nie so voller Freude gesehen wie da oben! Aber ...«

»Was?«

»Er ist nicht hier. Ich glaube nicht, dass er etwas davon mitbekommen hat.«

Evie lässt sich in den nächsten Sessel fallen. Er hat es verpasst? Es war alles umsonst?

»Tja«, sagt Evie, als Magda sich ihr gegenüber hinsetzt. »Das ist niederschmetternd.«

Magda verzieht das Gesicht.

»Du kannst jederzeit wieder singen«, schlägt sie vor, und Evie wirft ihr einen Blick zu.

»Okay«, korrigiert sich Magda hastig. »Das war eine einmalige Sache. Ich habe verstanden.«

Die beiden Frauen sitzen da und wissen nicht, was sie jetzt tun sollen.

»Ich glaube«, sagt Evie langsam, »ich mache jetzt Feierabend. Ich werde Musik auflegen, packen, ein letztes langes Hotelbad nehmen ...«

Sie hasst es, wie Magda sie jetzt ansieht. Evie hat ihr ganzes Erwachsenenleben Wert darauf gelegt, dass sie genau dieser Gesichtsausdruck, den ihre beste Freundin gerade macht, nie trifft. Magda hat Mitleid mit ihr.

»Soll ich mit hochkommen?«, bietet sie an. »Ich kann eine Flasche mitbringen. Ganz heimlich. Niemand wird es bemerken ...«

Evie schüttelt den Kopf. »Nein«, sagt sie, und ihre Stimme ist zu entschlossen. Sie gibt sich stärker, als sie sich fühlt. Eigentlich könnte sie sogar weinen. Nicht jetzt, nicht im Aufzug, aber vielleicht oben, wenn sie die Hotelzimmertür hinter sich geschlossen hat. Es ist viel, all das, und jetzt ist es vorbei, und sie dachte, sie bekäme eine Chance auf ein großes Happy End – ihr »Und wenn sie nicht gestorben sind …«, wie Duke es genannt hat, als sie sich zum ersten Mal getroffen haben –, aber sie ist allein. Und ja, das ist besser, als mit der falschen Person zusammen zu sein, aber verdammt, sie hat gedacht, dass Duke der Richtige sein könnte.

Sie wartet auf den Aufzug, und als die Türen des rechten Aufzugs aufgehen, steigt sie ein.

Sie ist bereits im achten Stock, als der linke Aufzug unten ankommt und seine Türen öffnet und Duke aussteigt, um sie zu suchen.

41

EVIE

W eißt du«, sagt Evie und rollt ihren Koffer über den Bordstein. »Mir geht es gut. Das ist in Ordnung. Ich bin bereit, von hier zu verschwinden. Dieser Song kann das Letzte sein, woran sich die Leute erinnern, wenn sie an mich denken. Das ist cool. Ich denke, jetzt ist ein guter Zeitpunkt, abzureisen.«

Es ist Morgengrauen, und die Vögel sind kaum wach. Evie hat sich nach drei Wochen am Set so sehr an frühe Aufwachzeiten gewöhnt, dass sie es fast genießen kann – zu dieser Stunde liegt eine solche Ruhe über allem, bevor sich der Himmel rosa und violett färbt und die Menschen mit ihrem hektischen Treiben beginnen.

Magda holt tief Luft.

»Wenn du sagst, es ist Zeit zu gehen, dann sage ich: Lass mich dir ein Taxi rufen.«

Evie lächelt zurück. Magda ist eine gute Freundin. Wenn Evie auf der Suche nach der Liebe ihres Lebens ist, ist diese vielleicht vergeblich, wenn Magda neben ihr steht. Vielleicht ist sie die Seelenverwandte, die Evie braucht, und das hat sie gestern Abend auch gesagt, als sie aus dem Bad kam: mit roten Wangen, geschrumpelter Haut und verweint, worüber sie aber nicht reden wollte. Magda hatte es verstanden. Evie hatte Duke nicht mehr gesehen, er war in der Wildnis oder in den oberen Etagen des Hotels verloren gegangen. Evie hatte nicht vor, noch einmal dort hinaufzugehen. Es war zum Verzweifeln. Er wusste, wo sie war, wenn er hätte kommen wollen – aber er ist nicht gekommen, also wollte er es offensichtlich nicht.

»Ist das alles?«, fragt der Fahrer, und Evie nickt.

»Einen Moment noch.« Aus einer Laune heraus stellt sie ihre Tasche ab und kramt in ihren Sachen nach einem Stift und Papier. Auf einen kleinen Notizzettel schreibt sie: *Nichts für ungut. Alles Gute, Evie*

Sie geht zur Rezeption und bittet, den Zettel an Duke weiterzuleiten. Dann eilt sie zurück zum Taxi und sagt: »Okay, ich bin so weit.«

Es ist eine lange Fahrt zum Flughafen, und so können sie tatsächlich sehen, wie die Sonne aufgeht und den Himmel küsst, und Evie beobachtet die Autos, die in die andere Richtung fahren, Menschen, die offensichtlich unterwegs sind, um ihre Familie oder Freunde in den Ferien zu besuchen. Die Autos sind vollgepackt mit Erwachsenen vorn und Kindern hinten – iPad-Bildschirme beleuchten Gesichter, und Handys werden angestarrt, die Kofferräume sind voll mit Kisten, Geschenken und Gepäck. Evie wird ihre Mutter am Weihnachtsmorgen besuchen, aber sie hat die Gedanken an sie verdrängt, selbst als dieser schreckliche Artikel über das Alleinlassen erschienen ist. Sie kennt die Wahrheit. Evie hat ihre Mutter nie im Stich gelassen. Sie wurde hierherbestellt und hatte die beste Zeit ihres Lebens. Das darf sie. Das ist in Ordnung. Evie streicht sich geistesabwesend mit der Hand über die Stelle, an der ihr neues Tattoo ist. *Nenne deine Quelle.*

»Gehen wir am 25. zum Chinesen?«, fragt Magda und unterbricht damit Evies Tagträume. Es ist nur natürlich, dass sie beide an den Weihnachtstag denken, schließlich fliegen alle nach Hause. Das Abenteuer ist vorbei – natürlich denken sie darüber nach, was als Nächstes ansteht.

»Zuerst schön ausschlafen«, sagt Evie und sieht ihre liebe, freundliche, abenteuerlustige Seelenverwandte an. »Eggs Benedict zum Frühstück, dann Weihnachtsfilme und chinesisch essen und Champagner zum Abendessen? Vielleicht ein kurzer Spaziergang mit dem Hund, um die Weihnachtsbeleuchtungen zu bewundern, damit wir wenigstens etwas frische Luft schnappen?«

»Perfekt«, sagt Magda. »Mein erstes Weihnachten als geschiedene Frau. Oh Gott. Wer hätte das gedacht?«

»Du hast in den letzten zehn Tagen nicht viel darüber gesprochen«, meint Evie. »Ich weiß, dass du immer noch trauerst …«

»Das tue ich auch«, sagt Magda. »Aber, weißt du … Es war der richtige Schritt, und ich bin mir dessen jetzt sicherer denn je.«

»Und Markus?«, fragt Evie. »Alles, was ich weiß, ist, dass er zur Arbeit musste, aber ich habe nie die ganze Geschichte gehört, ob ihr in Kontakt bleiben werdet oder nicht.«

»Wir haben gesagt, dass wir in Kontakt bleiben«, sagt Magda und verzieht das Gesicht, als wäre sie zu schüchtern, um darüber zu sprechen.

»Was?«, fragt Evie.

»Er kommt im Januar zu Besuch«, antwortet Magda, und Evie kreischt so laut, dass der Fahrer erschrickt.

»Tut mir leid!«, ruft Evie. »Entschuldigung!« Sie sieht Magda an. »Er kommt zu Besuch!«, sagt sie und klatscht in die Hände. »Warum erfahre ich das erst jetzt?!«

»Hör auf!« Magda lacht und schlägt mit einer Hand auf Evies Hände. »Das ist doch keine große Sache.«

»Keine große Sache?«, schnattert Evie. »Du bist um die halbe Welt geflogen und hast einen attraktiven Mann kennengelernt, der in die Staaten fliegt, um dich zu sehen, weil er dich so sehr mag? Ich dachte, es ginge nur um Sex!«

Magda zuckt mit den Schultern. Hinweisschilder mit Flughafenpisten und Drehkreuzen kündigen an, dass sie fast angekommen sind.

»Das dachte ich auch«, sagt sie. »Die ersten zehn Minuten. Aber ich wusste schon in der ersten Nacht, dass mehr daraus werden würde. Ich weiß, dass ich gerade erst die Scheidungspapiere unterschrieben habe, aber das Leben ist kurz, nicht wahr? Ich will nicht vernünftig sein. Ich will frei sein.«

Evie hat das Gefühl, dass Magda ihr gerade das Herz herausgerissen hat.

»Was?«, fragt Magda. »Hältst du mich für dumm?«

Evie schüttelt den Kopf. Der Fahrer fährt an den Bordstein heran. »Nein«, ruft Evie aus. »Ich finde, du bist der mutigste Mensch, den ich je getroffen habe. Du gehst es einfach an und weißt, dass es dir gut gehen wird. Ich habe Angst, dass es mir nicht gut gehen wird, und tue deshalb nichts. Und ich glaube, ich habe gerade in dieser Sekunde beschlossen, die Dinge in Zukunft anders zu machen.«

»Du musst dich nicht ändern«, sagt Magda, als sie bei der Abflughalle aussteigen. »Wer weiß, was aus alldem wird. Ich wollte nicht, dass du dich schlecht fühlst oder so. Du bist auch unglaublich, Evie. Sieh nur, was diese Reise bei dir bewirkt hat! Du hast mit ein paar alten Geschichten abgeschlossen, und du hast so viel gelacht wie seit Jahren nicht mehr ...«

Evie nickt begeistert.

»Da hast du recht«, stimmt sie zu, und der Fahrer lädt das Gepäck aus. Magda gibt ihm ein Trinkgeld, und beide bedanken sich, während Evie ihr Handy zückt und durch ihre E-Mails scrollt. »Ich werde einfach Dukes E-Mail-Adresse herausfinden und ihm schreiben. Das Leben ist zu kurz, um vernünftig zu sein, oder?«

»Ich denke, ihm zu schreiben, ist der Inbegriff von vernünftig, aber sicher.« Magda lächelt und scrollt durchs Internet, während Evie alle Personen durchsucht, die in den E-Mails über den Film, die Verträge und die Fake-Beziehung als Absender angegeben sind, und überlegt, wer ihr am besten helfen kann. Schließlich entscheidet sie sich für ihre Agentin und schreibt ihr, dass sie früher zum Flughafen gefahren ist und sich gerne bei ein paar wichtigen Leuten bedanken würde. *Könntest du bitte die Adressen von Daphne*

Diamond und Duke Carlisle für mich ausfindig machen?, fragt sie, und dann gehen die beiden zum Check-in.

»Nein, hier entlang«, sagt Evie und deutet auf die Schlange für den Economy-Check-in. Magda war auf dem Weg zur ersten Klasse, dem Schalter mit einem wortwörtlich roten Teppich davor und ohne Schlange.

Magda runzelt die Stirn.

»Nein«, sagt sie. »Wir fliegen doch erste Klasse, oder nicht?«

Evie sieht ihre Freundin an.

»Duke hat dir auch für die Rückreise ein Erste-Klasse-Ticket besorgt?«, sagt sie ungläubig. »Mein Gott! Magda!«

Magda zuckt mit den Schultern. »Nur dir zuliebe«, sagt sie. »Also ist es wirklich so, als hättest *du* mir ein Erste-Klasse-Ticket besorgt.«

Evie stutzt. »Okay, gut. Mal sehen, wie viel ich für ein Upgrade zahlen muss.«

Magda nickt. »Ausgezeichnete Idee«, sagt sie.

Am Schalter erfährt sie, dass es fast zehntausend Dollar sind.

»Entschuldigung«, sagt Evie. »Nur für eine Richtung?«

»Ja, nach Salt Lake City kostet das Upgrade neuntausendvierhundertsechsundneunzig Dollar.«

»Aber …«, sagt Magda und stottert vor Schreck. »Warum?«

Die Mitarbeiterin nickt. »Nun«, sagt sie. »Der Flug ist heute, es ist Weihnachten, und das Flugzeug ist voll. Das ist der letzte Platz in der ersten Klasse, den wir heute haben.«

Evie sieht Magda an. »Ich könnte das bezahlen«, sagt sie. »Aber es wäre dumm von mir.«

Magda beißt sich auf die Unterlippe. »Vor allem, wenn du schon ein Ticket hast«, stimmt sie zu.

»Ich sollte doch sparsam mit meinem Geld umgehen, nicht wahr? Ich verdiene schöne Dinge, aber ich bin es mir auch selbst schuldig, vernünftig zu sein …«

»So haben wir das besprochen …«, stimmt Magda zu, und Evie wartet darauf, dass ihre Freundin sagt: *Scheiß drauf! Denk an das ganze Geld von den Filmrechten!*, aber das tut sie nicht, und Evie findet, dass sie es nicht tun kann. Sie kann nicht so viel Geld ausgeben, auch wenn sie es theoretisch hat.

»Kann ich bitte mein Gepäck hier einchecken«, sagt Magda zur Mitarbeiterin, und dann sagt sie zu Evie: »Und dann komme ich mit dir zum Einchecken rüber, okay? Ich verzichte sogar auf die First-Class-Lounge, um dir eine letzte Weißwurst zu kaufen.«

Evie braucht neunundvierzig Minuten, um durch den Economy-Check-in zu kommen, und starrt die ganze Zeit sehnsüchtig auf den leeren roten Teppich der ersten Klasse.

»Du wirst es überleben«, scherzt Magda. »Und wenn wir dürfen, können wir vielleicht nach der Hälfte des Fluges tauschen, dann haben wir beide was davon.«

Evie schmollt dramatisch. »Okay«, sagt sie mit leiser Stimme. »Danke.«

42

DUKE

Duke steht beim Flughafen-Shuttle für die Schauspielenden und die Crew und wartet darauf, dass Evie mit ihren Sachen aus dem Hotel kommt, damit er sie endlich sprechen kann und … na ja. Er ist sich nicht ganz sicher. Worte aussprechen. Reaktionen einholen. Das tun, was er ausdrücklich will, weil er weiß, dass sie es auch fühlt. Er ist sich nicht sicher, wo sie letzte Nacht hingegangen ist. Als er zur Party zurückkam, war sie verschwunden, und niemand schien eine Ahnung zu haben, wohin. Er hat an ihrer Zimmertür geklopft, aber sie hat nicht geantwortet. Er denkt, dass sie vielleicht in Magdas Zimmer war? Aber er konnte Magda auch nicht finden, um sie zu fragen, und so ist er seit 6 Uhr morgens hier unten und versucht, sie in der Lobby oder beim Frühstück zu erwischen, und auch jetzt, wo alle das Hotel verlassen und zum Flughafen gefahren werden, entdeckt er sie nirgendwo.

»Hast du sie gefunden?«, fragt Daphne, die auf ihn zugeht, nachdem sie einige der Beleuchter zum Abschied umarmt hat.

»Nein«, antwortet er.

Daphne lacht. »Ich hoffe für dich, dass sie bald kommt. Du siehst aus, als müsstest du dich gleich übergeben.« Duke wirft ihr einen Blick zu, und dann kommt eine der Assistentinnen mit einem Klemmbrett vorbei, und Daphne ist so klug zu fragen: »Hey, Trish? Du weißt nicht zufällig, wo Evie ist, oder? Evie Bird? Die Autorin?«

»Ich weiß, wer Evie ist«, sagt Trish, die offensichtlich mehr als nur ein wenig gestresst ist, weil sie die Aufgabe hat, das Auschecken aller Leute zu organisieren. Sie schaut auf ihre Liste und fährt mit einem lackierten Fingernagel über das Papier, bevor sie verkündet: »Sie ist vorhin gegangen. Sie hat ein Taxi genommen, mit ihrer Freundin, im Morgengrauen.«

»Was?«, ruft Duke, aber Trish ist bereits anderweitig beschäftigt und weitergezogen. Er spürt, wie Daphne ihn anschaut.

»Das ist doch scheiße«, sagt sie. »Ich weiß, wie sehr du sie sehen wolltest.«

»Duke?«

Sie werden von einem der Concierges an der Rezeption unterbrochen.

»Ja?«, sagt Duke.

»Ich habe das für Sie. Es tut mir leid – ich habe Sie nicht herunterkommen sehen.«

Er überreicht Duke ein gefaltetes Stück Papier. Darin steht: *Nichts für ungut. Alles Gute, Evie*

Duke hatte nicht ganz verstanden, was die Leute gestern Abend zu ihm gesagt haben, alle haben gelallt, und ihre Sätze verschwammen miteinander oder brachen ab. Sie hat ihm ein Lied gewidmet? Er kann sich nicht vorstellen, dass Evie vor einer großen Gruppe von Menschen gesungen hat, aber sechs verschiedene Leute haben ihm erzählt, dass es so war. Es tut ihm leid, dass er es verpasst hat. Wenn er sie noch erwischt hätte, hätte er gerne ein paar Witze darüber gemacht, denn es klingt brillant. Aber leider ist sie weg.

Ohne sich zu verabschieden.

Alles, was er hat, ist dieser Zettel.

Es ist zum Heulen.

Aber … Moment. Irgendetwas scheint nicht zu stimmen.

»Ich habe das Gefühl …«, sagt er langsam, und ein sehr verschwommener und weit entfernter Gedanke wird ein klein wenig klarer.

»Ja?«, fragt Daphne.

»Ich fühle mich wie …«, präzisiert er langsam. »Das wahre Leben besteht nicht aus Ed-Sheeran-Songs und verrückten Sprints zum Flughafen.«

Daphne blinzelt.

»Okay«, sagt sie. »Cool …«

Duke denkt nach. Ja. Das hatte sie gesagt, gleich als sie einander kennengelernt hatten. Und dann hat sie tatsächlich einen Ed-Sheeran-Song gesungen?

»Das wahre Leben besteht nicht aus Ed-Sheeran-Songs und verrückten Sprints zum Flughafen …«, wiederholt er, diesmal etwas lauter, und beginnt zu verstehen.

»Duke …?«, setzt Daphne an, aber er ist schon wieder weg, sein Kopf ist ganz woanders. Er muss zu Evie.

Seine Koffer sind noch in seinem Zimmer – darum wird sich jemand anderes kümmern. Er hat nicht einmal einen Mantel – nur eine Brieftasche, einen Reisepass und ein Handy in seiner Tasche. Das ist doch alles, was er braucht, oder?

»Taxi!«, ruft er einem vorbeifahrenden Taxi zu. »Taxi!«

43

DUKE

In den neunzig Minuten, die das Taxi bis zum Flughafen braucht, ist sein Adrenalinpegel wieder gesunken, und Duke wird ängstlich. Eben noch war er euphorisch – *Los geht's! Yeah! –*, und im nächsten Moment ist er … nun ja, anderthalb Stunden sind eine Ewigkeit, um irgendwohin zu kommen, um seine romantischen Absichten zu verkünden, nachdem man so viel Zeit mit der Entscheidung verschwendet hat, es wirklich zu tun.

Er fummelt nervös an seinem Handy herum und schreibt ein paar Nachrichten: Er fragt Tante Patricia, ob alles okay ist, antwortet Daphne, dass er noch nicht angekommen ist. Seinem PR-Mann in L.A. schreibt er, dass er sich noch nicht sicher ist, ob er eine Begleitung für die Globes braucht, und ob er nicht allein gehen kann. Oder vielleicht mit Daphne? Wie wäre das?

»Nach Hause für Weihnachten?«, fragt sein Taxifahrer, ein Schrank von einem Mann, der keine Angst vor dem Gaspedal hat.

»Ja«, sagt Duke, bevor er unerklärlicherweise korrigiert: »Nun, eigentlich … Nicht direkt. Das ist nicht mein Flug. Das ist nicht einmal mein Flughafen.«

Der Fahrer sieht ihn im Rückspiegel an.

»Eine Frau?«, fragt er mit einem Akzent, der ihn fast einschüchternd wirken lässt, sodass Duke besser nicht einmal in Erwägung ziehen sollte, ihm die Wahrheit vorzuenthalten.

»Eine Frau, ja.« Duke nickt und stellt Augenkontakt mit ihm her. Der Mann nickt wissend zurück. »Sie ist schon da, sie fliegt nach Utah, und ich wollte eigentlich nach London fliegen, aber was ist schon dabei, oder? Also werde ich wohl nach L.A. gehen … denke ich. Ich weiß es nicht.« Und dann tut er etwas noch Erstaunlicheres: Er fragt den Mann um Rat. Er plappert nervös. Gott, warum sind sie noch nicht da? »Was würden Sie machen: London oder L.A.?«

Der Mann zuckt mit den Schultern. »Interessante Auswahl«, stellt er fest. »Sie müssen ein schönes Leben haben.«

»Ja, das habe ich«, sagt er. »Die Wahl zu haben, ist toll. So viele Menschen haben keine Wahl.« Und dann plappert er los. »Das war ein großes Jahr für mich. Das Ende dieses Jahres war die Krönung. Alles, was passiert ist, während ich in Deutschland war, fühlt sich an wie die Krönung jahrelanger Arbeit – beruflich, aber auch persönlich. Hatten Sie das auch schon mal? Das mit der Work-Life-Balance? Man kann sich zu sehr in eine Richtung orientieren und dabei das Wesentliche verpassen, nicht wahr?«

Der Fahrer schaut ihn wieder im Spiegel an. Duke antwortet für ihn.

»Ja, das kann man. Ich habe es nicht immer richtig gemacht. Ich denke, das ist in Ordnung. Wir lernen doch alle dazu, nicht wahr? Das ist der Sinn der Sache. Wo bliebe der Spaß, wenn wir auf die Welt kämen und schon alle Antworten wüssten?«

»Liebe und angeln«, sagt der Fahrer. »Das ist mein Ziel.«

Duke lacht. »Das ist cool, ja. Sind Sie verheiratet?«

Der Fahrer nimmt eine Hand vom Lenkrad, um sein Handy vom Beifahrersitz zu holen, und zeigt sein Hintergrundbild mit einer lächelnden Frau und zwei kleinen Jungs.

»Mein Antrieb für alles«, sagt er, und Duke schaut auf das Foto.

»Ihre Familie ist wunderschön«, lobt er, und dann schaut er wehmütig und tief in Gedanken versunken aus dem Fenster.

Am Ende des Jahres ist er sich sicherer als je zuvor, wer er ist und was er will: Er will sich weniger darum bemühen, den Leuten zu gefallen, sein Selbstwertgefühl weniger von anderen abhängig machen und öfter Nein sagen, damit genug Raum für ein wirklich großes Ja ist ... Er ist nervös. Aber noch mehr als das ist er bereit, sich selbst als Mensch ernst zu nehmen. Als Mann. Er hat durch pure Willenskraft Karriere gemacht – aber sie hält ihn nachts nicht warm, kümmert sich nicht um ihn, wenn er krank ist, oder schaut mit ihm und einer frischen Kanne Kaffee zu, wie die Sonne über seinem Garten aufgeht. Das kann man nicht erzwingen, aber seit er Evie kennt, versteht er auch, dass es einen Unterschied macht, ob man etwas erzwingt, wenn es falsch ist, oder ob man alles gibt, wenn man weiß, dass es richtig ist. Wenn er nicht wenigstens versucht, ein wenig Zeit mit ihr zu verbringen, ist er ein verdammter Idiot.

Es muss nicht nach seinen Regeln laufen. Er sieht sie. Sie mag das Rampenlicht nicht, nicht wirklich. Sie mag ein ruhiges Leben. Okay, gut, großartig: Er kann das. Jetzt ist alles anders. Was ihn hierhergebracht hat, wird ihn nicht dorthin bringen, wo er sein möchte, mit seiner eigenen Familie als Hintergrundbild auf seinem Handy. Die Dinge ändern sich nicht, bis man sie ändert. Duke wird seine Prioritäten ändern. Die Welt mag ihn lieben – und dafür ist er wirklich sehr dankbar –, aber es gibt nur eine Person, die wirklich zählt. Und jetzt, wo er Evie kennengelernt hat, kann er sich nicht vorstellen, dass es jemand anderes als sie sein könnte. Sie ist die erste Frau, die ihn richtig versteht, abgesehen von allem anderen.

»Fünf Minuten«, sagt der Fahrer, und plötzlich fällt Duke ein, dass er kein Ticket hat, um zu Evies Abfluggate zu gelangen. Er ruft die Abfluginformationen auf seinem Handy auf, um zu sehen, von welchem Terminal sie abfliegt. Er muss ein Last-Minute-Ticket für denselben Flug kaufen, damit er durch die Sicherheitskontrolle kommt. Ganz einfach. Mit der richtigen Kreditkarte lässt sich so manches Problem lösen.

»Viel Glück«, sagt ihm der Fahrer, als Duke bezahlt. »Und nicht vergessen«, fügt er hinzu. »Liebe und angeln. Nichts anderes zählt.«

»Liebe und angeln«, wiederholt Duke. »Frohe Weihnachten.«

Im Flughafen herrscht Chaos. Es ist unglaublich viel los, die Menschen stehen in langen Schlangen vor den Check-in-Schaltern, wie Duke es schon lange nicht mehr gesehen hat: Er ist mindestens einen privaten Check-in gewohnt, wenn nicht sogar ein Privatflugzeug.

Zwei Mädchen im Teenageralter, die mit ihren Eltern dastehen, stupsen sich gegenseitig an, als er vorbeigeht, um ein Ticket zu kaufen, und er lächelt, bleibt aber nicht stehen. Er ist ein Mann auf einer Mission.

»Kann ich hier ein Ticket kaufen?«, fragt er eine aufgeregte Mitarbeiterin am First-Class-Check-in der KLM. »Ich muss durch die Sicherheitskontrolle, um nach …«. Moment mal! Was macht er denn da? Diese Person muss nicht seine ganze Geschichte hören. Davon hat der Taxifahrer genug gehört. »Ein Erste-Klasse-Ticket für den Flug um 12:10 Uhr nach Salt Lake City, bitte«, sagt er und denkt daran, das berühmte Duke-Carlisle-Lächeln aufzusetzen.

»Haben Sie Gepäck?«, fragt sie und kann ihre Verwirrung darüber, dass er nicht einmal Handgepäck dabeizuhaben scheint, kaum verbergen.

»Ich habe es vorausgeschickt«, lügt Duke, weil er nicht näher darauf eingehen will.

»Ausgezeichnet, Sir«, sagt sie und überreicht ihm alles, was er braucht. »Ich wünsche Ihnen einen guten Flug.«

An der Sicherheitskontrolle am Flughafen kann sich Duke am Ende der langen Warteschlange für die Economy-Kunden vorbeischleusen, um zu einer kürzeren Warteschlange für die Premium-Kunden zu gelangen, aber er fühlt sich zu exponiert. Er wünschte, er hätte eine Baseballkappe oder etwas anderes, um seine Augen zu verstecken – vielleicht kann er auf der anderen Seite eine kaufen. Er wartet in der Schlange, zückt sein Handy, um wenigstens etwas vor seinem Gesicht zu haben, denn er kann nicht um die Ecke zum Gate sehen. Sie muss dort sein – auf keinen Fall wird sie noch in der

Sicherheitsschlange stehen. Wahrscheinlich ist sie schon mit Magda in der Lounge. Er geht direkt dorthin.

Komm schon, komm schon, denkt er und achtet darauf, das Personal anzulächeln, denn auch wenn er nicht mehr einer der berühmtesten Schauspielenden der Welt sein will, hat er vor, für den Rest seiner Tage höflich zu sein.

»Sind Sie …?«, fragt eine Frau um die vierzig, als er durch die Sicherheitskontrolle geht.

Er nickt und sagt leise: »Ich bin es«, und fügt mit einem Augenzwinkern hinzu: »Aber lassen Sie mich nicht auffliegen.«

»Ich habe Sie in *The Marvelous Mrs. Maisel* geliebt«, sagt sie, und er bedankt sich bei ihr, dann kann er gehen. Er läuft wie ein Verrückter zu den Abfluggates. Kurz bevor er ankommt, verlangsamt er seinen Schritt und streicht sich selbstbewusst über die Haare.

Duke geht durch die Glastüren, bereit für diesen sich nähernden Moment, sein Herz pocht und singt geradezu, weil er die Chance hat, sich zu verschenken.

Aber sie ist nicht da.

Es ist viel los, und die Leute fangen an, ihn anzustarren, einer knipst ein Foto und zieht damit noch mehr Aufmerksamkeit auf sich, bis ein paar Leute Fotos machen und ihm den Weg versperren. Er versucht, cool zu bleiben, höflich zu sein, frohe Weihnachten zu wünschen, aber eigentlich ist das dumm. Er muss nur Evie sehen, ihr sagen, was er sagen muss, bevor sie fliegt, und dann weiß er, dass er alles versucht, alles gegeben hat.

»Entschuldigung«, sagt er und schiebt sich durch die Menge.

Er kann die Schlange vor dem Gate sehen und versucht fieberhaft, sie ausfindig zu machen. Sie ist nicht in der Schlange, die auf das Boarding wartet, und er kann sie auch im Sitzbereich nicht sehen. Er hat sich geirrt. Das war alles nur eine Vermutung. Er hat angenommen, dass sie nach Salt Lake City fliegt, und zwar von diesem Flughafen, zu dieser Zeit. Aber sicher weiß er es nicht.

Verdammt. Er fühlt sich geschlagen. Er hat keinen Plan B. Er hatte an nichts anderes gedacht als daran, zum Flughafen zu fahren. Er sucht in den Tiefen seines Gehirns nach einem Hinweis oder einer Idee, was er als Nächstes tun soll. Jemand fotografiert ihn.

»Hey, ich bin nicht der, für den du mich hältst«, sagt er und schüttelt den Kopf.

Der Mann mittleren Alters mit dem Handy sieht so aus, als wolle er sich entschuldigen.

»Tut mir leid«, sagt er und deutet auf eine Frau, die in der Nähe steht. »Meine Frau – sie ist ein großer Fan.«

Duke winkt der Frau zu. »Hey«, sagt er. »Fröhliche Weihnachten.«

Er hat immer noch keine Ahnung, was er als Nächstes tun soll. Sie ist nicht hier. Sie ist nirgends zu finden. Also … war's das?

Er beginnt, in der Nähe der Toiletten und Imbissstände auf und ab zu gehen. Er hat es vermasselt. Er ist quer durchs Land gefahren, hat dem Taxifahrer einen Hollywood-Helden aus einem seiner Filme vorgespielt und eine letzte große Show präsentiert, und wie sich herausstellt, hatte Evie von Anfang an recht. Nichts davon – weder das Leben noch die Liebe – ist ein Ed-Sheeran-Song oder ein verrückter Sprint durch einen Flughafen. Er hat sich in diese Vorstellung hineingesteigert, und das macht ihn zu einem verdammten Idioten. Er lässt sich an der nächstgelegenen Wand auf den Boden sinken.

Na ja … Immerhin hat er es versucht.

Das zählt auch.

»Duke?«

Es ist Magda. Magda! Ihre beste Freundin! Magda wird wissen, was zu tun ist! Magda könnte sogar mit ihr hier sein!

»Ist sie hier?«, antwortet er.

»Evie?«, fragt sie. »Ja. Sie bezahlt gerade an der Bar. Oh mein Gott, Gott sei Dank bist du hier. Du bist doch wegen ihr hier, oder?«

»Ja!«, ruft Duke und steht auf.

Er dreht sich um und beobachtet Evie, wie sie die Bar verlässt und sich über die Schulter hinweg bedankt. Als sie ihn sieht, bleibt sie stehen, starrt zu Magda und dann wieder zu ihm.

»Evie«, sagt er und macht einen Schritt nach vorn, und die zehn Schritte, die sie braucht, um ihn zu erreichen, kommen ihm wie eine Ewigkeit vor.

»Duke«, sagt sie kühl. »Hallo.«

»Ich werde …«, beginnt Magda und schaut zwischen ihnen hin und her, »gehen.«

Evie sieht sie an. »Nein«, sagt sie. »Das musst du nicht.« Sie sieht zu Duke. »Unser Flug geht gleich«, sagt sie. »Ich versuche nicht, cool zu sein oder so, aber wir verpassen den Flug, wenn wir uns nicht beeilen. Wir haben nicht viel Zeit«, sagt sie.

»Ich begleite euch«, schlägt Duke vor, und Magda geht voraus, sodass Duke und Evie sich hinter ihr einreihen können. Der Wartebereich hat sich geleert, und sie reihen sich in die Boardingschlange ein, nur eine Handvoll Leute ist noch vor ihnen. Sie haben es wirklich gerade noch geschafft.

»Wo sind deine Sachen?«, fragt Evie und mustert ihn von oben bis unten.

Duke verzieht das Gesicht. »Ich … weiß es nicht«, sagt er, und sie sieht ihn – mit diesen Augen, diesen Lippen, diesem Haar, diesem Gesicht – verwirrt an, und er lacht. Sie ist da! Er hat sie noch erwischt! »Vermutlich im Hotel.«

»Das verstehe ich nicht …«, sagt sie irritiert.

»Als ich gemerkt habe, dass du schon weg warst, bin ich einfach in ein Taxi gestiegen«, erklärt er, und das Gesicht, das sie macht, als sie begreift, dass er wegen ihr hier ist, ist eines, an das er sich bis zum letzten Tag seines Lebens erinnern wird. Erst ist sie überrascht, dann verwirrt, dann ist nur noch pure, reine Freude in ihrem Gesicht zu lesen, gefolgt von geröteten Wangen, als sie sich der Situation bewusst wird.

»Evie, deine Bordkarte?«, fragt Magda und dreht sich zu ihnen um. Evie reicht der Flugbegleiterin ihre Karte, und Duke tut dasselbe.

»Du bist auch auf diesem Flug?«, fragt Evie. »Nach Salt Lake City?«

»Na ja«, sagt er. »Ich brauchte das Ticket, um durch die Sicherheitskontrolle zu kommen. Ich kann doch einfach mit dir warten, bis sie die Türen schließen, oder?« Er wendet sich der Flugbegleiterin zu.

»Nein, Sir, nicht wirklich«, sagt sie ein wenig alarmiert. »Sie können entweder mit rein, oder Sie bleiben draußen.«

Duke sieht Evie an. Sie wirkt hoffnungsvoll. Es ist also klar.

»Rein«, sagt er.

»Rein«, wiederholt Evie. »Du fliegst nach Salt Lake City?«

»Sicher«, beschließt er. »Ich meine … Sieh mal. Es gibt einiges, was ich dir sagen will!«

»Dann sag es!«, erwidert Evie.

»Okay!« Er lacht, und dann lachen sie beide, und Magda dreht sich um und lächelt.

»Warte kurz«, sagt er. »Magda – wir kommen, okay?«

»Wir fliegen nicht ohne euch!«, ruft Magda und besteigt das Flugzeug.

»Evie«, sagt Duke. »Ich weiß nicht, was ich hier tue. Ich weiß nur, dass ich mein ganzes Leben lang nach Liebe gesucht habe, und zwar immer an den falschen Orten. Und in diesem Monat, während dieser Zeit in Deutschland, ist etwas passiert, bei dem mir klar geworden ist, dass ich mit meinen eigenen Problemen zu kämpfen hatte. Ich war in meinem Job und in meinem wirklichen Leben so lange ein Schauspieler, dass ich nicht wusste, wo der eine Duke aufgehört und der andere angefangen hat, und ich habe mich darüber geärgert, aber ich habe die Situation trotzdem nicht geändert, verstehst du?«

Evie macht etwas Seltsames mit ihrem Kopf, eine Art Nicken-trifft-auf-Schütteln, als ob sie wirklich versucht, ihm zu folgen.

»Okay«, sagt Duke. »Das hört sich dämlich an. Ich glaube, was ich meine, ist: Ich habe nach Liebe außerhalb von mir selbst ge-sucht. Und dann bist du aufgetaucht und hast mich irgendwie … herausgefordert – ich weiß nicht einmal, wie. Du bringst mich dazu, besser sein zu wollen, Evie. Du bringst mich dazu, mich damit aus-einanderzusetzen, wer ich bin und wo meine Taten nicht mit mei-nen Worten übereinstimmen, und ich finde dich so verdammt stur und unmöglich zu lesen, und du machst mich, ehrlich gesagt, ein bisschen wütend …«

An dieser Stelle lacht Evie, und Duke sieht jetzt die Tränen in ihren Augen, die überzulaufen drohen.

»Das tust du«, wiederholt er. »Du machst mich wütend. Aber du bist auch eine Realistin. Du machst mich besser, weil du mich in die Realität zwingst, und weißt du, du hast gesagt, Liebe sei keine ver-rückten Sprints durch Flughäfen, aber ich habe einen verdammt verrückten Sprint für dich hingelegt, und ich denke, das liegt daran, dass ich eher der romantische Typ bin, und das macht uns ein klei-nes bisschen perfekt füreinander. Und als aus dem Fake-Date mit dir ein echtes Date geworden ist … habe ich wohl Angst bekom-men, weil ich mich vor dir nicht verstecken kann.«

»Das hat man mir schon einmal gesagt.« Evie kichert, und jetzt laufen ihr die Tränen über die Wangen. »Aber ich habe es ver-sucht!«, protestiert sie. »Ich habe gestern Abend eine sehr romanti-sche Vorstellung hingelegt, und du warst noch nicht einmal da! Ich hatte das Gefühl, dass, selbst wenn du recht hattest, der Zeitpunkt vielleicht der falsche war oder der Ort …«

»Da kommt Ms Realistisch ins Spiel«, stimmt Duke ein und macht einen Schritt auf sie zu. Er kann es nicht ertragen, sie nicht zu berühren. Er muss sie berühren. Er will ihr Gesicht in seinen Händen halten, seine Lippen auf ihre pressen. »Wir müssen dafür sorgen, dass dies der richtige Ort und die richtige Zeit ist. Wenn ich etwas weiß, dann, dass zwei Menschen, die das haben, was wir miteinander haben – was auch immer es ist –, den Göttern und den Sternen moralisch verpflichtet sind, alles andere zu regeln.«

»Okay.« Sie nickt. »Ich habe Angst, aber ich mag dich, Duke.«

»Ich habe Angst, und ich mag dich auch«, erwidert er und drückt seine Nase an ihre.

Sie lacht, und er lacht, und dann küssen sie sich, und er kann ihre salzigen Tränen schmecken und wischt sie mit einem Finger weg.

»Machen wir es also?«, fragt sie und tritt einen Schritt zurück.

»Wir machen es«, sagt Duke, und der Steward, der die Flugzeugtür bedient, zeigt auf das Innere des Flugzeugs und sagt: »Sehr süß, Leute. Aber macht ihr auch *das*?«

Evie sieht Duke an.

»Kommst du mit zu mir?«, fragt sie, und er nickt. »Über Weihnachten?«

»Ich dachte schon, du fragst nie«, antwortet er.

44

EVIE

Im Flugzeug wirft Evie einen Blick nach links, um Magda zu sehen, die auf ihrem Stuhl kniet und zum Ausgang blickt und darauf wartet, dass sie einsteigen. Evie winkt, und Magda leuchtet auf. Sie ist zu weit weg, um ihr etwas zuzurufen, ohne die anderen Passagiere zu stören, und begnügt sich daher mit einem Daumen nach oben und einem Daumen nach unten, als wolle sie sagen: *Geht's dir gut? Alles okay? Oder nicht?* Evie zeigt den Daumen nach oben und weist dann auf Duke, und der lacht, als Magda ihm am anderen Ende des Ganges einen doppelten Daumen nach oben zeigt. Dann zwinkert Evie ihm zu und stößt ihn beschwingt mit der Hüfte an, sehr zum Entsetzen der Frau auf Platz 7C, die das mitbekommt.

»Also gut«, sagt die lächelnde Stewardess. »Madam, Sie müssen hier entlang und vier Reihen weiter nach hinten. Und Sie, Sir …« Sie nimmt Dukes Ticket und sagt ihm, dass sein Platz auf dem leeren Sitz neben Magda ist. Er verzieht das Gesicht.

»Warten Sie«, sagt er zu Evie. »Du sitzt in der Economy-Class, ja?«

»Ja«, antwortet Evie. Sie erwartet nicht, dass er mit ihr in die Economy-Class kommt, wenn er den Flug hier genießen kann. Außerdem hat sie in den letzten Wochen genug gelernt, um zu wissen, dass man nicht davon ausgehen kann, dass er unbemerkt bleibt, und schon gar nicht für die nächsten fünfzehn Stunden. »Es ist in Ordnung«, sagt sie zu ihm. »Geh. Entspann dich. Ich sehe euch beide auf der anderen Seite des Ozeans.«

Duke sieht traurig aus.

»Ich will nicht von dir getrennt sein«, sagt er. »Ich habe dich doch gerade erst gefunden.«

»Es sind nur ein paar Stunden.« Evie lächelt, und er küsst sie innig, und das gefällt ihr.

»Tut mir leid, Sie beide, aber Sie müssen sich jetzt wirklich hinsetzen«, sagt die Flugbegleiterin, und Duke nimmt Evie die Bordkarte aus der Hand und gibt ihr seine.

»Wir sehen uns, wenn wir ankommen«, sagt er, während er sich auf den Weg zu ihrem Sitz in der Economy-Class macht. Sie sieht Magda an, die bei dieser unerwarteten Wendung leise, aber theatralisch klatscht. Duke nimmt seinen Platz ein und lächelt sie von vorn an. Sie wirft ihm einen Kuss zu. Was für ein Mann!

»Und, wie war's?«, fragt Magda, als Evie sich neben ihr niederlässt. »Ich könnte jetzt sagen, dass ich es nicht glauben kann, dass er den ganzen Weg hierhergekommen ist und sich ein Ticket nach Salt Lake City besorgt hat, um dir seine Liebe zu gestehen, aber eigentlich kann ich es …«

»Er hat mir nicht seine Liebe gestanden«, stellt Evie klar, »aber … ich habe ihn zu Weihnachten eingeladen. Wenn das okay ist – auch wenn wir beide natürlich Vorrang haben, schließlich ist es dein erstes Weihnachten nach der Scheidung, und er kann sich ruhig ein Hotelzimmer nehmen oder was auch immer, wenn es sein muss. Du stehst an erster Stelle.«

Magda winkt ab. »Er mag dich, Evie. Das ist das schönste Geschenk, das sich eine beste Freundin wünschen kann. Ich werde ihn mit offenen Armen empfangen.« Dann scheint sie es sich anders zu überlegen und fügt hinzu: »Aber er kann sich seine eigenen Frühlingsrollen besorgen. Ich teile mit niemandem, nicht einmal mit dem Mann, der dich heller strahlen lässt als die Sonne und die Sterne.«

Evie streicht sich über die Wangen. Sie lächelt tatsächlich ganz breit.

Das Anschnalllicht leuchtet auf, und der Pilot macht eine Durchsage über die Windgeschwindigkeiten und die voraussichtliche Ankunftszeit, während eine Frau jedem in ihrem Teil der Kabine ein Glas Champagner reicht. Sie beginnen, zur Startbahn zu rollen.

»Wie lange wird er bleiben?«, fragt Magda, als das Flugzeug abhebt.

»Ich weiß es nicht.« Evie zuckt mit den Schultern.

»Seid ihr jetzt zusammen?«, fragt sie weiter.

»Ich weiß es nicht!«, wiederholt Evie.

»Und wie soll ich ihn nennen?«

Evie trinkt ihr Glas aus und lässt sich das Getränk fröhlich auf der Zunge zergehen.

»So wie bisher auch«, sagt sie. »Es ist nur der gute alte Duke.«

Im Flugzeug ist viel los, aber in der ersten Klasse ist es so ruhig, dass Evie sich wie in einem privaten Club fühlt. Sie plaudert mit Magda, während ihnen Getränke und Snacks serviert werden, und blättert durch die angebotenen Serien und Filme. Nichts davon scheint so traumhaft zu sein wie ihre eigene Geschichte – Duke, das Zusammensein mit ihrer besten Freundin, das Sich-Öffnen, das Tattoo ... Die Evie Bird, die in Utah landen wird, ist nicht mehr dieselbe Evie Bird wie die, die abgeflogen ist.

»Ich bin stolz auf dich«, flüstert Magda, als das Essen abgeräumt ist und die meisten Leute eingeschlafen sind. »Ich bin eigentlich stolz auf uns beide. Zwei beste Freundinnen, vom Leben gebeutelt, die sich aber nicht geschlagen geben.«

Evie grinst. »Wir kommen gut klar, was, Freundin?«, sagt sie, und Magda nickt.

»Ja, Madam.«

Als auch Magda einschläft, holt Evie ihren Laptop aus dem Gepäckfach. Als sie die etwa dreißigtausend Wörter ihres neuen Buches noch einmal liest, weiß sie, dass dies ihr Durchbruch sein wird.

Sie weiß es einfach. Das Tempo ist anders, die Energie ist da. Sie seufzt glücklich, und dann taucht eine Gestalt neben ihr auf, und sie fährt erschrocken zusammen.

»Mein Gott«, sagt sie und greift sich an die Brust. »Du hast mich zu Tode erschreckt!«

»Tut mir leid.« Duke lächelt, so wie er es immer tut. »Sie haben den Vorhang geschlossen, sodass ich dich nicht mehr sehen konnte. Es war okay, als ich dich sehen konnte, aber mit geschlossenem Vorhang ...« Er bricht ab.

»Na, du bist ja süß«, sagt Evie, und er hockt sich neben sie, sodass sie auf Augenhöhe sind, und seine Augen funkeln, und seine Grübchen bilden liebenswerte Krater. Evie streckt eine Hand nach seiner Wange aus und streichelt sie, und er nimmt sie, drückt sie an seine Haut und seufzt glücklich.

»Okay«, sagt er. »Ich musste mich nur daran erinnern, wie Luxus aussieht. Der Mann neben mir hat meine Schulter als Tröpfchenfänger benutzt, also ...«

»Ich weiß den Platz zu schätzen«, antwortet Evie. »Du bist ein wahrer Gentleman.«

Er zwinkert ihr zu, küsst ihre Hand und sagt dann: »Okay. Dann geh ich jetzt mal, bevor ich rausgeworfen werde.«

»Tschüss«, flüstert Evie, und sie macht keinen Hehl daraus, dass sie ihm auf den Hintern schaut, während er weggeht und dann, als niemand hinschaut, den Vorhang zurückschiebt, damit er sie wieder sehen kann. Sie denkt: *Das ist meiner.* Es gefällt ihr, so über ihn zu denken. Sie will nicht irgendeinen, sie will ihn. Es fühlt sich wie ein freier Fall an, das zuzugeben.

Evie kehrt zu ihrem Laptop und zu der Geschichte zurück, von der sie dachte, dass sie dieses Mal keine Liebesgeschichte wie die anderen sein würde. Aber stimmt das nicht sogar? Diese Liebesgeschichte ist nicht wie die anderen. Es ist eine, an der sie endlich teilhaben darf, und so fühlt sie sich jetzt gezwungen, endlich eine zu schreiben, an die sie glauben kann. Sie blickt zurück und sieht, wie Duke in ihre Richtung starrt. Er hebt eine Hand und setzt sein süßes halbes Lächeln auf.

In ihrer Brust breitet sich ein Wohlgefühl aus, und sie weiß, dass sie ihm vertrauen kann. Sie wendet sich wieder ihrem Laptop zu und beginnt ein neues Kapitel. Eines, auf das sie wirklich sehr gespannt ist.

45

DUKE

Zwei Monate später

Ein Filmset ist ein ganz besonderer Ort. Aber, denkt Duke, während er durch das Wohnzimmer tappt, er ist nicht so besonders wie hier zu sein, zu Hause, mit ihr. Daran könnte er sich gewöhnen. Langsam, ganz langsam und ohne Eile kann er erkennen, dass dies ein schönes »Für immer« sein könnte. Also vielleicht. Er will nichts erzwingen. Er versucht ausnahmsweise mal, zuzulassen, dass sich die Dinge in ihrem eigenen Tempo entfalten. So weit, so gut. Es ist schon komisch, dass es besser ist, sich vom Strom treiben zu lassen, als zu versuchen, stromaufwärts zu schwimmen. Wenn das alles zu diesem Ergebnis geführt hat, war es das wert. In der Gegenwart zu bleiben, passt zu ihm: Die Vergangenheit ist geschehen, die Zukunft ist noch nicht geschrieben. Es ist gar nicht so schwer, den Moment zu genießen.

»Eine Tasse Tee?«, fragt er und erhebt sich von seinem Platz im Wohnzimmer, auf dem er in den letzten Stunden mit Skripts und seinem Laptop gesessen hat. Evie blickt nicht von ihrem Platz im Sonnenzimmer auf, das in den zwei Monaten, seit er in Utah ist, inoffiziell zu ihrem Arbeitsplatz geworden ist, wenn sie zu Besuch ist. Sie sitzt da drin, hört Cleo Wade und Bach, ihr kleiner Hund Dr. Dolittle zu ihren Füßen, und er ist im anderen Zimmer, nimmt Anrufe entgegen und macht Pläne. Sie arbeiten, sie plaudern, sie lieben sich, sie gehen spazieren … Sie verabschieden sich für ein paar Nächte, wenn sie zurück in ihre Wohnung geht, und dann fangen sie wieder von vorn an.

»Kaffee«, antwortet sie, ohne von ihrem Bildschirm aufzuschauen. »Ein doppelter, bitte.«

Duke ist damit beschäftigt, Tassen und Teebeutel herauszuholen, eine Kapsel in die Kaffeemaschine zu stecken und die Milch zu suchen. Es ist nicht sein Haus. Es ist gemietet. Als er über Weihnachten bei ihr gewohnt hat, hat sie vorgeschlagen, dass er zwischen den Preisverleihungen und den Besuchen bei seiner Mutter in Sunderland eine Weile hierbleiben könnte, bevor er zu Ostern für einen Monat in Brasilien vor der Kamera steht – sein letzter Film für eine ganze Weile, wie er seinem Agenten verklickert hat. Als Evie ihn gefragt hat, hat er gesagt, dass er das gerne tun würde – aber dass er, um ihnen etwas Zeit zu geben, in der Nähe bleiben würde, nicht bei ihr. Auch, um den Druck rauszunehmen. Und es läuft so gut, dass er sie gerade gefragt hat, ob sie mit ihm nach Rio kommen möchte. Sie hat geantwortet, dass sie das gerne möchte, denn sie hat gemerkt, dass ein bisschen reisen eigentlich ganz lustig ist. Es ist ein Geben und Nehmen, und sie üben beide Rollen. Duke findet es einfacher, Liebe zu geben, als zu empfangen, und Evie sagt, dass es ihr genauso geht. Also helfen sie sich gegenseitig, sich lieben zu lassen. Das ist keine schlechte Sache.

Dukes Telefon klingelt. Er hält es in der einen Hand, während er Evie mit der anderen Hand einen doppelten, extraschaumigen Soja-Latte bringt, und sie schaut zu ihm hoch und lächelt dankbar. Sie sehen sich an, verbleiben kurz in der Schwebe, als wären sie von der fortdauernden Anwesenheit des anderen überrascht. Dr. Dolittle rührt sich zu ihren Füßen, und sie unterbrechen den Blickkontakt, damit sie sich vorbeugen und seinen Kopf kraulen kann. Er sieht, wie sich die schlanken Muskeln ihres Halses bewegen, und genießt das singende Kichern, das sie von sich gibt, als der Hund hochspringt, um ihr das Gesicht zu lecken.

»Verrückter Junge«, hört er sie in das Fell des Hundes sagen.

»Daphne«, sagt Duke, als er den Anruf entgegennimmt, immer noch seine Freundin betrachtend. »Was denkst du?«

Er spricht von einem Drehbuch, das er heute Morgen bekommen und ihr gerade geschickt hat. Es stammt von einer Drehbuchautorin, die mit ihrem letzten Arthousefilm, den sie geschrieben und in dem sie die Hauptrolle gespielt hat, für Aufsehen gesorgt hat. Von diesem neuen Drehbuch hat sie ihm beiläufig auf einer Party nach den Globes erzählt – wo Duke leer ausging, was ihm, zu seiner Überraschung, nichts ausgemacht hat. Es geht um eine Störung im Raum-Zeit-Kontinuum, die dazu führt, dass sich ein sechzehnjähriges Liebespaar immer wieder trifft, und es gefällt ihm. Daphne wäre eine tolle Regisseurin, und Duke hätte nichts dagegen, den Vater der Hauptdarstellerin zu spielen, was eine Premiere wäre.

»Ich bin total begeistert«, schwärmt Daphne. »Ich habe nur ein paar Anmerkungen, falls du Zeit dafür hast?«, fügt sie hinzu.

Duke drückt Evie einen Kuss auf die Stirn, und sie erwidert ihn lächelnd, bevor sie ausruft: »Sieh mal, Schnee!«

Sie drehen sich zu dem Doppelfenster mit Blick auf das Tal, den dunklen Himmel und die tanzenden Flocken, und Duke lächelt.

»Ich habe Zeit«, sagt er, und obwohl er nicht mit Evie spricht, sieht sie ihn an und macht ein glückliches Gesicht. Ein zufriedenes Gesicht. Gott, er liebt sie. Und er weiß, dass es ihr genauso geht.

Daphne plaudert in der Leitung über ihre Ideen, und Duke geht zurück in die Küche, wo er sich an die Frühstückstheke setzt. Als er fertig ist, kommt Evie zu ihm herüber, hüpft auf die Theke, schlingt ihre Beine um ihn und sagt: »Duke, es tut mir leid, dir das sagen zu müssen, aber, von wegen alles oder nichts … Ich habe mich in dich verliebt.«

Er lächelt, hebt ihr Kinn an und flüstert ihr mit einem Lächeln und einem Beinahe-Kuss zu, dass er sich auch in sie verliebt hat. Es ist kein Happy End. Es ist ein Anfang.

Dank

Vier Wochen im Dezember ist ein Wendepunkt in meinem Leben als Schriftstellerin. Nach diesem Buch wird sich einiges für mich ändern. Bisher habe ich mich dazu verleiten lassen, das Schreiben als »Traumberuf« zu bezeichnen, einen Beruf, den so viele anstreben, aber nur wenige ausüben. Etwas, wofür ich mich glücklich schätzen und dankbar sein sollte und das ich nicht allzu sehr hinterfragen sollte, damit es mir nicht weggenommen und jemandem gegeben wird, der netter ist oder weniger Ansprüche stellt. Jemandem, der weniger Fragen stellt. Schließlich ist es ja keine Schufterei unter Tage, worüber sollte ich mich auch beschweren?

Tja …

Vielleicht hat sich meine Sicht durch die Pandemie geändert oder durch das Leben als Mutter. Vielleicht bin ich aber auch einfach nur erwachsen geworden. Im letzten Jahr ist mir klar geworden, dass ein Job, ganz gleich wie viel Leidenschaft man für ihn hegt, immer nur ein Job ist. Und ein Job liebt einen nie zurück. Ich weiß, dass ich nicht die Einzige bin, die das erkannt hat. Auch ich bin Teil der Great Resignation, der großen Kündigungswelle! Ich habe herausgefunden, was für mich in meinem Job funktioniert und was nicht, gerade weil ich mich um mich selbst kümmern muss, denn sonst tut es keiner. *That's capitalism, baby!* So läuft das im Kapitalismus und, ich wage es zu sagen, im Patriarchat.

Die größte Schimäre, an die man uns glauben lässt, ist, dass unser Job unser Lebenszweck, unsere Bestimmung sein soll. Das bedeutet, dass wir das Wertvollste, was wir haben – unsere Zeit –, zur Ware machen, um andere Menschen reich zu machen. Ich habe mich in meinem Denken radikalisiert, und ich sehe meinen Job mittlerweile nicht mehr als meine Bestimmung, sondern als etwas, das mein anderes, eigentliches Leben finanziert. Und das fühlt sich wie Freiheit an. Ich vermute, dass ich das deshalb hier erzähle.

Die letzte Zeit war für mich eine Zeit der beruflichen Abrechnung, und ich wurde dabei von netten, geduldigen und aufrichtigen Menschen in meinem Privatleben unterstützt, die mir geholfen haben, eine notwendige und unglaublich schmerzhafte Entwicklung durchzustehen. (Ich habe sehr viel geweint, hatte unzählige schlaflose Nächte und sehr, sehr viele Gefühlsausbrüche, für die ich mich entschuldigen musste – und dann hatte ich auch meine erste, sehr beängstigende Panikattacke.) Liebe Freundinnen und Freunde, ich führe eure Namen hier nicht in einer besonderen Reihenfolge auf, ihr solltet eigentlich alle in derselben ersten Zeile stehen, weil ihr alle so toll wart. Ihr habt mir zugehört und mir Ratschläge gegeben, und das auch noch lange, nachdem sogar ich von meinen »Was soll ich aus meinem Leben machen?«- und »Was bedeutet das alles?«-Monologen gelangweilt war. Ohne euch hätte ich das alles definitiv nicht geschafft:

Daniel Draper, Charlotte Jacklin, Lucy Sheridan, Sarah Powell, Sabah Khan, Meg Fee, Katie Loughnane, Calum McSwiggan, Claire Baker, Lucy Smithson, Jessica Stones, Shirley Argyle, Lucy Vine, Gillian McAllister, Beth O'Leary, Ella Kahn, Mum, Dad, Jack.

Und du, mein Liebling. Das ist alles für dich, womit ich meine: nicht die Arbeit, die uns ernährt, sondern die Grenzen, die dafür sorgen, dass die Arbeit nicht mehr Zeit verschluckt als nötig. Denn das wäre schließlich Zeit ohne dich und würde den Sinn des Ganzen zunichtemachen.

Und schließlich bedanke ich mich bei euch fürs Lesen. Ich habe zwar einen Arbeitsplatz gefunden, der nicht so viel Herzblut erfordert, aber ich werde nie genug Dankbarkeit für die Leserinnen und Leser empfinden, die meine Bücher lesen und anderen davon erzählen. Ich höre sehr gern von euch allen, ich treffe euch gern, ich liebe es, am Computer zu sitzen und Liebesgeschichten für euch zu erfinden. Wenn ich jemandem etwas schuldig bin, dann euch. Haltet Ausschau nach meinem nächsten Buch – es wird ein Knaller! Ich weiß es sehr zu schätzen, dass ihr mich auf dieser Reise begleitet. Vielen, vielen Dank dafür.

Bis bald
Laura

Dank an die Mitwirkenden in der Verlagsbranche

Team Avon

Molly Walker-Sharp – Lektorin
Cara Chimirri – Senior-Lektorin
Elisha Lundin – Lektoratsassistentin
Ella Young – Assistentin Marketing und Kommunikation
Gabriella Drinkald – Pressesprecherin
Hannah Avery – Key Account Managerin, Internationaler Vertrieb
Hannah O'Brien – Leitende Marketingmanagerin
Helen Huthwaite – Verlagsleiterin
Maddie Dunne-Kirby – Marketingmanagerin
Oli Malcolm – Geschäftsführender Verleger
Raphaella Demetris – Lektoratsassistentin
Sammy Luton – Key Account Manager
Thorne Ryan – Verlagsleiter

Freelancer

Anne Rieley – Korrektorin
Giovanna Giuliano – Illustratorin
Helena Newton – Redakteurin

HarperCollins

Alice Gomer – Leiterin des internationalen Vertriebs
Anna Derkacz – Vertriebsleitung
Ben Hurd – Marketingleitung
Ben Wright – Leiter des internationalen Vertriebs
Caroline Young – Senior-Designerin
Charlotte Brown – Audio-Lektorin
Claire Ward – Kreativleitung
Dean Russell – Leiter des Designstudios
El Slater – Marketingmanagerin
Emily Chan – Produktionsleiterin
Georgina Ugen – Leiterin digitaler Vertrieb
Holly Macdonald – Künstlerische Leitung
Melissa Okusanya – Leiterin der Verlagsabteilung
Tom Dunstan – Verkaufsleiter UK

Rechte und Lizenzen

Emily Gerbner, Jean Marie Kelly und das Harper360-Team
Lana Beckwith und das Film- & TV-Team
Michael White und das Team von HarperCollins Australia
Peter Borcsok und das Team von HarperCollins Kanada
Zoe Shine, Rachel McCarron und das HCUK Rights Team